천재 수학자
가우스가 들려주는
수학

13 SAI NO MUSUME NI KATARU GAUSS NO OUGONTEIRI

by Jung Myeong Kim

Copyright © 2013 by Jung Myeong Kim
First published 2013 by Iwanami Shoten, Publishers, Tokyo.
This Korean edition published 2014 by Gbrain by arrangement with
the proprietor c/o Iwanami Shoten, Publishers, Tokyo through Shinwon Agency, Seoul.

천재 수학자
가우스가 들려주는
수학

© 김중명, 2021

초판 1쇄 인쇄일 2021년 6월 24일
초판 1쇄 발행일 2021년 7월 1일

지은이 김중명 옮긴이 강현정
감 수 박구연
펴낸이 김지영 펴낸곳 지브레인Gbrain
편 집 김현주
마케팅 조명구 제작 · 관리 김동영

출판등록 2001년 7월 3일 제2005-000022호
주소 04021 서울시 마포구 월드컵로 7길 88 2층
전화 (02)2648-7224 팩스 (02)2654-7696

ISBN 978-89-5979-665-6 (03410)

• 책값은 뒤표지에 있습니다.
• 잘못된 책은 교환해 드립니다.

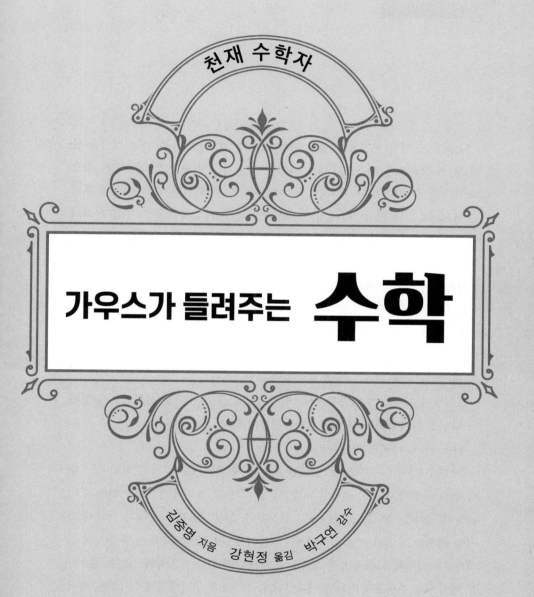

천재 수학자

가우스가 들려주는 **수학**

김종명 지음 강현정 옮김 박구연 감수

이 책을 쓰면서 이것을 소설로 만들어도 재미있지 않을까 하는 생각을 줄곧 했다. 주인공은 가우스가 '4로 나누면 1이 남는 소수는 두 제곱수의 합으로 표현할 수 있다'라고 말했던 '극히 아름다운 자태의 정리'이다. 시작 부분은 디오판토스나 히파티아에게 등장을 부탁하자. 가능하면 꽃이 있는 히파티아 쪽이 좋겠다. 역사에 이름을 남기지 않은 인물의 활약도 그려야지. 무대도 아랍이나 중국, 한국, 일본으로 건너뛰어야지.

이윽고 주인공은 페르마를 만나고, 오일러, 가우스로 편역을 하다가 마지막에는 다카키 데이지로 압축하자.

소설인 만큼 수학적인 내용을 파고들 수 없는 건 아쉽지만, 이 정리와 인류와의 연애가 막 시작된 시점에서 열애시절을 그릴 수 있다면 재미있는 소설이 될 것 같다. 언젠가는 이런 소설을 써보고 싶다.

오일러나 가우스가 활약한 것은 인간이 스스로 만들어낸 사회적인 규범에서 자신을 해방하려는 사조가 생겨나던 시기였다.

동아시아도 예외는 아니다.

《주해수요》라는 수학서를 집필한 조선의 홍대용은 오일러와 거의 동시대에 활약한 실학자인데, 당시의 지배계급인 양반을 '소위유민所謂遊民'이라고 야유하며 나라를 좀먹는 근간이라고 주장했다. 신분제도를 타파하기 위해서 과거를 폐지하고, 8세 이상의 아이에게 평등하게 교육을 실시하라는 등 당시의 상식으로는 생각할 수 없을 만큼 파격적인 제안도 했다. 조선 실학의 대가로 칭송받는 정약용은 가우스와 거의 동시대인이다. 정약용은 만년에 집필한 《전론》에서 실제로 경작하는 농민에게 평등하게 토지를 분배하라는 급진적인 사회정책을 논한다.

마찬가지로 불로탐식하는 무사계급을 매도하고, 철저한 평등을 주장한 일본의 안도 쇼에키安藤昌益는 오일러보다 4년 위이다. 이 시대에 와산이 전성기를 맞이했음은 두말할 필요도 없다.

제곱잉여 상호법칙을 이렇게 세계적인 사조 속에서 바라보는 것도 흥미진진하지 않나 싶다.

《열세 살 딸에게 가르치는 갈루아 이론》은 실제로 13살인 채은이와 이러쿵저러쿵 의논을 거듭하면서 집필했다. 하지만 《가우스》를 쓰기 시작했을 때는 이미 채은이도 16살이었고, 바쁘게 생활하고 있어 함께 하지는 못했다. 이 책에 나오는 채은이와의 대화는 13살 채은이를 상상한 가공의 인물이다.

그렇지만 1장씩 완성할 때마다 채은이에게 들려주면서 감상을 듣고 그 뒷부분을 진행했다. 물론 '채은이의 노트'를 쓴 것도 16살의 채은이다.

'채은이의 노트'에도 언급하고 있지만 초등학교 5학년 때 여름방학 자유연구로 정수에 관한 숙제를 함께 한 적이 있었다. 증명을 하는 것이 아니라 컴퓨터로 다양한 실험을 하면서 놀고 있었을 뿐이지만, 그래도 페르마의 소정리나 오일러의 ϕ함수 등까지 의논이 진행되었다. 큰 수를 마음대로 조종하는 것만으로도 즐거웠는지 채은이는 눈을 반짝이며 정수를 가지고 놀았다. 그 덕분인지 이 《가우스…》는 쉽게 친숙해진 편이었다. 2차 형식론쯤에 와서는 지긋지긋하다는 표정이 되었지만 말이다.

《갈루아…》나 《가우스…》를 읽고 채은이는 천재가 아닐까 생각하는 분이 계실지 모르지만, 그런 이미지는 '몰라' '이해 안 돼'를 연발하는 채은이와의 의논을 정리했기 때문이다. 채은이가 따라와준 것은 질문을 하면 바로 대답해주는 사람이 옆에 있었기 때문일 것이다. 사실 고교생 정도면 이 책을 충분히 혼자 읽을 수 있겠지만, 13살 소년소녀들이 혼자 힘으로 독파하기는 힘들 것이다.

또 채은이와의 의논을 반복했던 경험에서 말하자면 충분히 시간을 들인 개인수업이나 소인수의 수업이라면 《갈루아…》나 《가우스…》를 충분히 이해시킬 수 있다고 본다.

본문에서도 살짝 언급했지만, 이 책은 누구보다 한때 입시수학의 괴로움을 경험했던 중장년들이 읽어주었으면 하는 바람이다.

에도시대에 와산이 세계사의 기적이라고도 할 만한 발전을 보인 것은 시정의 사람들이 산학을 지탱했기 때문이다. 서민에서 다이묘까지, 천재와는 거리가 먼 무명의 사람들이 산학을 사랑했기에 찬란하게 빛나는 그 성과를 얻을 수 있었다.

하지만 메이지에 접어들어 와산은 어이없이 쇠락했고, 수학은 아이들을 차별, 선별하는 도구로 전락하여 어느새 '수학이 취미입니다'라고 말하면 이상한 사람으로 취급받는 사회가 되었다.

오늘은 감기기운이 있어 머리가 아프니 수학 문제라도 풀어볼까? 하는 것이 상식이 되는 세상을 목표로, 이 책이 그런 세상에 일조가 되었으면 하는 바람이다.

김중명

톰 행크스가 주연한 〈캐스트 어웨이〉라는 영화에서 톰 행크스는 무인도에 갇혀 공으로 만든 윌슨이라는 가상인물을 통해 자신과 끊임없이 대화한다. 외로움을 극복하기 위해 가상의 인물과 대화함으로써 온전한 정신을 유지해 무인도 탈출에 성공하고 자신의 생명을 구한다는 줄거리다.

가상 인물과의 대화 또는 명상은 이런 극한 상황에서만이 아니라 우리 삶에서도 좋은 길잡이가 되어준다. 그리고 이는 수학에도 활용할 수 있다. 수학을 잘 하고 싶다면 대답을 해줄 선생님을 찾아라. 만약 그럴 수 있는 상황이 되지 않는다면 여러분은 다양한 수학책을 통해 깊이 있는 사고를 경험해볼 수도 있다.

《천재 수학자 가우스가 들려주는 수학》는 수학사뿐만 아니라 과학의 역사를 바꾼 위대한 수학자들을 소개하고 그들의 발견을 대화하듯 풀어 우리의 삶을 바꾼 수학의 허들을 하나씩 넘으면서 즐기는 수학을 하도록 유도하고 있다.

그저 스치듯 만났던 페르마, 오일러, 가우스의 이론을 마주한 여러분이 증명을 통해 그 발견자가 된 듯한 기쁨과 뿌듯함을 느낄 수 있도록 해주고 있으며 교과서보다 더 깊이 있는 수학까지 파고듦으로써 수학세계의 깊이를 체험할 수 있도록 했다. 그저 외우면 끝인 공식 속 수학자의 세계가 아니라 수학왕 가우스의 정수론, 페르마의 두 제곱수 정리가 어떤 것인지 그 정수를 맛보고 싶다면 시작하라. 역사 속 페르마, 가우스, 르장드르의 고뇌와 모험 외에도 수많은 지식 체계를 견고히 다져줄 것이다. 또 놀라울 만큼 수학이 주는 재미에 빠져들 수도 있다.

고교 수학 이상의 수학적 증명과 재미를 원하는 모든 분께 《촌》를 권한다!

박구연

CONTENTS

CHAPTER 0

수학왕

CHAPTER 1

유클리드 · 디오판토스 · 브라마굽타

페르마 61

오일러 149

가우스 259

수학왕

Carl Friedrich Gauss

1777~1855

수학의 왕 가우스

18세기 말에서 19세기 전반에 걸쳐 유럽에는 '수학왕'이라는 별명의 남자가 있었다. 칼 프리드리히 가우스^{Carl Friedrich Gauss} (1777~1855, 독일의 수학자).

가우스 이후 수학왕이라는 칭호를 얻은 사람은 아무도 없었다.

가우스의 업적은 수학뿐만 아니라 물리와 천문 등 실로 광범위한 분야에 걸쳐져 있으며 현대 수학은 가우스가 뿌린 씨앗에서 활짝 피었다고 해도 과언이 아니다.

'원주등분문제를 렘니스케이트^{lemniscate}에 응용할 수 있다'라는 한마디로, 아벨^{Niels Henrik Abel} (1802~1829, 노르웨이의 수학자)을 타원함수에 관한 혁명적인 연구로 이끌고, 갈루아^{Evariste Galois}(1811~1832, 프랑스의 수학자)의 불후의 발견, 방정식원론^{cyclotomic equation}을 가능하게 한 것도 모두 가우스의 업적이다.

그런 가우스가 수많은 연구에서도 가장 아끼고 사랑했던 것이 바로 정수론이다. 가우스는 이렇게 말했다.

"수학은 과학의 여왕이며, 정수론은 수학의 여왕이다."

철학에 전념할지 수학에 매진할지 진로를 고민하던 17세의 가우스는 어느 날 정수론 중 한 가지 정리를 발견한다. 1795년의 일이었다. 후일 '제곱잉여 상호법칙의 제1보조정리^{First Supplement to Quadratic Reciprocity}'라는 이름이 붙은 이 정리의 아름다움에 감동한 가우스는 수학으로 진로를 결정한다.

계속해서 '제2보조정리'과 '제곱잉여 상호법칙' 자체를 발견하고 1년여에 걸친 노력 끝에 마침내 그 증명을 완성시킨다.

가우스는 나중에야 알았는데, 당시의 수학자들은 경험적으로 제곱잉여 상호법칙의 존재를 알고 있었다고 한다. 하지만 심지 굳은 오일러나 라그랑주도 그 증명을 완성시키지는 못했다.

가우스가 '황금정리'라는 이름을 붙이고, 끈질기게 연구하여 죽을 때까지 무려 일곱 가지 증명을 발견한 이 증명들은 각각 수학의 한 분야를 개척하는 돌파구가 되었다.

가우스의 유일한 저작인 《가우스 정수론》은 전권이 바로 이 황금정리를 위한 것이었다.

합동에 대한 해설부터 원시근이나 페르마의 소정리에 관한 이야기와 전체 페이지의 절반 이상을 차지하는 2차 형식론으로 이어진, 2차 형식에 대한 이 집요한 연구는 황금정리의 새로운 정리를 유도하기 위해서였다. 그리고 마지막은 '원의 분할을 정하는 방정식'에 대한 연구였다.

정수론의 저서에서 방정식에 대해 논한다는 것이 매우 이상하게 느껴지겠지만, 이것은 황금정리의 보다 새로운 증명을 위한 준비였다.

가우스는 제8장에서 그 증명을 기술할 예정이었는데, 《가우스 정수론》의 내용이 너무 방대해지자 한 권으로는 정리할 수가 없어 제8장의 수록은 단념했다. 아쉬움이 남게 된 이 제8장의 원고는 다행히 전해지고 있다.

황금정리의 새로운 증명을 시도한 목적 중 하나는 세제곱, 네제곱으로 이어지는 고차 n제곱의 법칙을 증명하는 방법을 발견하는 것이었다. 가우스는 1828년 네제곱의 제1논문, 1832년 제2논문을 발표했다. 이는 17세에 황금정리의 일부를 발견한 지 37년의 세월이 흐른 뒤였다.

1855년 가우스는 괴팅겐에서 향년 78세로 사망했다. 그리고 그가 남긴 원고 중에는 발표된 적이 없는 황금정리의 또 다른 증명이 있었다.

이 책은 13살 된 딸 채은이도 이해할 수 있도록 초등정수론의 최고봉이라고 할 수 있는 가우스의 황금정리를 설명하려고 한다.

계산은 정수의 가감승제인데 초등학생도 할 수 있다. 가우스는 우아한 결과만을 발표했지만 실제로는 막대한 수치 계산 끝에 아름다운 법칙을 끌어낸 것이다. 이 책에서는 구체적인 수치를 예로 들어 법칙을 끌어낼 것이다.

황금정리의 전모를 발견한 사람은 가우스였지만 사실 황금정리는 고대부터 그 아름다운 자태의 일부를 사람들 앞에 드러내고 있었다. 그것을 깨달았던 사람들은 그 속에서 수의 신비를 발견하고 경외심과 놀라움을 느끼며 그 사실을 기록했다.

그래서 이야기는 고대 세계를 방문하는 것에서 시작하려 한다.

먼저 일러두자면, 이 책을 읽을 때에는 반드시 연습장과 펜을 준비했으면 한다. 전자계산기도 필수이다. 가능한 자릿수가 많은 공학용 전자계산기라면 더 좋다.

페르마도, 가우스도 엄청난 계산을 실행하고 실험을 반복하면서 아름다운 정리를 발견해냈다. 여러분은 이런 세계를 만나는 것이다.

정수론을 연구하는 경우에는 실제로 계산해서 확인하는 작업이 중요하다. 계산을 싫어했던 페르마는 계산 실수 때문에 고민했다고 한다. 페르마가 전자계산기의 존재를 알았더라면 천만금을 주고서라도 구입하지 않았을까? 21세기를 살아가는 우리는 저렴한 가격에 전자계산기를 구입할 수 있으니 문명의 혜택을 아낌없이 잘 활용해보자.

컴퓨터를 활용하는 것도 좋다. Maxima 같은 뛰어난 무료 소프트웨어도 있는데, 이것은 자릿수가 매우 큰 정수 계산도 쉽게 해낸다. 이 소프트웨어에는 오일러의 함수 등도 구비되어 있으니, 그런 함수를 스스로 프로그램해보는 것도 좋은 공부가 될 것이다. 제4장의 2차 형식 부분에서는 여러분이 직접 프로그램을 만들어서 해본다면 가우스도 깜짝 놀라지 않을까?

전작 《열세 살 딸에게 가르치는 갈루아 이론》에서는 갈루아의 이론을 설명하기 위해 고대까지 거슬러 올라가서 방정식의 역사를 이야기하더니 이번에도 또 고대예요? 거슬러 올라가는 걸 좋아하시네요.

역사를 좋아하기도 하지만 수학을 이해하는 데에는 역사를 거슬러 올라가는 것이 도움이 되거든. 완성된 아름다운 이론을 감상하는 것도 좋지만, 그렇게만 하면 그 이론을 만든 사람들의 피와 땀 냄새를 느낄 수가 없어. 그리고 나는 역사를 더듬어가는 것이 그런 이론을 이해하는 가장 쉬운 방법이라고 보거든.

채은 흐음. 그런데 초등정수론이던가? 그런 말이 있던데 그럼 초등이 아닌 정수는 뭐예요? 설마 고등정수 같은 것도 있어요?

아빠 초등학교 이후로 익숙해진 정수의 세계를 연구하는 것이 초등정수론이야. 이 익숙한 정수를 '유리정수'라고도 해. 물론 정수의 세계는 유리정수부터 탐구하기 시작했지만, 유리정수만 살펴봐서는 그 세계의 법칙을 전부 다 밝힐 수 없다는 것을 가우스는 깨달았던 거야. 그래서 가우스는 정수의 세계를 확장시켰지. 이것이 새로운 정수론의 시작이란다.

채은 그 말은 곧 0, 1, 2, 3, … 외에 정수가 있다는 뜻인가요?

아빠 대수방정식의 근을 대수적 수라고 한다는 건 《갈루아》 때 했었지. 그런 대수적 수에 대해서,

$$x^2 + x + 1 = 0$$

처럼 모든 계수가 정수이고 최고차 계수가 1인 대수방정식의 근을 대수적 정수라고 해. 이 경우는,

$$\frac{-1 \pm \sqrt{3}\,i}{2}$$

가 대표적인 정수가 되지.

채은 잠깐만요. 갈루아에 의하면 5차 이상의 대수방정식의 대부분은 대수적으로 풀 수 없었어요. 즉 루트나 세제곱근 같은 거듭제곱근으로 나타낼 수가 없다는 뜻인데 그렇다면 거듭제곱근으로 나타낼 수 없는 정수까지 생각한다는 거예요?

아빠 그렇지.

채은 그런 악마인지 요괴 같은 게 있는 세계로 발을 들여놓고 싶지 않아요. 일반 정수의 세계가 좋아요.

아빠 지금 당장은 일반 정수, 즉 유리정수의 세계에서 놀 테니 안심해도 돼. 마지막에 아주 잠깐만 대수적 정수의 세계를 맛볼 건데, 입구 바로 주변만 탐색할 거니까, 해괴망측한 악마 같은 건 나오지도 않아.

채은 믿을 수 없어요. 《갈루아》에서도 쉽다고 하더니 마지막에는 엄청 어려워서 울 뻔했다고요.

아빠 하지만 결국 해냈잖니. 《갈루아》에 비하면 이쪽이 훨씬 더 쉽단다. 구체적으로 계산해서 확인할 수가 있거든.

채은 계산해서 확인할 수 있다니 다행이네요. 《갈루아》 때는 이해도 안 되는데 해괴망측한 세계를 돌아다니는 기분이었으니까요. 그런데 가우스는 왜 같은 정리의 증명을 일곱 가지나 생각해낸 거죠? 나 같으면 하나 발견했으면 그걸로 안심하고 다른 문제로 넘어갈 것 같은데.

아빠 어떻게 보면 가우스는 죽을 때까지 황금정리에 대해서 연구했다고 할 수 있어. 이곳을 파면 풍부한 광맥이 나올 거라고, 보물이 잔뜩 숨어 있는 산이라고 확신했을 거야. 하지만 어떻게 그렇게까지 확신할 수 있었는 사실 신기해. 수학뿐만 아니라 연구 주제를 선택하는 건 매우 중요한 문제거든. 풀 수 없는 문제를 선택했다가는 평생 헛수고를 할 수도 있으니까. 아니면 힘들게 문제를 해결했지만 결과적으로는 아무것도 없는 미래가 기다리고 있을지도 모르고.

채은 전에 TV에서 그런 방송을 본 적이 있어요. '마성의 가설'이라고 하던가? 뭐 그런 거였어요. 수많은 수학자들이 리만$^{\text{Georg Friedrich Bernhard Riemann}}$(1826~1866)의 가설을 증명하려고 애쓰다가 전멸하다시피 했던 것 말이에요.

아빠 그리스의 아포스톨로스 독시아디스$^{\text{Apostolos Doxiadis}}$라는 작가의 소설 중에 《페트로스 삼촌과 '골드바흐의 가설'》이라는 게 있어. 페트로스 삼촌은 낙오자로 동생들에게 무시를 당하는데 화자인 '나'는 아버지에게서 페트로스 삼촌이 한때 수학천재였던 것과 대학에서 수학교수까지 했다는 것을 알게 되지. 그런 삼촌이 어쩌다가 동생들에게 무시를 당하고 세상에 등을 돌린 채 숨어 지내게 되었을까? 페트로스 삼촌은 골드바흐의 가설에 빠져서 평생 동안 그 가설을 증명하기 위해서 노력하다가 결국 정신이 이상해진 거야.

채은 실화예요?

아빠 아니, 창작이야. 하지만 이렇게 노력을 보상받지 못하고 끝난 수학자들이 많이 있지.

채은 '골드바흐의 가설'은 어떤 내용이에요?

아빠 2보다 큰 모든 짝수는 두 개의 소수의 합으로 나타낼 수 있다는 내용이야.

채은 간단하잖아요. 예를 들면,

$$4=2+2 \quad 6=3+3 \quad 8=3+5$$
$$10=3+7=5+5 \quad 12=5+7$$

이런 식이잖아요.

아빠 내용은 간단하지만 증명이 쉽지 않아. 정수론에는 이런 문제가 많단다. 1742년에 골드바흐가 오일러에게 보낸 편지 내용이 가설의 시작인데, 250년도 더 지난 지금까지도 해결되지 않았지. 컴퓨터를 사용해 꽤 큰 수까지 조사해봤지만, 반례가 발견되지 않았어. 그래서 많은 수학자들이 이 가설을 옳다고 생각하고 있지만, 증명이 되지 않았기 때문에 정리가 아니라 가설인 채로 남아 있는 거지. 2012년 캘리포니아 대학의 수학자 테렌스 타오陶哲軒(1975~)

가 모든 홀수는 5개 이내의 소수의 합으로 나타낼 수 있다는 것을 증명했다고 발표했지. 골드바흐의 가설을 증명하는 데 커다란 진전이었어. '페르마의 대가설'이 증명됐을 때도 놀라웠지만, 금세기의 대가설도 이제 곧 증명될지도 몰라.

채은 흐음. 가우스는 골드바흐의 가설에 도전하지 않았나요?

아빠 기록상으로는 가우스가 골드바흐의 가설에 흥미를 보였다는 증거가 남아 있지 않아. 증명하기 어렵다고 생각했거나 증명해봐야 신통한 결과가 나오지 않을 거라고 생각했는지, 그 이유는 몰라. 수학 문제 중에는 고생해서 풀어봐야 그 이상의 발전을 기대할 수 없는 경우도 숱하니까.

채은 황금정리는 그렇지 않았던 거네요.

아빠 그렇지, 그리고 가우스의 확신은 옳았어. 아직 뭐가 뭔지 알려지지도 않은 단계에서 가우스가 어떻게 이렇게나 확신을 가질 수 있었는지 신기하지만, 어쨌든 이 황금정리에서 새로운 수학이 점점 생겨났단다.

채은 아까부터 황금정리의 대단함만 강조하고 있는데, 도대체 황금정리가 뭐예요?

아빠 초등정수론의 정리라서 지금 여기에서 설명할 수는 없어. 설명해봐야 '그게 뭐야?'라든지 '그게 그렇게 대단해?'라고 말할 게 분명하거든. 그러니 황금정리의 등장은 좀 더 준비를 한 뒤에 할 거야.

정수는 실수보다 작아서 언뜻 간단하게 보이지만 골드바흐의 가설처럼 신기한 게 잔뜩 있다.

얼마 전 학원 시험에 정수 문제가 나왔다. 최악의 경우 문제풀이를 전혀 모르더라도 실수와 달리 수를 차례차례 대입할 수 있으니까 어떻게든 될 거라고 생각했는데, 결과는 처참했다. 역시 정수란 어렵구나. 하지만 답이 지저분해지지 않는다는 점에서는 좋다.

어렸을 때 여행을 갈 때에 기치조지吉祥寺에서 나리타成田로 향하는 버스 안에서 아버지와 이런 게임을 한 적이 있다.

머릿속으로 어떤 수를 떠올린 후에, 홀수면 3을 곱한 후 1을 더하고, 짝수면 2로 나눈다. 이것을 반복하다가 먼저 1이 되는 사람이 이기는 게임이다. 예를 들어 처음 생각한 수가 13이라면, 40, 20, 10, 5, 16, 8, 4, 2, 1이 된다.

처음에 어떤 수를 생각했든 반드시 1이 된다는 점이 신기하다. 신기하긴 한데, 이런 걸로 시간을 때울 수 있다니 어렸을 때의 나는 꽤 온순하고 착했구나! 이 게임을 배웠을 당시에는 눈을 반짝이며 열심히 했었지만 지금은 PSP 같은 게 더 좋다. 아니 오히려 아무것도 하지 않아도 좋으니 그냥 멍하게 있는 게 제일 좋은 것 같다. 요즘 너무 바빠서!

그러고 보니 아버지가 컴퓨터로 이 계산을 한 적이 있는데, 아무리 큰 수를 넣어도 점점 작아지다가 마지막에는 64나 256이 되고, 2로 나누기만 하면 결국 1이 된다.

 그 순간 기분이 좋아지게 된다.

 컴퓨터로 하면 모두 다 1이 되지만, 왜 그렇게 되는지는 이해하지 못하는 것 같다. 이렇게 단순한 것도 이해하지 못하는 걸 보면 수학은 아직 먼 얘기일지도 모르겠다.

위의 게임에서 모든 정수가 1이 되는 것을 '콜라츠 추측($3n+1$ 가설)'이라고 한다. 수학자 에르되시 팔[Erdős Pál](1913~1996)은 '수학은 아직 이런 문제를 다룰 준비가 되어 있지 않다'고 말했다.

CHAPTER 1

유클리드 · 디오판토스 · 브라마굽타

Euclid Alexandreiae
BC 330?~BC 275?

Diophantos
246?~330?

Brahmagupta
598~665?

1. 나눗셈을 우습게 보지 말라!

인류 역사상 최고의 수학 베스트셀러는 《유클리드 원론》이다.

하지만 원론을 쓴 것으로 알려져 있는 유클리드에 관해서는 기원전 3세기에 살았다는 것 외에 거의 알려진 바가 없다. 현존하는 원론은 기원전 4세기 말에 활약한 수학자 테온이 편저한 것이라고 한다.

원론은 《기하학원론》이라고도 하는 만큼 기하학을 공부하기 위해서는 반드시 읽어야 하는 필독서인데, 그렇다고 기하학만 다루고 있는 것은 아니다.

소수가 무한하게 존재한다는 것을 처음 증명한 것도 원론이다. 이 증명은 세상에서 가장 아름다운 증명이라고도 하는데, '수학의 증명이란 이런 것이다!'를 보여주는 정석이기도 하다. 언어가 통하는 한 아무리 무소불위의 권력자일지라도 이 증명을 부정할 수는 없다.

유클리드의 아이디어를 간단히 설명하면 다음과 같다. 증명은 배리법

背理法을 이용한다. 즉 증명하는 대상의 부정을 가정하고, 거기에서 모순을 유도해내면 증명하려는 내용은 참이 된다는 결론이다.

증명 지금 증명하려고 하는 것은 다음 명제이다.

'소수는 무한하게 존재한다'

이때 그 부정인 '소수는 유한개밖에 없다'를 가정하고, 그 유한개의 소수를 a, b, …, n이라고 한다. 그리고 다음과 같은 수 A를 생각해보자.

$$A = a, \ b, \ \cdots \ n + 1$$

이 수를 생각해냈을 당시 유클리드는 분명 환희를 느꼈을 것이다. A를 a, b, …, n으로 나누면 나머지는 1이 된다. 즉 A는 a, b, …, n으로 나눌 수 없다.

A가 소수라면 a, b, …, n 이외의 소수가 존재하므로 이것은 모순이다. A가 소수라면 A는 소인수분해된다. 하지만 소인수분해 했을 때의 소인수 a, b, …, n은 불가능하다. 즉 a, b, …, n 이외의 소인수가 존재하게 되는데, 이 또한 모순이다.

따라서 소수는 무한하게 존재한다.

간결하고 훌륭한 증명이다.

이제부터가 본론인데, 그 전에 정수론을 연구하는 데 가장 중요한 원리를 짚고 넘어가자.

그것은 초등학교 때 배운 '나눗셈의 원리'이다. 예를 들어 59÷7은 '8과 나머지 3'이라는 하나의 답만이 정해져 있다. 이것을 초등학교 때는,

$$59 \div 7 = 8 \cdots 3$$

으로 썼다. 하지만 이 식은 수학에서 사용하기에는 상당히 문제가 있다. 등호 '='는 좌우가 '같다'는 뜻인데, '$59 \div 7$'과 '$8 \cdots 3$'이 같지 않기 때문이다.

예를 들어 이 식에서는 좌변과 우변을 다른 식에 대입할 수가 없다. 따라서 '=' 본래의 의미가 통할 수 있도록 이 식을 바꾸어야 한다. 이는 다음과 같다.

$$59 = 8 \times 7 + 3$$

식을 이렇게 바꾸면 좌변과 우변은 같다. 여기서 중요한 점은 나머지인 3이 7보다 작아야 한다는 것이다. 이 조건이 없다면 답은 하나로 정해지지 않는다.

또 나누는 수(여기에서는 7)가 0이어서도 안 된다. 나눗셈의 의미가 없기 때문이다.

또 나누는 수는 양의 정수여야 한다. 음의 정수로 하면 복잡하고 성가신 일이 발생하기 때문이다.

구체적인 수를 사용해 나눗셈을 할 때에는 신경 쓰지 않아도 되지만 a, b나 x, y 등의 문자로 표현할 때에는 세심한 주의가 필요하다.

그럼 이제 나눗셈의 원리를 수학답게 문자를 이용해 나타내보자. 문자에는 모든 수를 대입할 수 있으므로 이렇게 나타내면 완벽한 원리가 된다.

나눗셈의 원리

정수 a, b에 대해($b>0$)

$A=pb+q$가 되는 정수 p, q는 하나뿐이다.

단 $0 \leq q < p$이다.

초등학교 때 배워서 익숙하겠지만 나눗셈을 우습게 봐서는 안 된다. 왜냐하면 이것은 정수론을 연구하는 데 가장 기본적인 원리이자 정수의 범위를 확대하는 필수 아이템이기 때문이다.

그럼 이제 유클리드 원론에 나오는 유클리드 호제법으로 넘어가자. 이 제부터 a와 b의 최대공약수가 m일 때,

$$(a, b)=m$$

으로 나타내기로 한다. 예를 들어 481과 208의 최대공약수는 13이므로 다음과 같다.

$$(481, 208)=13$$

호제법이란 지금 한 나눗셈의 원리를 이용해 최대공약수를 구하는 방법인데, 원리는 매우 단순하다.

정수 A, B($A>B$)의 최대공약수를 ○로 하고, 아래와 같이 A, B는 ○덩어리라고 생각해보자.

$$A \quad \bigcirc\bigcirc\bigcirc\bigcirc\bigcirc\bigcirc\bigcirc\bigcirc\bigcirc\bigcirc\bigcirc$$
$$B \quad \bigcirc\bigcirc\bigcirc$$

여기부터는 $A-B$를 해도 ○가 전혀 변화하지 않는다. 즉 A와 B의 최대공약수와, A와 $A-B$, B와 $A-B$의 최대공약수가 같다는 뜻이다.

$$A-B \quad \bigcirc\bigcirc\bigcirc\bigcirc\bigcirc\bigcirc\bigcirc\bigcirc$$

식으로 쓰면,

$$(A, B) = (A, A-B) = (B, A-B)$$

당연한 말이지만, B를 몇 번씩 빼도 ○는 변하지 않는다.

$$A-B-B \quad \bigcirc\bigcirc\bigcirc\bigcirc\bigcirc$$
$$A-B-B-B \quad \bigcirc\bigcirc$$

A에서 가능한 한 B를 뺀 나머지는 $A \div B$의 나머지이다. 따라서 $A \div B$의 나머지를 C라고 하면 A와 B의 최대공약수는 B와 C의 최대공약수와 같다. 즉,

$$(A, B) = (B, C)$$

이 원리를 이용해 최대공약수를 구하는 것이 호제법이다.

A와 B의 최대공약수를 구할 때에는 $A \div B$를 먼저 실행한다. $A \div B$가 나누어떨어지면 B가 최대공약수이다. 나누어떨어지지 않는 경우 그 나머지를 C라고 하고, 이번에는 A와 B의 최대공약수를 구하는 대신에 B와 C의 최대공약수를 구한다.

이제 남은 것은 이것을 반복하는 일이다. $B \div C$를 실행하고 나누어지면 C가 최대공약수, 나누어지지 않으면 그 나머지를 D라고 하고, C와 D의 최대공약수를 구한다.

$$(A, B) = (B, C) = (C, D) = \cdots$$

계속하면,

$$A > B > C > D \cdots$$

이므로 이 수열은 언젠가 0이 된다. 그리고 0이 되기 직전의 수가 최대공약수이다. 예제를 풀어보자.

▶ 33과 21의 최대공약수.

$$33 \div 21 = 1 \cdots 12 \quad \rightarrow \quad 33 = 1 \times 21 + 12 \quad \cdots ①$$
$$21 \div 12 = 1 \cdots 9 \quad \rightarrow \quad 21 = 1 \times 12 + 9 \quad \cdots ②$$
$$12 \div 9 = 1 \cdots 3 \quad \rightarrow \quad 12 = 1 \times 9 + 3 \quad \cdots ③$$
$$9 \div 3 = 3$$
$$(33, 21) = (21, 12) = (12, 9) = (9, 3) = (3, 0)$$
$$\therefore \ \text{최대공약수는 } 3$$

▶ 481과 208의 최대공약수. 초등학교 때부터 사용해온 식은 생략하자.

$$481 \quad \text{vs.} \quad 208 \quad 481 = 2 \times 208 + 65 \quad \cdots ④$$
$$208 \quad \text{vs.} \quad 65 \quad 208 = 3 \times 65 + 13 \quad \cdots ⑤$$
$$65 \quad \text{vs.} \quad 13 \quad 65 = 5 \times 13$$
$$(481, 208) = (208, 65) = (65, 13) = (13, 0)$$
$$\therefore \ \text{최대공약수는 } 13$$

호제법을 이용하면 간단히 소인수분해할 수 없는 엄청나게 큰 수의 최대공약수도 기계적으로 구할 수 있다. 확인해보자.

▶ 17291068276855297과 23387의 최대공약수.

$$17291068276855297 \text{ vs. } 23387 \quad \rightarrow$$

$$17291068276855297 = 739345289128 \times 23387 + 18761 \quad \cdots ⑥$$

$$23387 \text{ vs. } 18761 \rightarrow 23387 = 1 \times 18761 + 4626 \quad \cdots ⑦$$

$$18761 \text{ vs. } 4626 \rightarrow 18761 = 4 \times 4626 + 257 \quad \cdots ⑧$$

$$4626 \text{ vs. } 257 \rightarrow 4626 = 18 \times 257$$

$$(17291068276855297, \ 23387)$$

$$= (23387, \ 18761) = (18761, \ 4626)$$

$$= (4626, \ 257) = (257, \ 0)$$

$$\therefore \text{ 따라서 최대공약수는 } 257$$

그런데 여기에서 33과 21의 경우로 돌아가서 ①의 식을 조금 바꾸어 보자.

$$33 = 1 \times 21 + 12 \quad \rightarrow \quad 33 - 1 \times 21 = 12$$

식을 보면 알 수 있듯이 나머지인 12는 33과 21의 일차식으로 나타낼 수 있다. 33과 21이 소거되지 않도록,

$$a = 33 \quad b = 21$$

이라고 하면 이 식은,

$$a - b = 12$$

가 된다. ②에 대입하면,

$$21 = 1 \times 12 + 9 \quad \rightarrow \quad b = 1 \times (a - b) + 9$$

$$\rightarrow -a + 2b = 9$$

③에 대입하면,

$$12 = 1 \times 9 + 3 \quad \rightarrow \quad (a-b) = 1 \times (-a+2b) + 3$$

$$\rightarrow 2a - 3b = 3 \quad \text{즉} \quad 2 \times 33 - 3 \times 21 = 3$$

이 된다. 이렇게 최대공약수인 3을 33과 21의 일차식으로 나타낼 수 있다.

같은 방법으로 13을 481과 208의 일차식으로 나타내 보자.

$a = 481$, $b = 208$이라고 하자. 먼저 ④는,

$$481 = 2 \times 208 + 65 \rightarrow a = 2 \times b + 65 \rightarrow a - 2b = 65$$

$$208 = 3 \times 65 + 13 \rightarrow b = 3 \times (a-2b) + 13 \rightarrow \quad -3a + 7b = 13$$

즉 $-3 \times 481 + 7 \times 208 = 13$이 된다.

마지막으로 257을 17291068276855297과 23387의 일차식으로 나타내보자.

$a = 17291068276855297 \quad b = 23387$이라고 하면 ⑥은,

$$17291068276855297$$

$$= 739345289128 \times 23387 + 18761$$

$$\rightarrow a = 739345289128b + 18761$$

$$\rightarrow a - 739345289128b = 18761$$

⑦에 대입한다.

$$23387 = 1 \times 18761 + 4626$$

$$\rightarrow b = 1 \times (a - 739345289128b) + 4656$$

$$\rightarrow -a + 739345289129b = 4656$$

⑧에 대입한다.

$$18761 = 4 \times 4626 + 257$$

$$\rightarrow \quad (a-739345289128b)=4\times(-a+739345289129b)+257$$

$$\rightarrow \quad 5a-3696726445644b=257$$

즉, 다음과 같다.

$$5\times17291068276855297-3696726445644\times23387=257$$

이처럼 a와 b의 공약수를 r이라고 하면, r은 a와 b의 일차식으로 나타낼 수 있다. 즉 r은 이렇게 나타낼 수 있다.

$$r=\square a+\triangle b$$

이 식은 매우 도움이 된다. 특히 a와 b가 서로소, 즉 최대공약수가 1, 기호로 쓰면 $(a, b)=1$일 때 $r=1$이므로,

$$ax+by=1$$

이 되는 정수 x, y가 존재한다. 중요한 정리이므로 다시 써보자.

$(a, b)=1$일 때 $ax+by=1$이 되는 정수 x, y가 존재한다.

연습 연습문제를 풀어보자. 다음 정수해를 구하시오.

① $7x+5y=1$

② $1573x+719y=1$

아빠 소수가 무한하게 존재한다는 유클리드의 증명 방법을 차례대로 사용하면 무한하게 소수를 만들 수 있어. 해볼까? 처음에는 하나의 소수부터 시작하는 거야. 뭐가 좋겠니?

채은 아무거나 해도 돼요?

아빠 소수라면 뭐든 상관없단다.

채은 음……, 뭐로 할까. 그럼 73!

아빠 그럼 다음 소수의 후보는 $73+1=74$. 74는 소수가 아니니까 이것을 소인수분해하면 $74=2\times37$. 2와 37이 새로운 소수가 되는구나.

채은 그럼 이번에는 $2\times37\times73+1=5403$. 5403은 3으로 나누어떨어져요. 소인수분해하면 $5403=3\times1801$.

아빠 그 다음에는 $2\times3\times37\times73\times1801+1=291887007$. 소인수분해하면 103×283369.

채은 그 정도면 될 것 같아요. 무한하게 만들 수 있다는 걸 알았으니까요.

아빠 이렇게 해서 무한하게 소수를 만들 수 있다는 것은 분명하지만 이 방법으로 모든 소수를 찾을 수 있는지는 알 수 없어.

채은 그래요? 하지만 아까는 큰 수부터 시작한 게 문제였잖아요. 예를 들어 2부터 시작한다면 작은 순서대로 소수가 나온다든지……

아빠 그럼 해볼까? 처음에는 2. 그 다음에는 $2+1=3$. 이건 소수지.

채은 그리고 그 다음은 $2\times3+1=7$. 이것도 소수. 5를 빼놓은 게 신경 쓰이지만 바로 나오잖아요?

아빠 다음은 $2\times3\times7+1=43$. 이것도 소수. $2\times3\times7\times43+1=1807$ 이니까 이건 13×139로 소인수분해 돼. 그리고……

채은 이제 이해됐어요. 소수는 무한하게 나오지만, 순서대로 나오는 건 아니군요.

아빠 이 방법으로 모든 소수를 찾을 수 있다는 것을 증명할 수 있다면 역사에 이름을 남길 수 있겠지.

채은 간단한 것 같지만 어디서부터 손을 대야 할지 통 모르겠어요.

아빠 정수론에는 이렇게 초등학생도 이해할 수 있지만 증명이 해결되지 않은 문제가 많단다. 필즈상이 걸린 수학문제가 넘쳐난다는 얘기지.

채은 전 필즈상보다 아벨상 쪽이 좋아요. 필즈상의 상금은 1000만 원, 아벨상은 10억 원! 상금의 단위가 다르잖아요.

아빠 그런 말은 뭔가를 이루고 나서 해도 늦지 않을 거 같은데?! 지금은 연습문제를 푸는 게 먼저니까. ① $7x+5y=1$의 정수해 말이다.

채은 아까 했던 방법으로 나눗셈을 차례대로 하면 되는 거잖아요.
일단 $7\div5$

$$7 = 1 \times 5 + 2$$
$$5 = 2 \times 2 + 1$$

음. 이 다음은 어떻게 하는 거더라?

아빠 나머지를 아래의 식에 대입하면 되는데, 7과 5는 남겨둬야 해. 잘못 계산하지 않도록 $7 = a$, $5 = b$라고 하자.

채은 그럼 $a = 1 \times b + 2$. 즉 $2 = a - b$를 다음 식에 대입하는 거네요. 다음 식은 $b = 2 \times 2 + 1$. 따라서,

$$b = 2(a - b) + 1$$
$$b = 2a - 2b + 1$$
$$-2a + 3b = 1$$

완성!

아빠 $-2 \times 7 + 3 \times 5 = -14 + 15 = 1$이니까. 분명 그렇게 되겠지. 하지만 이 방정식에는 해가 무한하게 존재해. 예를 들어 3과 -4도 하거든. 이것은 나중에 다시 확인해보자구. 그러면 ② $1573x + 719y = 1$의 정수해에 대해 알아볼까?

채은 이쪽은 어려워 보여요. 어쨌든 나눗셈을 할게요. 먼저 $a = 1573$, $b = 719$라고 할게요.

$$1573 = 2 \times 719 + 135 \quad \rightarrow \quad a = 2b + 135 \quad \rightarrow \quad 135 = a - 2b$$
$$719 = 5 \times 135 + 44 \quad \rightarrow \quad b = 5 \times 135 + 44\text{에 대입하면,}$$
$$b = 5 \times (a - 2b) + 44$$
$$b = 5a - 10b + 44$$

$$-5a+11b=44$$

$135=3\times44+3$에 대입하면,

$$a-2b=3\times(-5a+11b)+3$$
$$16a-35b=3$$

$44=14\times3+2$에 대입하면,

$$-5a+11b=14(16a-35b)+2$$
$$-229a+501b=2$$

$3=1\times2+1$에 대입하면,

$$16a-35b=-229a+501b+1$$
$$245a-536b=1$$

후우, 이렇게 귀찮은 계산은 못하겠어요.

아빠 실제로 $245\times1573-536\times719=1$이 되지. 나중에 좀 더 편한 방법을 연구할 테니 기대하렴.

채은 편한 방법이라니 대환영이에요! 그런데 앞에서 a와 b의 최대공약수를 r이라고 하면, r은 a와 b의 1차식으로 나타낼 수 있었어요. 즉,

$$r=\square a+\triangle b$$

로 나타낼 수 있으니까, 북새통에 섞여 몇 가지 예를 나타내는 것만으로 설명이 끝났는데, 제대로 증명한 게 아니잖아요?

아빠 예리하구나. 하지만 이걸 제대로 설명하려고 해도 예시와 비슷하게 식을 차례차례 대입하는 것뿐이라서 솔직히 말해 귀찮기만 하

지 하나도 재미가 없거든. 사실 옛날에 유클리드 호제법을 처음 공부했을 때도 증명을 따라가면서도 지겨워서 이해도 안 됐고, 결국 그렇게 된다는 건 알겠는데 납득할 수가 없었지. 그 이후 이 유클리드 호제법은 트라우마 같은 게 돼 버렸어. 좋아. 그럼 유클리드뿐만 아니라 페르마나 오일러, 가우스도 몰랐던 최신 방법으로 증명해볼까?

채은 최신 방법은 좋지만 너무 어렵게 설명하면 곤란해요.

아빠 발상이 참신하기는 하지만 어렵진 않아. 지금까지는 a와 b가 주어졌을 때 어떤 수를 $ax+by$로 나타낼 수 있는가? 하는 식으로 문제를 설정했는데 여기서는 반대로 $ax+by$로 나타낼 수 있는 수 전체를 생각해보는 거지. 콜롬버스의 달걀과 마찬가지로 듣고 나면 별 것 아닌 듯이 느껴지지만 좀처럼 생각해내기 힘든 발상의 전환이란다.

채은 잠깐만요. 《갈루아》 때에도 이런 적이 있었는데. 라그랑주였어요. 라그랑주보다 앞선 수학자들은 어떻게든 원래의 방정식의 계수에서,

$$X^n = A$$

가 되는 A를 구하기 위해 노력했지만 라그랑주는 반대로 이 A를 방정식의 근으로 나타내보았어요. 이것이 방정식에 혁명을 일으켰고요.

아빠 맞았어. 잘 기억하고 있구나. 비슷한 예가 하나 더 있단다. 페르마, 오일러, 라그랑주는 어떤 소수가 x^2+y^2, x^2+2y^2, x^2+3y^2,

…으로 나타낼 수 있는지를 고민했는데, 가우스는 반대로 x^2+y^2, x^2+2y^2, x^2+3y^2, …으로 나타낼 수 있는 수 전체를 생각해서 단번에 이 문제를 해결했어. 제4장에서 그것에 관해 설명할 예정이야.

채은 라그랑주에 가우스라니. 엄청나게 유명한 사람들이네요. 그럼 '$ax+by$로 나타낼 수 있는 수 전체'를 생각해낸 건 누구예요?

아빠 데데킨트^{Richard Dedekind}(1831~1916, 독일의 수학자)라는 수학자야.

채은 들어본 적 없어요.

아빠 대수적 정수론을 만든 사람이야. 집합론의 칸토어^{Georg Cantor} (1845~1918, 독일의 수학자)나 리만의 가설로 유명한 리만^{Georg Riemann} (1826~1866, 독일의 수학자)의 친구이기도 하지. 그럼 해볼까?

증명 지금 a와 b가 주어진 정수라고 가정하고,

$$p=ax+by \ (x, y는 정수)$$

가 되는 p 전체를 생각해보자. x, y에는 정수를 마음대로 넣을 수 있으므로 이러한 p는 무한하게 존재한다. 이 p 전체를 집합 S라고 하자.

여기까지 이해됐니?

채은 $x=y=0$일 때 $p=0$. $x=1$, $y=0$일 때 $p=a$, $x=0$, $y=1$일 때 $p=b$라고 하면 S 안에는,

$$0, \ \pm a, \ \pm b, \ \pm a \pm b, \ \pm a \pm 2b, \ \pm 2a \pm b, \ \pm 2a \pm 2b, \cdots$$

이렇게 무한개의 정수가 들어가요.

아빠 사실 이 S는 아이디얼의 일종인데, 쿠머$^{\text{Ernst Eduard Kummer}}$(1810~ 1893, 독일의 수학자)의 이상수를 바탕으로 이 아이디얼^{ideal}을 생각 해낸 사람이 데데킨트야. 대수적 정수를 생각할 때 아이디얼은 없 어서는 안 될 무기인데, 일반적인 정수를 생각할 때는 따로 아이 디얼로 의식하지 않아도 돼. 그러니까 여기에서는 아이디얼이란 무엇인가? 하는 것은 설명하지 않으마. 이 S에는 무한개의 정수 가 들어 있는데 그중에서 가장 작은 양의 정수를 t라고 하고, S의 원소 하나를 선택해서 p라고 하는 거야. 우선 이 p를 t로 나누어 볼까? 그 몫을 q, 나머지를 r이라고 할 때 이것을 식으로 써보렴.

채은 p를 t로 나눠서 몫이 q, 나머지가 r이면,

$$p \div t = q \cdots r$$

아빠 그 식이 아니지!

채은 아, 그런가요?

$$p = qt + r$$

아빠 r의 조건은?

채은 $0 \leq r < t$

아빠 p도 t도 S의 원소니까 $ax + by$라는 형태로 쓸 수 있어. 따라서,

$$p = ax_1 + by_1$$
$$t = ax_2 + by_2$$

라고 하자. 물론 $x_1,\ y_1,\ x_2,\ y_2$도 정수야. 이것을 대입하면?

채은 $p = qt + r$

$$ax_1 + by_1 = q\,(ax_2 + by_2) + r$$

아빠 r의 형태로 해서 a, b로 정리하면?

채은 좌변과 우변을 바꿔서,

$$q\,(ax_2 + by_2) + r = ax_1 + by_1$$
$$r = ax_1 + by_1 - q\,(ax_2 + by_2)$$
$$= ax_1 + by_1 - qax_2 - qby_2$$
$$= a\,(x_1 - qx_2) + b\,(y_1 - qy_2)$$

아빠 $x_1 - qx_2$도 $y_1 - qy_2$도 정수야. 그러니까 r도 $ax + by$라는 형태로 나타낼 수가 있지. 즉 S의 원소가 되는 거야. 그런데 S의 원소 중에 가장 작은 양의 정수를 t로 했는데, r에 대해서는,

$$0 \le r < t$$

이라는 조건이 있어. 이것은 즉?

채은 어라? r은 가장 작은 양의 정수보다 작으니까 $r = 0$이 되잖아요.

아빠 즉…….

채은 S 안의 수를 t로 나눈 나머지 r은 0이 된다, 바꿔 말하면 S 안의 수는 모두 t로 나눌 수 있어요.

아빠 S에는 당연히 a도 b도 포함되니까 a도 b도 t로 나눌 수 있지. 즉 t는 a, b의 공약수가 되는 거야. a, b의 최대공약수를 d라고 하자. 공약수는 최대공약수의 약수니까 t는 d의 약수야. 그럼 여기에서,

$$a = a'd$$

$$b = b'd$$

라고 하자. 이것을,

$$t = ax_2 + by_2$$

에 대입해서 d로 정리하면,

채은 $t = ax_2 + by_2$

$\quad = a'dx_2 + b'dy_2$

$\quad = d(a'x_2 + b'y_2)$

아빠 즉 d는 t의 약수가 된다. 그런데 아까 나타냈듯이 t는 d의 약수야. 그렇다면?

채은 d는 t의 약수이고, t는 d의 약수. 그건 $d = t$일 때뿐이에요.

아빠 이렇게 해서 감사하게도 S에 있는 수는 모두 d의 배수라는 것이 증명됐어. d도 S 안에 포함되므로 당연히,

$$d = ax + by$$

로 나타낼 수 있지. 💡

어때? 귀찮은 계산도 없이 멋지게 증명됐지?

채은 귀찮은 계산이 없는 건 인정하겠지만, 그렇게 훌륭한 증명인지는 잘…….

2. 황금 조각

디오판토스의 《산수론》은 《유클리드 원론》에 필적할 만한 고대 그리스 · 헬레니즘문화를 대표하는 수학서이다. 유클리드와 마찬가지로 디오판토스에 관해서도 3세기에 살았었다는 것 외에는 알려진 사실이 없다.

공리에서 출발하는 수학의 체계를 세운 원론과 달리 《산수론》은 약 300여 개의 문제가 어수선하게 나열되어 있을 뿐이다. 정확한 사본이 남아 있지 않아 문제의 배열이 디오판토스의 의도와는 다를 것으로 짐작하고 있다.

디오판토스가 다룬 것은 대부분 해가 정해지지 않은 부정방정식이다.

앞 절에서 했던 $7x + 5y = 1$에는 미지수가 x와 y 두 개이기 때문에 방정식이 하나 더 있으면 원칙적으로 해는 하나가 된다. 하지만 방정식의 수보다 미지수가 더 많은 경우 보통 그 해는 하나 이상이다. 디오판토스는 다양한 방법을 구사하여 이런 방정식의 정수해, 유리수해를 구했다.

가우스는 《산수론》에 대해서 '한결같이 부정방정식 문제에 바쳐진 디오판토스의 유명한 저작물에는 많은 연구 테마가 포함되어 있다. 우리는 그 난해함과 기술적 섬세함 덕분에 그의 타고난 재능과 명민한 지성에 대해 적잖은 존경심을 가지게 될 수밖에 없다. 그중에서도 특히 저자가 뜻한 대로 사용할 수 있었던 보조 수단이 극히 적었다는 데 생각이 미치면 경외심은 더욱 높아질 뿐이다'(《가우스 정수론》, 다카세 마사히토^{高瀨正仁} 역, 조창서점, 1995년)라고 말했다.

현존하는 《유클리드 원론》은 대부분 테온이 편찬한 것으로 보이는데, 디오판토스의 《산수론》에 주역을 덧붙인 것은 테온의 딸 히파티아였다.

아름다운 히파티아의 명성은 드높은 학식으로 지중해 세계에 널리 알려져 있었는데, 광신적인 기독교도에 의해 끔찍하게 참살당했다. 히파티아는 그리스 · 헬레니즘 문화의 마지막 서광이었다.

어느 날 디오판토스는 두 제곱수의 합으로 나타낼 수 있는 소수와 나타낼 수 없는 소수가 있다는 것을 깨달았다. 그리고 그런 소수에 재미있는 법칙이 있다는 것을 발견했다.

그것은 황금 조각이었다. 디오판토스는 이때 황금정리의 자태를 엿보았던 것이다.

가장 작은 소수 2는 $2 = 1^2 + 1^2$이므로 두 개의 제곱수의 합으로 나타낼 수 있다. 2는 단 하나뿐인 짝수 소수이므로 제외하고, 3부터 생각해보자. 100까지의 소수를 통해 두 개의 제곱수의 합으로 나타낼 수 있는 소수는 어떤 성질을 가지고 있는지 살펴보자.

3 불가능	$5=1^2+2^2$	7 불가능	11 불가능
$13=2^2+3^2$	$17=1^2+4^2$	19 불가능	23 불가능
$29=2^2+5^2$	31 불가능	$37=1^2+6^2$	$41=4^2+5^2$
43 불가능	47 불가능	$53=2^2+7^2$	59 불가능
$61=5^2+6^2$	67 불가능	71 불가능	$73=3^2+8^2$
79 불가능	83 불가능	$89=5^2+8^2$	$97=4^2+9^2$

이제 황금 조각을 발견할 수 있을까?

아빠 2는 단 하나밖에 없는 짝수인 소수이기 때문에 소수의 성질에서 예외가 되기 십상이지. 그래서 소수에 관해 생각할 때는 2를 제외하는 경우가 많아. 2 이외의 소수는 홀소수라고 해. 혹시 영어로 홀수를 odd number라고 한다는 거 아니? odd는 '이상하다'는 뜻의 형용사야. 그러니까 영어로 가장 이상한 소수라는 말인데, 재미있지? 음, 이런 느낌이야.

Two is the oddest prime number, since it is the only even one.

채은 잘 모르는 단어만 잔뜩 나오네요.

아빠 prime number는 소수. even은 '같다'든지 '평평하다'는 뜻인데, 수학에서 사용할 때는 '짝수'라는 뜻이 돼. 마지막의 one은 prime number, 즉 소수를 가리킨단다.

채은 아직 be동사에 대해서 배우고 있어서, 이런 복잡한 영어는 잘 모르겠어요. 한국어로 번역해 주세요.

아빠 번역하면 '2는 가장 이상한 소수이다. 왜냐하면 그것은 단 하나뿐인 짝수 소수이기 때문이다'라는 뜻이 돼. 한국어로 하면 전혀 재미있지 않지만, 영어로 하면 '가장 이상한 수'가 '이상한 수=홀수 =odd number'가 아닌 2라는 뜻이 되고, 이게 포인트야.

채은 이론적으로는 알겠는데 와 닿지는 않네요.

아빠 외국어 조크에 웃을 수 있다면 그 외국어를 충분히 마스터했다고 할 수 있지. 나도 한국에 살았을 때 가장 소외감을 느꼈던 게 TV 코미디프로그램을 다 함께 볼 때였단다. 주변 사람들은 다들 소리 내어 웃고 있는데, 나만 웃을 수가 없었지. 의미는 알아들었지만 그게 왜 웃긴 거냐고 묻고 싶었어. 그런데 어떤 소수가 제곱수의 합이 됐는지 알겠니?

채은 그렇게 금방 알 수 있을 리가 없잖아요. 좀 더 시간을 주세요.

아빠 항왕의 군사가 해하에 방벽을 쌓았다. 병력은 피폐하고 식량은 떨어진 상황에서 한나라 군사 및 제후의 병사가 이들을 에워싸기를 몇 겹이더라. 어느 날 밤 한나라 군사가 사면에서 모두 초가楚歌를 부르는 것을 듣고 항왕이 크게 탄식하며 울부짖었다. "한나라가 이미 초를 모두 얻었단 말인가? 어찌하여 초나라 사람들이 저리 많단 말인가!"(사마천《사기 4》, 和田武司 · 山谷弘之 역, 덕간서점, 1988년)이라고 했지.

채은 그게 무슨 말이에요?

아빠 그 이후 항왕은 비분강개하고 우미인은 자살을 하지. 학교에서 배웠을 거야. 이 사자성어를 뭐라고 하지?

채은 사면초가四面楚歌.

아빠 모든 방향이라는 의미를 현대에는 사방팔방이라고 하는데 옛날에는 사각팔방이라는 말도 썼었어. 태평기太平記에는 '사각팔방으로 도망다닌다'라고 쓰여 있단다.

채은 갑자기 무슨 말씀을 하시는 거예요?

아빠 생로병사가 불교에서 말하는 사고^{四苦}지. 그런데 생을 고^{苦}의 하나로 생각한다는 게 나로서는 의외였단다.

채은 아까부터 왜 영문도 모를 말씀을 하세요.

아빠 힌트를 준 건데. 뭐 마감이 있는 건 아니니 천천히 생각해보렴.

(다음날 채은이는 학교에서 돌아오자마자 만화를 보고, 게임을 하며 저녁때는 TV만화영화 감상. 식사 후 샤워를 하고 나서 느긋한 얼굴로 아버지 앞에 앉았다.)

채은 알았어요. 4로 나누어 1이 남는 소수는 제곱수의 합이 되는데, 4로 나눠서 3이 남는 소수는 그렇게 되지 않아요. 하지만 사면초가에 사각팔방, 사고가 힌트라면…….

아빠 잘했구나. 맞았어. 4로 나누어 1이 남는 소수를 $4n+1$형 소수, 3이 남는 소수를 $4n+3$형 소수라고 해. 사실 $4n+3$형 소수가 제곱수의 합이 되지 않는다는 건 금방 알 거야.

$$a^2 + b^2 = p$$

가 됐다고 하자. p는 홀소수야. 그럼 a^2과 b^2 중 한쪽은 홀수이고, 다른 한쪽은 짝수가 돼. 홀수의 제곱은 홀수, 짝수의 제곱은 짝수니까 a와 b는 홀수와 짝수지.

홀수는 4로 나누면 나머지는 1이나 3이 되니까,

$$4m+1 \ \text{또는} \ 4m+3$$

으로 나타낼 수 있어. 제곱하면,

$$(4m+1)^2 = 16m^2 + 8m + 1$$

$$(4m+3)^2 = 16m^2 + 24m + 9$$

니까 어느 쪽이든 4로 나누면 1이 남아. 짝수는 4로 나누면 2가 남거나 딱 떨어지거나 둘 중 하나니까 제곱하면,

$$(4m)^2 = 16m^2$$

$$(4m+2)^2 = 16m^2 + 16m + 4$$

가 되어 양쪽 다 4로 나누면 나누어지지. 따라서 홀수^2 + 짝수^{2}은 4로 나누면 1이 남는 수가 돼. 따라서 $4n+3$형 소수는 제곱수의 합으로 나타낼 수 없어. 그런데 그 반대로 즉 모든 $4n+1$형 소수는 제곱수의 합으로 나타낼 수 있는가 하는 문제는 좀 어렵지.

채은 100까지의 소수의 경우, $4n+1$형 소수는 전부 제곱수의 합이 됐네요. 그러니까 괜찮아요.

아빠 좀 더 큰 소수로 확인해볼까? 1000보다 큰 소수를 찾아보자. 제일 먼저 1009야.

채은 (전자계산기를 사용해 제곱수를 차례차례 뺀다) 했어요.

$$1009 = 15^2 + 28^2$$

아빠 그럼 이번에는 5자리 소수에 도전해볼까? 12373은 어떠니?

채은 그러니까······(이번에는 조금 시간이 걸린다) $12373 = 42^2 + 103^2$이요.

아빠 괜찮아 보이는구나. 하지만 아무리 예를 늘어놔도 그렇게 해서 증명할 수 있을 리가 없지. 이것을 증명한 것은 페르마니까 페르마가 등장할 때까지 기다리기로 하자. 그런데 지금은 어떤 소수가 제곱수의 합이 되는지를 생각해야 하는데, 일반 자연수의 경우에

는 어떨지도 생각해보자. 먼저 예로 $3^2+7^2=58$을 알아볼까? 소인수분해를 하면?

채은 $58=2 \times 29$.

아빠 2와 $4n+1$형 소수야. 가장 큰 수를 해보자. $15^2+23^2=754$의 경우는?

채은 $754=2 \times 13 \times 29$. 2와 $4n+1$형 소수예요.

아빠 그럼 $68^2+167^2=32513$로 해보면…….

채은 $32513=13 \times 41 \times 61$. 전부 $4n+1$형 소수예요.

즉, '제곱수의 합으로 나타낼 수 있는 수는 2 또는 $4n+1$형 소수로 소인수분해가 가능하다'라고 할 수 있을 것 같아요.

아빠 그렇지. 하지만 예를 들어 45의 경우, 3을 소인수로 포함하고 있어. 3은 $4n+1$형 소수가 아니지만 제곱수의 합으로 표현할 수 있지.

$$45=9+36=3^2+6^2$$

하나 더 예를 들어볼까? 637은 7로 나눌 수 있어. 7은 $4n+3$형 소수야.

$$637=196+441=14^2+21^2$$

이 두 가지 예를 보고, 뭔가 깨달은 것 없니?

채은 알았다. 45의 경우에는 3도 6도 3으로 나눌 수 있어요. 3^2으로 묶으면,

$$45 = 3^2 (1^2 + 2^2)$$

637의 경우도 7^2로 묶을 수 있어요.

$$637 = 7^2 (2^2 + 3^2)$$

아빠 그렇지. 원래 제곱수는

$$a^2 + 0^2$$

으로 쓸 수 있으니 전부 제곱수의 합으로 표현할 수 있지. 따라서 제곱수를 제외하고 생각하면 돼. 정리해볼까?

$$A = N^2 p_1 p_2 p_3 \cdots p_n \quad (p_1,\ p_2,\ \cdots,\ p_n \text{은 소수})$$

이렇게 나타낼 수 있다고 하자. 그럼 $p_1,\ p_2,\ \cdots,\ p_n$이 모두 2 또는 $4n+1$형 소수일 때에만 제곱수의 합으로 나타낼 수 있지. 이 증명은 그렇게 어렵지는 않지만 아직 공략할 수 있는 무기가 갖춰지지 않았어. 그러니 페르마의 등장을 기다려야 해.

채은 하지만 이게 그렇게 대단한 건가요? 도저히 황금 조각처럼은 보이지 않는데…….

아빠 보는 눈이 없는 사람에게는 보이지 않는 법이지. 농담은 이쯤하고, 고대인들도 여기에 뭔가 신비로운 비밀이 있을 거라고 느낀 건 틀림없는 사실이야.

3. 인도의 마술

디오판토스는 65를 16+49와 1+64라는 두 가지 방법으로 두 개의 제곱수로 나타낼 수 있는 것은, 65=5×13이기 때문이라는 뜻의 말을 했다.

이것은 디오판토스가 '브라마굽타^{Brahmagupta}(598~665?, 인도의 수학자) 의 항등식'을 알고 있었다는 것을 의미한다.

브라마굽타의 항등식

$$(a^2 + b^2) (x^2 + y^2) = (ax + by)^2 + (ay - bx)^2$$
$$(a^2 + b^2) (x^2 + y^2) = (ax - by)^2 + (ay + bx)^2$$

다소 복잡해보이는 식이지만 증명은 간단하다. 좌변과 우변을 각각 전개해서 비교하면 된다. 위의 식으로 하면,

$$좌변 = a^2x^2 + a^2y^2 + b^2x^2 + b^2y^2$$
$$우변 = a^2x^2 + 2abxy + b^2y^2 + a^2y^2 - 2abxy + b^2x^2$$
$$= a^2x^2 + a^2y^2 + b^2x^2 + b^2y^2$$

이 되어 증명은 끝났다.

이 항등식은 제곱수의 합으로 나타낼 수 있는 수의 곱 역시 제곱수의 합으로 나타낼 수 있다는 것을 뜻한다. 65를 위의 항등식으로 나타내면,

$$65 = 5 \times 13$$
$$= (1^2 + 2^2)(2^2 + 3^2)$$
$$= (1 \times 2 + 2 \times 3)^2 + (1 \times 3 - 2 \times 2)^2$$
$$= 8^2 + 1^2$$

아래의 항등식을 이용하면,

$$65 = (1 \times 2 - 2 \times 3)^2 + (1 \times 3 + 2 \times 2)^2$$
$$= 4^2 + 7^2$$

이 항등식은 제곱수의 합으로 나타낼 수 있는 수의 연구에 매우 중요한 역할을 한다.

디오판토스가 이 항등식을 알았던 것은 거의 확실하지만 구체적으로 기록을 남긴 것은 아니다. 디오판토스의 《산수론》에는 공식을 수록한 책이 있었던 것 같지만, 유감스럽게도 남아 있는 것은 없다. 그 저서가 나중에 발견된다면 이 항등식이 실려 있을지도 모른다.

이 항등식이 실려 있는 세계 최초의 수학서는 현재 인도의 수학자 브

라마굽타의《우주의 기원》이다.

브라마굽타는 7세기에 활약한 인물로 인도 중부에 있는 위쟈인이라는 도시의 천문관장을 했다고 한다.《우주의 기원》은 천문학과 수학에 관한 책으로, 세계 최초로 0을 명기한 수학서로도 이름이 높다. 그 밖에도 원에 내접하는 사각형의 넓이를 네 변의 길이로 구하는 브라마굽타의 공식이라든지 원에 관한 브라마굽타의 정리 등이 유명하다.

또 한때 페르마가 열중했던 $x^2 - Ny^2 = 1$ (N은 양의 정수)의 정수해를 구하는, 이른바 페르마-펠 방정식에 관해서도 거의 완전한 해법이 실려 있다고 한다. 이 방정식을 증명했던 수학자가 18세기 말의 라그랑주Joseph Louis Lagrange였으니, 이것만 봐도 브라마굽타의 선진성을 엿볼 수 있다.

이제 마지막으로 연습문제. 44쪽의 표를 이용해 4717을 제곱수의 합 두 가지로 표현해보자.

아빠 먼저 4717을 소인수분해해야겠지?

채은 $4717 = 53 \times 89$. $53 = 2^2 + 7^2$. $89 = 5^2 + 8^2$. 이제 브라마굽타의 항등식을 사용하기만 하면 되네요. 위의 항등식을 이용하면,

$$4717 = 53 \times 89$$
$$= (2^2 + 7^2)(5^2 + 8^2)$$
$$= (2 \times 5 + 7 \times 8)^2 + (2 \times 8 - 7 \times 5)^2$$
$$= 66^2 + 19^2$$

아빠 잘했어. 아래의 항등식을 이용하면?

채은 $4717 = (2 \times 5 - 7 \times 8)^2 + (2 \times 8 + 7 \times 5)^2$

$$= 46^2 + 51^2$$

이건 왠지 딱 떨어지는 느낌이 안 들어요. 그런데 수를 두 개의 제곱수의 합으로 나타내면 뭐 좋은 게 있나요? 도대체 뭐에 도움이 되는 거죠?

아빠 그야 아무런 도움도 안 될 테지.

채은 그런데 이런 걸 왜 연구하는 건데요?

아빠 뭔가를 얻으려고 수학을 연구하는 건 아니야. 정수론의 대가 하디 Godfrey Harold Hardy(1877~1947, 영국)는 자신의 연구가 결코 아무런 도움도 되지 않는다고 자신했을 정도거든. 수학을 하는 것이 무슨

도움이 되는가 하는 논의는 흔한 일이지만, 입시수학에 시달리는 사람들에게는 심각한 문제겠지. 예전에 다카이시 토모야[高石ともや]라는 포크가수는 '사인, 코사인 뭐가 될까, 우리에게는 우리의 꿈이 있어'라는 노래를 불렀었지. 수학이, 차별, 선별의 도구가 되어 버렸다고 탄식한 토오야마 히라쿠[遠山啓](1909~1979)라는 수학자도 있었지. 그렇지만 도움이 되니까 하고, 도움이 안 되니까 안 한다는 발상 자체가 이상하지 않니? 사람도 뭔가 도움이 되려고 사는 것도 아니고, 깨닫고 보니 태어나서 살고 있는 거잖니? 내가 경애하는 야마노구치 바쿠[山之口貘]의 작품 중에 이런 시가 있어. 제목은 '매너리즘의 원인'.

아이의 부모가
낳을 거면 확실히 낳을 마음으로
낳겠다, 라는 한마디의 의사를 전달하는 구조의 기계.
부모의 아이가
태어나는 게 싫다면
싫습니다, 라는 한마디의 의사를 전달하는 구조의 기계.
그런 기계가 지구 상에는 결여되어 있다.
언뜻
비행기나 마르크스주의의 배치가 있는 곳이 분명 화려하기는 하지만
인류의 지저분한 문화
배려가 없는 곳
교접이, 부모자식 사이에 뭔가를 말하게 하는
구조로 되어 있지 않으니

지구 상에는 매너리즘이 공중제비를 넘고 있다

봐라

태어났으니 살아가고

살고 있으니 낳는 거다

《야마노구치 바쿠》 강담사 문예문고, 1999년

채은 무슨 말인지는 알겠어요. 하지만 그래도 아무런 도움도 안 되는 수학을 왜 하는 거냐고 따지고 싶다고요.

아빠 재미있으니까 한다고 해도 좋고, 진리를 추구하기 위해서라고 잘난 척해도 돼. 제곱수의 합으로 나타내는 것에 관해서, 고대인들은 여기에 수의 신비로운 비밀이 숨어 있다고 느꼈을 거야. 사실 일본에도 별로 도움이 되지 않는 수학 전통이 있어. 에도시대에 경이롭게 발전했던 와산^{和算}이 바로 그것이지. 에도시대의 일본인은 메이지시대의 일본인과는 가치관이나 사고방식이 완전히 달랐어. 같은 민족인지 의심스러울 정도야. 굳이 표현하자면 메이지의 일본인은 '나라를 위해서'라든지 '······을 위해서'라는 등 말을 많이 하고, 에도시대의 일본인은 태어났으니 사는 거고 살고 있으니 사는 것을 즐기자, 라는 사고방식이었달까? 일꾼들은 일하고 싶을 때 일하고, 쉬고 싶을 때 쉬었지. 하루 생활이 가능한 정도의 벌이만 되면 더 이상 일을 하지 않았어. 막부 말에 일본에 왔던 어떤 외국인은 인부들이 공동으로 말뚝을 박는 것을 보고 참으로 비효율적이라는 감상을 남겼지. 다 함께 한참 동안 '에헤라디야' 하고 노래를 부르다가 마지막 순간에 쿵! 하고 힘차게 내리치는 모습을 보고 그렇게 느낀 거야. 한 번에 쿵쿵쿵 망치질을 하면 일을 빨리 끝낼 수 있는데 느긋하게 노래나 부르고 있었으니 그렇게 생각했겠지. 즉 노동 그 자체를 오락으로 즐겼다는 뜻이야.

채은 왠지 재미있어 보이네요. 지금까지 느꼈던 에도시대의 이미지와 전혀 달라요.

아빠 와산은 그런 분위기 속에서 번영한 거야. 다이묘에서 일반 서민들까지 실로 많은 사람들이 이것이 어디에 도움이 될 것인가 하는 그런 사소한 의문은 품지도 않고 수학 연구에 매진한 거지. 각지를 떠돌며 지방의 와산애호가들에게 수학을 가르치던 와산가도 있었는데, 그런 와산가의 생활이 가능할 정도로 지방에는 수학을 애호한 아마추어들이 아주 많았어. 이런 수학문화는 세계적으로도 극히 드물지 않았을까 싶어. 적어도 내가 아는 한 다른 지방, 다른 시대에 이런 현상은 없었단다.

채은 평범한 아주머니, 아저씨들이 취미로 수학을 공부했다니 믿기지가 않아요.

아빠 에도시대 사람들의 생활방식, 그 시스템 전체가 하나의 문명이었어. 문화는 변용變容하지만 문명은 멸망한다는, 에도문명은 메이지시대가 되어 쇠락했다고 하던 역사가 와타나베 쿄지渡辺京仁의 견해에는 꽤 함축된 의미가 있지. 에도문명과 함께 와산도 쇠락했어. 예를 들어 후쿠자와 유키치는 《학문의 권유》에서 학문은 입신양명을 위해서 반드시 해야 한다고 강조할 정도야. 즉 학문을 하면 귀인이나 부자가 되고, 학문을 하지 않으면 하층민이나 빈민이 되니 학문을 해야만 한다는 거지. 에도시대의 와산가가 그 말을 들었다면, 무슨 바보 같은 소리냐고 일소하지 않았을까? 에도

문명의 멸망이라고 한 와타나베는 '소년 시절 나는 에도시대에 태어나서 않아 다행이라고 생각했다. 하지만 지금은 에도시대에 태어나서 나가우타^{長唄} 사범의 집 이층에 드러누워 있거나 촌마을의 서당선생이나 하며 일생을 보내는 쪽이 인간으로서 훨씬 더 나은 삶이라는 생각이 든다'라고 했어.

채은 에도시대는 재미있었던 것 같아요.

아빠 처음에는 《열세 살 딸에게 가르치는 갈루아 이론》은 열심히 공부하려는 고교생들이 읽는 게 아닐까 생각하는데, 사실 학생들보다 중년아저씨, 아주머니들의 지지를 더 받은 것 같아. 입시만을 위한 수학을 떠나 더 이상 수학공부를 강요받지 않는 사람들이 알아준 것 같아서 기뻤어. 와산처럼 초보자들이 자신의 즐거움을 위해 사준 것 같았거든. 이것을 와산의 전통 부활이라고 한다면 거창하지만 마음만은 그랬단다. 그러니 여기에서도 강조할게. 이 책은 아무런 도움도 안 됩니다!

채은 잠깐만요. 그런 말을 하면 책이 안 팔린다고요.

아빠 이 책을 읽어도 입신양명은 할 수 없고, 부자가 되는 데에도 도움이 안 돼요!

채은 아 이런, 아빠, 진정하세요…….

아버지는 저렇게 말씀하셨지만 이 책도 도움이 되는 면은 있을 것이다. 만약 대학입시에서 정수 문제가 나온다면 도움이 될지도 모른다. 고등학교 때 정수론을 하지 않지만 입시에는 잘 나온다고 하니까. 학원에서 유클리드 호제법이나 합동을 배웠는데, 숙제였던 문제집에 mod*가 나왔을 때는 반가워서 수업을 하기도 전에 다 풀어버렸었다. 귀찮은 계산을 싫어하는 나로서는 합동식은 수가 크지 않고 지저분하지 않아서 비교적 좋아한다. 기호로 비뚤비뚤 나타내게 되면 역시 어렵겠지만.

그렇긴 한데 소수가 제곱수의 합으로 나타낼 수 있다니 왠지 대단하다고 생각했다. 계속 공부하다 보면 깨달음을 얻을지도 모르겠다.

---

* mod나 합동은 앞으로 67쪽에서 설명할 예정이다. 가슴이 두근거리는 계산이 될 테니 기대하시라.

CHAPTER 2

페르마

Fermat Pierre de Fermat

1601~1665

1. 다르지만 같은 거야

히파티아의 학살(415년) 이후 그 학통은 중단되었다. 그리고 동로마제 국에서는 '극악한, 수학자와 그 유사한 자들에 대해서'라는 법률이 제정 되었다. 수학자와 대화하거나 교제하는 것만으로도 처벌의 대상이 되었 던 것이다.

그 동로마제국의 수도 콘스탄티노플의 도서관에서 디오판토스의 《산 수론》은 100년이나 잠들어 있었다.

1202년 제4회 십자군은 터무니없지만 같은 기독교 국가인 동로마제 국을 공격하여 1204년 수도 콘스탄티노플이 함락된다. 콘스탄티노플을 점령한 십자군은 그 역사적인 도시에서 폭행과 약탈, 살육의 끝을 달렸 다. 시민들은 아야 소피아 대성당으로 도망쳤지만 십자군은 여성이라면 수녀와 시민의 구별 없이 강간하고 학살했다. 이때 귀중한 문화유산이 약탈당하거나 파괴되었다고 한다.

1453년, 오스만제국의 메메드 2세의 군대가 콘스탄티노플을 점령하면서 동로마제국은 완전히 멸망한다. 메메드 2세 Mehmet II는 이때 저항한 이들에 대한 처벌로 병사들에게 3일간의 약탈을 허용했다가 고대부터 이어온 동로마제국에 대한 경의로 몇 시간 후 약탈을 금지했다.

둘 중 언제인지는 확실하지 않지만 이 혼란의 와중에 디오판토스의 《산수론》이 콘스탄티노플에서 바티칸의 서고로 옮겨졌다.

그리고 수백 년의 세월이 흘렀다.

15~16세기가 되자 이탈리아를 중심으로 전 유럽을 휩쓸게 된 르네상스의 열기 속에서 그리스어로 된 고전이 차례차례 번역되어 간행되기 시작했다. 이때 디오판토스의 《산수론》도 라틴어로 번역되었고, 1621년에는 바셰 Claude Gaspard Bachet de Meziriac (1581~1638)에 의해 완역본이 출간되었다. 이것은 왼쪽에는 그리스어, 오른쪽에는 라틴어가 인쇄된 대역본으로 바셰가 직접 적은 주석도 달려 있었다.

서문에 의하면 디오판토스의 《산수론》은 전13권이었는데, 유감스럽게도 바티칸에 보관된 원본은 그중 6권과 다각수에 관한 1권뿐이었다고 한다. 바셰는 그후 남아 있는 《산수론》의 전부를 번역했다.

유서 깊은 가문 출신의 바셰는 시작詩作 뿐만 아니라 당시에는 신화학자로 이름을 떨쳤고, 수학퍼즐 책의 저자로도 유명해서 바셰의 분동 문제라든지 나룻배 문제 등은 형태만 바뀌어서 지금까지도 회자되고 있다.

그리고 1636년 이전의 어느 날 페르마가 이 책을 손에 넣었다.

1906년 덴마크의 하이베어 교수는 콘스탄티노플에서 양피지에 쓰인 13세기의 기도문을 분석한 결과, 이것이 복기지이고 원래는 아르키메데스의 저작이었다는 사실을 발표했다. 13세기에는 양피지가 귀중했기 때문에 가치가 없다고 판단된 서책은 한장한장 찢은 후 글자를 파거나 약물처리 등을 해서 지우고 그 위에 다른 글자를 적어 넣는 일이 빈번하게 이루어졌다. 이것을 복기지라고 한다. 13세기에 아르키메데스를 이해하지 못한 수도사가 이 저작물을 지우고 기도문을 적어 넣었던 것 같다.

그 후 이 복기지는 행방불명이 되었다가 1998년 뉴욕의 옥션에 올라왔다. 세기의 발견을 둘러싸고 옥션 회장은 엄청난 열기로 휩싸였고 익명의 부호가 200만 달러에 낙찰받았다.

낙찰 받은 부호는 사재를 투자해 이 복기지를 철저하게 분석한 후에 그 결과를 발표했다. 기도문이 쓰이기 전 이 양피지에 기술되었던 것 중에는 그때까지 이름만 알려져 있던 아르키메데스의 《방법》도 포함되어 있었다. 아르키메데스의 《방법》 중에서 무한소를 이용한 구적법을 추구한 것이 이 복기지 내용이었던 것이다.

16세기나 17세기에 아르키메데스의 《방법》이 발견되었다면 미적분의 역사는 달라졌을지도 모른다. 하지만 유감스럽게도 이 《방법》이 재발견된 것은 20세기 말이었다. 분명 역사적으로 대단한 발견이었지만, 이 《방법》에서 수학자들이 새롭게 배울 것은 아무것도 남아 있지 않았다.

이 에피소드에서 교훈을 찾고자 한다면 사소한 우연이 역사에 큰 영향을 미친다는 것을 암시하는 정도가 아닐까?

콘스탄티노플 함락 당시 디오판토스의 《산수론》이 반출된 것은 우연이었을 것이다. 당시 《산수론》의 내용을 이해할 만한 인물도 없었을 것이고, 있다고 해도 《산수론》의 중요성을 깨달았을지도 의문이다. 어쩌면 《산수론》의 근처에 아르키메데스의 《방법》도 있었다가 재가 되었을

지 모른다. 어쨌든 페르마가 《산수론》을 입수하지 않았다면 정수론의 역사는 달라졌을 것이다.

페르마는 1607년경 프랑스 서부 보몽 드 로마뉴라는 작은 마을의 유복한 중류 귀족 가문에서 태어났다. 그는 1631년 툴루즈 고등법원의 참사관을 역임했고 죽을 때까지 이 고등법원의 법관으로 봉직한다. 참사관에 임명된 직후, 모계 쪽의 먼 친척 루이 드 롱과 결혼하여 두 아들과 세 딸을 얻는다. 페르마의 사후 이 저작물을 간행한 장남 사무엘은 부친과 같은 툴루즈의 참사관이

페르마

었다. 평생 툴루즈 주변을 벗어나지 않았던 페르마는 외관상 평온 그 자체인 생애를 보냈다고 할 수 있다.

페르마가 언제부터 수학에 흥미를 가졌는지는 확실하게 알려져 있지 않지만, 적어도 20대 후반에는 수학 연구에 빠져 있었던 것으로 추측된다.

당시 수학연구는 서신교환으로 보급되었다. 페르마도 유럽 각국의 수학애호가와 서신을 교환하며 연구를 진행했다.

메르센

이 무렵 유럽 각지의 학자와 깊이 교류하며 정보의 집적지 같은 역할을 한 남자가 있었다. 파리의 수도원에서 생애를 보낸 메르센Marin Mersenne (1588~1648)이다. 데카르트의 친구이기도 했던 그는 뭐든지 지나치게 알고 싶어 한다는 평을 들을 정도로 호기심이 왕성한 인물이었다.

페르마도 메르센과의 교류를 통해 수학 일인자로서의 존재를 자타 공인으로 인정받게 되었다.

페르마의 업적은 다방면에 뻗어 있다. 먼저 미·적분학의 선구자로서 빛나는 성과를 꼽고 싶다. 또한 기하학이나 대수학에서도 획기적인 업적을 남겼고, 확률에 대해서도 중요한 결과를 남겼다. 그럼에도 오늘날 페르마의 이름은 무엇보다 정수론의 대가로 알려져 있다.

1995년, 페르마가 가설을 세운 지 360년이나 지나 앤드류 와일즈 Andrew John Wiles (1953~)가 최종적으로 증명한 '페르마의 대정리(=페르마의 정리)'는 그야말로 유명하다.

하지만 당시 정수론 연구가로서의 페르마는 고독했다. 페르마의 주변에는 데카르트, 파스칼, 호이겐스 Christiaan Huygens (1629~1695) 등 근대과학사에 이름을 남긴 쟁쟁한 인물들이 있었지만 그들은 정수론에는 흥미를 보이지 않았기 때문이다.

페르마는 정수론에 대한 자신의 성과를 출판하고 싶어 했지만, 끝내 실현하지 못한 채 죽음을 맞이했다. 그 당시 그를 힘들게 했던 문제 중 하나는, 자신의 증명을 어떤 식으로 표현해야 할지 판단하기 어렵다는 데 있었다. 어쨌든 고대든 동시대든 페르마가 견본으로 삼을 만한 증명이 어디에도 없었던 것이다. 그로 인해 모든 것을 자신의 손으로 만들어내야만 했기 때문이다.

파스칼에게 조력을 구한 적도 있었다. 문장력이 뛰어난 파스칼의 도움을 얻을 수 있다면 이 문제도 극복할 수 있을 것이라고 생각했던 모양이다. 하지만 파스칼은 흥미를 보이지 않았다.

만년에 페르마는 호이겐스에게 보낸 편지에 언젠가 자신의 업적을 이어받아 영국대법관의 표현대로 '횃불을 전승'할 사람들이 태어날 것이라고 했다. 이 영국대법관은 바로 프랜시스 베이컨^{Francis Bacon}으로, 고대 그리스의 횃불릴레이에서 영감을 얻어 지식이 전승되는 모습을 '횃불 전승'으로 표현한 것이다.

이는 갈루아의 유서의 마지막 '언젠가 이 어려운 문제를 모두 해독하고 전진할 사람들이 출현할 것이라고 믿는다'와 통하는 데가 있어 보인다.

페르마의 사후에 그의 아들 사무엘은 48곳에 남아 있는 아버지의 글과 함께 바셰판의 《산수론》을 출판한다. 그리고 반세기 후, 떠나간 페르마의 횃불을 손에 넣은 거인이 등장한다. 바로 오일러이다.

이 장에서는 페르마의 정수론에 대한 업적을 따라갈 예정이지만 그 전에 먼저 가우스가 발견한 합동기호에 관해서 설명하려 한다. 이 기호는 아무리 칭찬해도 모자랄 정도로 뛰어나다. 페르마 같은 천재만이 볼 수 있었던 세계를, 수많은 사람들이 별 어려움 없이 볼 수 있게 한 마법의 기호라고 해도 모자람이 없다. 좋은 기호가 번잡한 현상을 얼마나 깨끗하게 이해시키는지를 나타내는 좋은 예라고도 할 수 있다.

아이디어는 정수를 어떤 수로 나눈 나머지로 분류하는 데 있다. 페르마에게도 이 아이디어는 있었지만 유감스럽게도 이렇게 편리한 기호를 생각해내지는 못했다.

나누는 수를 기호로는 mod로 쓰고 모드 또는 법이라고 읽는다. 이 mod는 modulus의 약자이다.

예를 들어 mod 5는 5로 나눈 나머지가 같은 것을 동일시한다. 즉 합동한다는 뜻이다. 이 세계에서는 부호 '='대신 합동의 기호 '≡'를 사용한다. 5로 나누어서 2가 남는 수는 2, 7, 12, 17, 22, ……이므로

$$2 \equiv 7 \equiv 12 \equiv 17 \equiv 22 \equiv \cdots$$

이 된다. 마찬가지로 음의 정수를 대입하면 다음과 같다.

$$2 \equiv -3 \equiv -8 \equiv -13 \equiv -18 \equiv \cdots$$

이 합동기호 $\equiv$의 장점은 덧셈, 뺄셈, 곱셈에서는 등호 $=$와 거의 비슷하게 사용할 수 있다는 점이다.

예를 들어 mod 7을 생각해보자.

$$27 + 54 \equiv 81 \equiv 4$$

27과 54에 적용해서 작은 수부터 시작해보자.

$$27 + 54 \equiv 6 + 5 \equiv 11 \equiv 4$$

이번에는 mod 11로 곱셈을 해보자.

$$12345 \times 67890 \equiv 838102050 \equiv 5$$
$$12345 \times 67890 \equiv 3 \times 9 \equiv 27 \equiv 5$$

이것은 조금만 생각해보면 알 수 있으니 복잡하게 느껴지는 곱셈에 관해서 문자를 사용해 생각해보자.

♥증명 mod n에서 a는

$$pn + a$$

로 나타낼 수 있고 또 다른 수를 mod n에서 b, 즉

$$qn + b$$

로 나타낸 후 이것을 곱하면 다음과 같다.

$$(pn+a)(qn+b)=pqn^2+(bp+aq)n+ab$$

여기에서 mod n에서는,

$$n\equiv0$$

이므로 결국,

$$(pn+a)(qn+b)\equiv ab$$

가 된다. 💡

앞에서 설명했듯이 mod 5에서 2, 7, 12, 17은 같은 값으로 간주된다. 따라서 하나를 임의로 선택하여 계산하면 편리하다. 임의로 2이든 7이든 또는 19852이든 상관없지만 굳이 큰 수를 가져와서 귀찮게 머리를 쓸 필요는 없으니 보통 2를 선택한다. 따라서 mod 5에서는 대표로,

$$\{0,\ 1,\ 2,\ 3,\ 4\}$$

를 선택한다. 다르게 표현하면 mod 5의 세계에 수는 0, 1, 2, 3, 4만 존재한다고 생각하는 것이다. mod p의 세계는,

$$\{0,\ 1,\ 2,\ \cdots,\ p-1\}$$

로 구성된다.

대표는 무엇을 선택해도 상관없으므로 예를 들어 mod 5의 경우,

$$\{-2,\ -1,\ 0,\ 1,\ 2\}$$

를 대표로 선택하는 것도 좋을 것이다.

덧셈, 곱셈에 관해서 몇 가지 연습해보자.

① $253+521$ (mod 7)

② 253×521 (mod 7)

③ $1+2+3+4+5+6+7+8+9+10+11+12$ (mod 13)

④ $1\times2\times3\times4\times5\times6\times7\times8\times9\times10\times11\times12$ (mod 13)

가우스는 이 합동기호를 《가우스 정수론》의 1페이지에서 설명하고 있다. 그리고 실용적인 예로서 십진법으로 나타낸 여러 수의 합을 9로 나눈 나머지가 원래의 수를 9로 나눈 나머지와 비슷하다는 것을 지적하고 있다. 즉 10, 100, 1000, ……을 9로 나눈 나머지는 1이므로,

$$10\equiv100\equiv1000\equiv10000\equiv\cdots\cdots\equiv1\ (\text{mod }9)$$

따라서 51471의 경우,

$$5\times10000+1\times1000+4\times100+7\times10+1$$
$$\equiv5+1+4+7+1$$
$$\equiv18$$
$$\equiv0$$

이 되고 51471은 9로 나눌 수 있음을 알 수 있다. 이 성질을 이용해 다음 문제를 풀어보자.

⑤ 컴퓨터로 계산했더니 문자화되었다. ?부분의 숫자는 얼마인가?

$$1532464\times5457862\equiv836397?031968$$

비슷한 문제를 어느 대학입시문제에서 본 적이 있는데 가우스는 이런 문제도 냈다. 이것도 연습문제로 풀어보자.

⑥ $x^3-8x+6=0$에 정수해가 없음을 증명하시오. 힌트는 목화토금수,

붕소, 목성이라고 해둘까? 또 정수해가 없다면 유리수해가 없음도 나타내시오.

나중에 배울 소수의 2차형식에 의한 표현을 미리 해서 이런 문제도 풀어보자.

⑦ 자연수 x, y를 써서 x^2+3y^2으로 표현할 수 있는 소수는 $3n+1$형 뿐임을 증명하시오.

마지막으로 mod의 세계에서 덧셈, 뺄셈, 곱셈은 평범하게 할 수 있다고 했는데, 나눗셈의 경우에는 약간의 주의가 필요하다. 이것은 다음 절에서 알아볼 것이다.

채은 동시대에 자신을 이해해주는 사람이 없어 미래에 희망을 건다는 게 멋지긴 한데 어쩐지 슬퍼요. 갈루아도 페르마도 말이에요.

아빠 미래에 희망을 거는 경우도 있지만 반대로 과거에 희망을 거는 경우도 있지. 중국 굴원^{屈原}(B.C. 343?~B.C. 278?)의 작품으로 전해지는 시 〈이소^{離騷}〉 마지막 부분에 이런 구절이 있어.

> 已矣哉 이의재
> 國無人莫我知兮 국무인막아지혜
> 又何懷乎故都 우하회호고도
> 旣莫足與爲美政兮 기막족여위미정혜
> 吾將從彭咸之所居 오장종팽함지소거

채은 무슨 말인지 전혀 모르겠어요. 해석해주세요.

아빠 "모든 것이 끝이로구나. 나라에 인물이 없어 나를 알아주는 이가 없으니, 고향을 그리워한들 무슨 소용이겠는가. 이제 함께 훌륭히 정치할 이 또한 없으니. 나는 장차 팽함^{彭咸}이 있는 곳에 가 살겠노라."

채은 흐음. 그런데 팽함이 누구예요?

아빠 고대의 성인으로, 주인공이 평소에 존경하던 인물이야.

채은 고대인들은 당연히 이미 죽었을 텐데, 죽은 사람이 있는 곳으로 가서 함께 살겠다니, 무슨 뜻일까요?

아빠 주인공은 희대의 영웅으로 천상세계 등을 경술해온 사람이야. 그러니 고대세계로도 날아갈 수 있지 않을까? 어쨌든 현실세계에서 자신을 이해해주는 사람이 없다는 절망과 미래에나 고대에나, 다른 세계에는 이해자가 있을 것이라는 확신, 이 부분이 갈루아나 페르마의 심정과 비슷한 것 같아서 말이지.

채은 그거야 아빠의 감성이고, 저는 전혀 다른 기분이 드는데요. 그건 그렇고 mod 5에서,

$$2 \equiv -3 \equiv -7 \cdots$$

이 나왔는데, mod 5라는 숫자는 5로 나눈 나머지로 생각하자는 거잖아요. -3을 5로 나눈 나머지라니, 좀 이해하기 어려워요. 원래 $2 \div 5$에서 나머지는 2잖아요?

아빠 원칙만 그대로 적용하면 돼.

$$17 \div 5 = 3 \text{ 나머지 } 2$$

는 알겠지?

채은 그거야 당연히 알죠!

아빠 이것을 등호 =가 성립하도록 바꿔 쓰면?

채은 앞에서 했었는데요.

$$17 = 3 \times 5 + 2$$

아빠 그리고 $12 \div 5$와 $7 \div 5$의 결과를 깔끔하게 나열해보면,

채은 $17 = 3 \times 5 + 2$

   $12 = 2 \times 5 + 2$

   $7 = 1 \times 5 + 2$

아빠 몫은 3, 2, 1이 돼. 그렇다면 다음은 0, 그 다음은 −1, 또 그 다음은 −2가 되겠지? 나열해볼까?

채은 $2 = 0 \times 5 + 2$

   $-3 = -1 \times 5 + 2$

   $-8 = -2 \times 5 + 2$

   음, 정말 그렇게 돼요.

아빠 이 식에 들어맞도록 몫을 정하면, 단 하나로 정해지지. 연습 삼아 $-78 \div 5$를 해볼까?

채은 그러니까 $5 \times 15 = 75$, $5 \times 16 = 80$이니까,

$$-78 = -16 \times 5 + 2$$

   가 되겠네요.

아빠 그렇지. 그럼 연습문제① $253 + 521 \ (\mathrm{mod}\ 7)$.

채은 먼저 mod 7에서 작은 수로 한 다음 계산하면 돼요. 즉,

$$253 \equiv 1 \qquad 521 \equiv 3$$

   따라서,

$$253 + 521 \equiv 1 + 3 \equiv 4 \ (\mathrm{mod}\ 7)$$

아빠 그렇지. 덧셈을 먼저 해도 같은 결과가 된다.

$$253+521 \equiv 774 \equiv 4 \ (\text{mod } 7)$$

가 되는 거야. 그럼 ② $253 \times 521 \ (\text{mod } 7)$

채은 이것도 똑같아요.

$$253 \times 521 \equiv 1 \times 3 \equiv 3 \ (\text{mod } 7)$$

아빠 역시 곱셈을 먼저 해도 같은 결과가 되지.

$$253 \times 521 \equiv 131813 \equiv 3 \ (\text{mod } 7)$$

채은 작은 수로 만들어서 하는 게 편해요.

아빠 그럼 ③ $1+2+3+4+5+6+7+8+9+10+11+12$ $(\text{mod } 13)$

채은 차근차근 덧셈을 해볼까요?

$$1+2+3+4+5+6+7+8+9+10+11+12$$

$$=12 \times \frac{(12+1)}{2}$$

$$=12 \times \frac{13}{2} = 78 \equiv 0$$

아빠 그렇게 해도 되지만 도중에 $13 \equiv 0$을 사용하면 78을 계산하지 않아도 끝나. 그보다,

$$1+12=2+11=3+10=4+9=5+8=6+7=13 \equiv 0$$

을 알면, 계산하지 않아도 0이라는 걸 알 수 있지.

채은 그렇군요.

아빠 그럼 ④ $1 \times 2 \times 3 \times 4 \times 5 \times 6 \times 7 \times 8 \times 9 \times 10 \times 11 \times 12$

  $(\bmod\ 13)$

채은 좋은 방법이 있을 것 같긴 한데, 곱셈을 할게요.

$$1 \times 2 \times 3 \times 4 \times 5 \times 6 \times 7 \times 8 \times 9 \times 10 \times 11 \times 12$$
$$= 479001600$$
$$\equiv 12\ (\bmod\ 13)$$

아빠 이건 나중에 하게 될 윌슨의 정리의 일례야. 이해하기 어렵겠지만,

$$2 \times 7 \equiv 14 \equiv 1$$
$$3 \times 9 \equiv 27 \equiv 1$$
$$4 \times 10 \equiv 40 \equiv 1$$
$$5 \times 8 \equiv 40 \equiv 1$$
$$6 \times 11 \equiv 66 \equiv 1$$

이렇게 1, 12 외에는 두 곱이 전부 1이 된단다. 그래서,

$$1 \times 2 \times 3 \times 4 \times 5 \times 6 \times 7 \times 8 \times 9 \times 10 \times 11 \times 12$$
$$= 1 \times 12$$
$$\equiv 12\ (\bmod\ 13)$$

채은 왠지 그럴싸하게 속는 기분이에요.

아빠 그럼 ⑤ $1532464 \times 5457862 \equiv 836397\,?\,031968.$

채은 먼저 1532464와 5457862를 $\bmod\ 9$로 바꾸면,

$$1+5+3+2+4+6+4 \equiv 25 \equiv 7$$
$$5+4+5+7+8+6+2 \equiv 37 \equiv 1$$

이니까,

$$7 \times 1 \equiv 7 \ (\mathrm{mod} \ 9)$$

우변도 mod 9로 하면,

$$8+3+6+3+9+7+?+0+3+1+9+6+8$$
$$\equiv ?+63 \equiv ? \ (\mathrm{mod} \ 9)$$

즉 ?는 7이 되네요.

아빠 잘했다. 그럼 ⑥ $x^3 - 8x + 6 = 0$에 정수해가 없음을 증명해보렴.

채은 중학생에게 대학입시문제를 시키시는 거예요?

아빠 가우스 기호를 사용하면 그렇게 어렵지 않단다. 대학입시문제에도 쉬운 문제는 많이 나오거든. 솔직히 난칸^{難関}중학교의 입시문제 쪽이 훨씬 더 어렵게 보이는데.

채은 그럼 이 문제의 힌트는 뭐예요? 전혀 모르겠어요.

아빠 지구는 태양계에서 세 번째 행성이지? 그렇다면 목성은?

채은 지구의 바로 바깥쪽이 화성, 그 바깥쪽을 도는 게 목성이니까 다섯번째 행성인가요?

아빠 그렇지. 그리고 붕소의 원자번호는?

채은 그건 잊어버렸어요.

아빠 5번이지. 그리고 목화토금수는 중국의 오행사상.

채은 즉 5라고 말씀하고 싶은 거네요? mod 5로 생각할 것!

아빠 그렇지.

채은 그런데 왜 mod 5예요?

아빠 이 방정식에 정수해가 없다면 어떤 mod로 하든 잘 될 가능성이 있어. 하지만 절대로 잘 되지 않지. 또 mod의 수는 가능한 작은 쪽이 번거롭지 않고, 소수 이외라면 이상한 경우에 0이 되기도 하기 때문에 소수가 편리하단다. 작은 소수부터 생각하면 2와 3은 제대로 되지 않아. 그러니 mod 5지. 그리고 같은 방법으로 한 경우 mod 7로는 잘 되지 않지만 mod 11로는 성공하지. 그리고 성공하는 건 mod 23이야. 하지만 아까 말했다시피 큰 수로 하면 귀찮기만 하니까 mod 5만 생각하면 돼. mod 5의 세계에 있는 수는?

채은 0, 1, 2, 3, 4요.

아빠 각각 대입해보면,

채은 $(0)^3 - 8 \times (0) + 6 \equiv 0 - 0 + 6 \equiv 6 \equiv 1$

$(1)^3 - 8 \times (1) + 6 \equiv 1 - 8 + 6 \equiv -1 \equiv 4$

$(2)^3 - 8 \times (2) + 6 \equiv 8 - 16 + 6 \equiv -2 \equiv 3$

$(3)^3 - 8 \times (3) + 6 \equiv 27 - 24 + 6 \equiv 9 \equiv 4$

$(4)^3 - 8 \times (4) + 6 \equiv 64 - 32 + 6 \equiv 38 \equiv 3$

어느 것을 넣어도 0이 되지 않아요. 따라서 정수해가 없어요.

아빠 맞아. 합동기호를 사용하지 않고 이 문제를 생각하는 건 꽤 성가시지만, ≡를 사용하면 쉽게 할 수 있지. 그럼 유리수해도 없는 것을 증명해볼래?

채은 그건 무리예요.

아빠 학교에서 $\sqrt{2}$ 가 무리수라는 것을 증명했겠지. 그때 어떻게 했니?

채은 유리수 $\dfrac{p}{q}$ 라고 가정해서, 모순!

아빠 같은 방법으로 해볼까? $x = \dfrac{p}{q}$ 라고 놓고, 대입하면 돼. 물론 p 와 q는 서로소라고 해야겠지?

채은 그게 잘 될까요? 어쨌든 대입해볼게요.

$$\left(\frac{q}{p}\right)^3 - 8\left(\frac{q}{p}\right) + 6 = 0$$

아빠 분모를 소거하면,

채은 $q^3 - 8p^2 q + 6p^3 = 0$

아빠 여기에서 $\mathrm{mod}\ p$의 세계로 날아가자. $\mathrm{mod}\ p$의 세계에서 p는?

채은 $p \equiv 0$. 아 그런가요? 그렇게 하면 쓸데없는 건 소거돼서,

$$q^3 \equiv 0$$

이 돼요.

아빠 즉 q^3은 p로 나눌 수 있다는 거지. 하지만 q와 p는 서로소니까 q를 3제곱한다고 해서 p로 나누어질 리가 없어. 이것은 모순이야.

채은 이거 아주 고맙네요. 하지만 배리법은 왠지 명확한 것 같지가 않아요. 반론은 할 수 없지만……

아빠 습관이 문제겠지. 그런데 같은 방법으로 증명하면 일반적으로도 말할 수 있어. 즉,

$$x^n + Ax^{n-1} + Bx^{n-2} + \cdots = 0$$

과 같이 x^n의 계수가 1이고, 나머지 계수가 모두 정수인 대수방정식의 근이 유리수라면 반드시 정수! 라는 거야.

채은 점점 더 어려워져요.

아빠 그럼 다음 문제. ⑦ 정수 x, y를 이용해 $x^2 + 3y^2$이라고 표현할 수 있는 소수는 3과 $3n+1$형뿐임을 증명하시오.

채은 아무래도 이건 mod 3으로 생각하면 좋을 것 같아요. mod 3의 세계에 어떤 수는 0, 1, 2니까…….

아빠 잠깐. x도 y도 제곱하니까 이 세계에 어떤 수를,

$$0, \ 1, \ -1$$

로 하는 것이 더 낫겠지.

채은 그런가요? 이 세계에 어떤 수는 0, 1, -1뿐이니까, 제곱하면 0 또는 1이 돼요. mod 3에서 $x^2 + 3y^2 \equiv x^2$이니까 mod 3에서 0 또는 1인 게 돼요. 0일 때는 3의 배수. 3의 배수인 소수는 3뿐. 그렇다면 3 이외에서 이 형태로 표현할 수 있는 소수는 mod 3에서 1이 돼요. 즉 $3n+1$ 형이에요.

아빠 맞았어. 반대로 $3n+1$형 소수는 모두 $x^2 + 3y^2$으로 표현할 수 있다는 것을 증명하기는 어렵지만 이 증명이라면 $\equiv$를 사용하면 간단해.

2. 3×5가 1이 된다 해도

mod의 세계에서 나눗셈을 생각해보자. 보통 유리수의 세계에서 $5 \div 3$을 하면,

$$5 \div 3 = \frac{5}{3}$$

가 되지만 mod의 세계에서는 $\frac{5}{3}$라는 수는 존재하지 않기 때문에 이 계산은 성립하지 않는다. 원래 나눗셈은 곱셈의 역산이므로 $\div 3$이란 3의 역수를 곱한다는 뜻이다. 즉,

$$3x = 1$$

이 되는 x를 곱하는 것이다. 그럼 mod의 세계에서 역수는 어떻게 될까? mod 7을 살펴보자.

$$3x \equiv 1$$

이 되는 x를 구하는 것이다. mod 7의 세계에 어떤 수는 {0, 1, 2, 3, 4, 5, 6}이므로 그것을 대입해보자.

$$3 \times 0 \equiv 0$$
$$3 \times 1 \equiv 3$$
$$3 \times 2 \equiv 6$$
$$3 \times 3 \equiv 9 \equiv 2$$
$$3 \times 4 \equiv 12 \equiv 5$$
$$3 \times 5 \equiv 15 \equiv 1$$
$$3 \times 6 \equiv 18 \equiv 4$$

가 되고, 3의 역수는 5이다. 이 세계에서는 교환법칙이 성립하므로 5의 역수도 3이 된다. 그러면 mod 6에서는 어떻게 될까?

$$3 \times 0 \equiv 0$$
$$3 \times 1 \equiv 3$$
$$3 \times 2 \equiv 6 \equiv 0$$
$$3 \times 3 \equiv 9 \equiv 3$$
$$3 \times 4 \equiv 12 \equiv 0$$
$$3 \times 5 \equiv 15 \equiv 3$$

결과는 0과 3뿐이고 1이 되는 일은 없다. 즉 mod 6의 세계에서 3의 역수는 존재하지 않는다. 따라서 ÷3이라는 계산도 할 수 없다.

그럼 역수가 존재하는 것은 어떤 경우일까?

몇 가지 실험을 통해서 법칙을 발견해보자.

0은 무엇을 곱해도 0이므로 0의 역수는 존재하지 않는다. 1은 1을 곱해도 1이므로 1의 역수는 항상 1이다. 따라서 0과 1에 관해서는 생각할 필요가 없으므로 제외한다.

(mod 3)

　　$2 \times 2 \equiv 4 \equiv 1$

　　따라서 2의 역수는 2

(mod 4)

　　$2 \times 2 \equiv 4 \equiv 0$　　$2 \times 3 \equiv 6 \equiv 2$

　　따라서 2의 역수는 존재하지 않는다.

　　$3 \times 3 \equiv 9 \equiv 1$

　　따라서 3의 역수는 3

(mod 5)

　　$2 \times 2 \equiv 4$　　　　$2 \times 3 \equiv 6 \equiv 1$　　$2 \times 4 \equiv 8 \equiv 3$

　　$3 \times 3 \equiv 9 \equiv 4$　　$3 \times 4 \equiv 12 \equiv 2$

　　$4 \times 4 \equiv 16 \equiv 1$

　　따라서 2는 3의 역수이고, 3은 2의 역수, 3의 역수는 4.

(mod 6)

　　$2 \times 2 \equiv 4$　　　　$2 \times 3 \equiv 6 \equiv 0$　　$2 \times 4 \equiv 8 \equiv 2$　　$2 \times 5 \equiv 10 \equiv 4$

　　$3 \times 3 \equiv 9 \equiv 3$　　$3 \times 4 \equiv 12 \equiv 0$　　$3 \times 5 \equiv 15 \equiv 3$

　　$4 \times 4 \equiv 16 \equiv 4$　　$4 \times 5 \equiv 20 \equiv 2$

　　$5 \times 5 \equiv 25 \equiv 1$

　　따라서 2, 3, 4에 역수는 존재하지 않는다. 5의 역수는 5.

　　지금부터는 결과만 나타낸다.

$(\bmod \ 7)$

$2 \times 4 \equiv 1$ $3 \times 5 \equiv 1$ $6 \times 6 \equiv 1$

$(\bmod \ 8)$

$3 \times 3 \equiv 1$ $5 \times 5 \equiv 1$ $7 \times 7 \equiv 1$

2, 4, 6에 역수는 존재하지 않는다.

$(\bmod \ 9)$

$2 \times 5 \equiv 1$ $4 \times 7 \equiv 1$ $8 \times 8 \equiv 1$

3, 6에 역수는 존재하지 않는다.

$(\bmod \ 10)$

$3 \times 7 \equiv 1$ $9 \times 9 \equiv 1$

2, 4, 5, 6, 8에 역수는 존재하지 않는다.

$(\bmod \ 11)$

$2 \times 6 \equiv 1$ $3 \times 4 \equiv 1$ $5 \times 9 \equiv 1$ $7 \times 8 \equiv 1$ $10 \times 10 \equiv 1$

$(\bmod \ 12)$

$5 \times 5 \equiv 1$ $7 \times 7 \equiv 1$ $11 \times 11 \equiv 1$

2, 3, 4, 6, 8, 9, 10에 역수는 존재하지 않는다.

아빠 그런데 어느 때 역수가 존재하거나 존재하지 않는지 알겠니?

채은 이럴 때는 지그시 노려보는 거죠! 먼저 역수가 존재하지 않는 것 중에는 짝수가 많아요.

아빠 그래? 그 경우 mod는 어떻게 되지?

채은 전부 짝수예요. 즉 mod가 짝수일 때, 짝수의 역수는 없는 거잖아요?

아빠 지금까지 실험한 범위에서는 그렇지. 여기에서 한걸음 더 나아가면…….

채은 그런가요? mod가 3의 배수일 때, 3의 배수의 역수는 없어요. mod가 5의 배수일 때 5의 배수의 역수는 없어요.

아빠 좀 더 정리해볼까?

채은 mod와 그 수가 서로소가 아닌 경우에 역수가 없어요. mod가 소수일 때에는 전부 역수가 있고요.

아빠 맞았어. 즉 mod와 그 수가 서로소인 경우 반드시 역수가 존재하지. 이것은 항상 중요한 성질인데 사실 32쪽에서 했던 정리, '$(a, b)=1$일 때 $ax+by=1$이 되는 정수 x, y가 존재한다' 와 내용상 완전히 똑같은 얘기지.

채은 무슨 뜻이죠? 전혀 관계가 있어 보이지 않는데요.

아빠 확인해볼까?

증명 p와 q는 서로소이다. 즉,

$$(p, q)=1$$

이다. 이때 위의 정리에 의하면,

$$ap+bq=1$$

가 되는 정수 a, b가 존재한다. 이 식을 $\mathrm{mod}\ q$의 세계로 적용하면.

채은 $\mathrm{mod}\ q$의 세계에는 $q\equiv 0$이므로,

$$ap+b\times 0\equiv 1$$
$$ap\equiv 1$$

아빠 즉 p에 역수가 존재한다는 거지.

반대로 $\mathrm{mod}\ q$의 세계에서 p의 역수가 존재하면,

$$ap\equiv 1$$

이 되는 정수 a가 존재한다. 이것은 $ap-1$이 q로 나누어떨어질 수 있다는 것을 의미한다. 즉,

$$ap-1=bq$$

이다. 이항해서 정리하면,

$$ap-bq=1$$

여기에서 $-b$를 b'로 하면,

$$ap+b'q=1$$

채은 역시. mod q의 세계에서 p에 역수가 있다는 것을 보통의 세계에
적용하면, '$ap+bq=1$을 충족시키는 정수 a, b가 존재한다'가
되는 건가요?

아빠 특히 mod q에서 q가 소수인 경우 모든 수가 q와 서로소가 되
니까, 이 세계에는 덧셈, 뺄셈, 곱셈, 나눗셈(물론 0으로 나누는 경우
는 제외한다)이 자유자재로 가능하지. 또,

$$ax \equiv b$$

라는 일차합동식도 모두 해를 가지지. 잠시 연습해보자.

$$4x \equiv 3 \pmod 7$$

이 문제를 풀어볼래?

채은 어떻게 풀어요?

아빠 4의 역수를 양변에 곱하면 돼.

채은 4의 역수는 어떻게 구하는데요?

아빠 기계적으로 구하는 방법이 있지만, 이 정도쯤은 하나씩 맞춰보는
것도 괜찮지 않을까?

채은 귀찮은데.

$$4 \times 2 \equiv 8 \equiv 1 \pmod 7$$

아, 한 번에 나왔다. 그럼 양변에 2를 곱하면,

$$2 \times 4x \equiv 2 \times 3 \pmod 7$$
$$x \equiv 6$$

이니까 답은 6이에요.

아빠 실제로 4×6＝24이고, 7로 나누면 나머지는 3이 돼. 그럼 하나 더.

$$12x \equiv 5 \ (\text{mod} \ 17)$$

채은 이번에는 12의 역수인가요?

$$12 \times 2 \equiv 24 \equiv 7 \ (\text{mod} \ 17)$$
$$12 \times 3 \equiv 36 \equiv 2$$
$$12 \times 4 \equiv 48 \equiv 14$$
$$12 \times 5 \equiv 60 \equiv 9$$
$$12 \times 6 \equiv 72 \equiv 4$$
$$12 \times 7 \equiv 84 \equiv 16$$
$$12 \times 8 \equiv 96 \equiv 11$$
$$12 \times 9 \equiv 108 \equiv 6$$
$$12 \times 10 \equiv 120 \equiv 1$$

겨우 나왔네요. 12의 역수는 10이에요. 따라서 양변에 10을 곱해서,

$$10 \times 12x \equiv 10 \times 5 \ (\text{mod} \ 17)$$
$$x \equiv 16$$

이니까 답은 16!

아빠 확인해볼까?

$$12 \times 16 \equiv 192 \equiv 5$$

오늘은 유클리드 호제법을 mod의 세계로 적용하는 것을 배웠어.
정리해보자.

$$(a, b)=1일 \ 때,$$

$$ax+by=1이 \ 되는 \ a, \ b가 \ 존재한다.$$

$$\Leftrightarrow ax\equiv 1 \ (\text{mod } b)가 \ 해를 \ 가진다.$$

여기에서 재미있는 정리를 하나 더 소개할 거야. 홀소수 p에 대해서 $\text{mod } p$에서 $(p-1)!$이 어떻게 되는가 하는 문제야.

채은 앞에 나온 연습문제에서 하나 했었어요. $\text{mod } 13$일 때 $12!\equiv 12$.

아빠 그렇지. 그 외에 잠깐 실험해볼까?

채은 그럼 $\text{mod } 3$일 때, $2!\equiv 2$

$\text{mod } 5$일 때, $4!\equiv 24\equiv 4$

$\text{mod } 7$일 때, $6!\equiv 720\equiv 6$

$\text{mod } 11$일 때, $10!\equiv 3628800\equiv 10$

알았다! $\text{mod } p$일 때 $(p-1)!\equiv p-1$이예요.

아빠 $\text{mod } p$일 때는 $p\equiv 0$이니까,

$$(p-1)!\equiv -1 \ (\text{mod } p)$$

라고 쓰는 게 좋겠지.

채은 네!

아빠 또 p가 소수가 아닌 경우에는 어떻게 될까?

채은 $\text{mod } 4$일 때, $3!\equiv 6\equiv 2$

mod 6일 때, $5! \equiv 120 \equiv 0$

mod 8일 때, $7! \equiv 5040 \equiv 0$

mod 9일 때, $8! \equiv 40320 \equiv 0$

mod 12일 때, $11! \equiv 39916800 \equiv 0$

mod 14일 때, $13! \equiv 6227020800 \equiv 0$

mod 4 외에는 전부 0이 되는 것 같은데…….

아빠 조금만 생각해보면 소수 이외일 때에는 간단히 알 수 있어. 4는 조금 특수하니까 p는 4보다 큰 합성수라고 할게. $p = ab$라면 a도 b도 $p-1$ 이하니까 $(p-1)!$ 의 어딘가에 있어. 따라서 $(p-1)!$은 p로 나눌 수 있는 거지. $p = a^2$인 경우도 $(p-1)!$의 어딘가에 a와 $2a$가 있으니까 괜찮아. 4의 경우에는 여기가 걸려서 0이 되지 않아.

하지만 p가 소수일 때에는 그렇게 단순하지 않아. 증명할 수 있겠니?

채은 어떻게 해야 할지 짐작도 안 돼요.

아빠 mod 11인 경우에서 구체적으로 생각해보자.

$$10! = 1 \times 2 \times 3 \times 4 \times 5 \times 6 \times 7 \times 8 \times 9 \times 10$$

이 되는데, 1과 10 이외의 수는 쌍을 이루면서,

$$2 \times 6 \equiv 12 \equiv 1$$
$$3 \times 4 \equiv 12 \equiv 1$$
$$5 \times 9 \equiv 45 \equiv 1$$
$$8 \times 7 \equiv 56 \equiv 1$$

이러한 관계가 있어. 앞에서 연습문제를 풀었을 때 mod 13에서도 똑같은 일이 있었지. 이렇게 곱해서 ≡1이 되는 수를 가우스는 수반잉여隨伴剩餘라고 이름 붙였는데 이 관계는 일반적으로 말할 수 있을까?

$$x^2 \equiv 1$$

의 해는 1과 −1뿐이니까 수반잉여가 자기 자신인 것은 1과 −1뿐이라는 점에 주의해야 해.

채은 말할 수 있어요.

🔵증명 p가 소수라면 0 이외에는 역수가 존재하지 않으므로 자기 자신이 역수가 되는 것은 1과 −1뿐이다. 따라서 $(p-1)!$에 나오는 수 중에서는 1과 $p-1 \equiv -1$뿐. 따라서,

$$2, 3, \cdots, p-2$$

중에는 각각 수반잉여가 되는 쌍이 있다. 즉,

$$2 \times 3 \times \cdots \times (p-2) \equiv 1 \times \cdots \times 1 \equiv 1$$

이 되므로,

$$(p-1)! \equiv 1 \times (p-1) \equiv -1$$

됐다! 증명 끝!

아빠 아랍 세계에서 이 정리는 10세기경부터 알려져 있었다고 하는데, 유럽에서는 1770년에 베어링에 의해 알려졌지. 발표한 건 제자 윌슨이었기 때문에 '윌슨의 정리'라고도 해. 하지만 정작 베어링

도 윌슨도 증명하지 못했고, 증명한 사람은 라그랑주였어.

> **윌슨의 정리** ☆
>
> 홀소수 p에 대해서, $(p-1)! \equiv -1 \pmod{p}$

채은 와아, 비교적 간단한데도 위대한 수학자들이 증명하지 못했네요.

아빠 지금 중학생들도 이 증명을 이해할 수 있는 건 이 부분을 정리한 현대수학과 뛰어난 기호 덕분이야.

채은 네, 네, 알겠사옵니다, 아바마마! 그런데 소수인지 아닌지를 간단하게 판정하는 방법을 발견하면 부자가 될 수 있다고 들었는데, 이것을 이용하면 간단하잖아요. mod p에서 $p-1$의 팩토리얼을 계산해서 -1이 되면 소수, 0이 되면 합성수! 이제 저도 부자가 되는 건가요?

아빠 그렇게 간단히 부자가 될 수는 없어. 그런 방법으로 판정할 수는 있지만 '간단'하지 않아. p가 커지면 $(p-1)!$도 믿을 수 없을 만큼 커지거든. 대폭발을 해버리는 거야. 그런 계산을 할 바에야 차라리 순순히 소수로 나누는 게 더 낫지. 소수인지 아닌지를 판정할 필요가 있는 어떤 수는 수백, 수천 단위지만, 평생 그 팩토리얼을 계산하는 건 무리니까.

채은 그건 유감이네요.

3. 페르마의 횃불

mod p의 세계에서 p가 소수라면 덧셈, 뺄셈, 곱셈, 나눗셈(0으로 나누는 경우는 제외한다)을 자유롭게 할 수 있다. 즉 보통 세계의 계산과 거의 똑같다. 하지만 이 세계에는 이곳만의 분위기가 있다.

예를 들어 제곱해서 −1이 되는 수를 보통 세계에서는 허수라고 하고 i로 나타내는데, 이 i가 시민권을 얻기까지는 오랜 시간이 걸렸다. 하지만 mod의 세계에서 제곱해서 −1이 되는 것은 특별한 일이 아니다. 예를 들어 mod 5에서는,

$$2^2 \equiv 4 \equiv -1$$

이고, 2는 제곱하면 −1이 된다. 즉 $\sqrt{-1} \equiv 2$이다. mod 13에서는

$$5^2 \equiv 25 \equiv -1$$

이고, 5를 제곱하면 −1, $\sqrt{-1} \equiv 5$가 된다.

또 한 가지 재미있는 점은 mod p의 세계에서는 p가 소수일 때 0을 제외한 모든 수는,

$$a^{p-1} \equiv 1$$

이 된다는 것이다. 몇 개만 시험해보자.

mod 7에서는,

$$2^6 \equiv 64 \equiv 1$$
$$3^6 \equiv 729 \equiv 1$$
$$4^6 \equiv 4096 \equiv 1$$
$$5^6 \equiv 15625 \equiv 1$$
$$6^6 \equiv 46656 \equiv 1$$

좀 더 큰 수로 해보자. mod 79에서,

$$2^{78} \equiv 302231454903657293676544 \equiv 1$$

이다. 단 p가 소수가 아닐 경우에는 1이 된다고 단정할 수 없다. 예를 들어 mod 6에서,

$$2^{6-1} \equiv 2^5 \equiv 32 \equiv 2$$

와 같은 관계식이 된다. 이 때의 $a^{p-1} \equiv 1$을 '페르마의 소정리'라고 한다.

'$n \geq 3$(n은 정수)일 때, $a^n + b^n = c^n$에는 정수해가 존재하지 않는다'

는 그 유명한 페르마의 대정리에 대응해 소정리라고 부르는 이 정리는 정수론을 연구하는 데 없어서는 안 될 기본정리이다. 페르마는 이 정리를 증명했다고 하는데, 안타깝게도 증명은 남아 있지 않다. 하지만 페르마가 증명했다고 단언한 것 중에 거짓으로 판명된 것은 없었기 때문에 이 경우에도 어떤 형태로든 분명 증명했을 것이라고 보고 있다. 몇 가

지 단서로 미루어 페르마의 증명은 이항정리를 사용하지 않았을까 추측된다.

페르마는 이항정리에 관해서도 깊이 연구했다.

이항정리란 $(a+b)^n$을 전개했을 때 어떻게 되는지 알아보는 정리이다. 먼저 n을 1부터 실험해보자.

$$(a+b)^1 = a+b$$
$$(a+b)^2 = a^2 + 2ab + b^2$$
$$(a+b)^3 = a^3 + 3a^2b + 3ab^2 + b^3$$
$$(a+b)^4 = a^4 + 4a^3b + 6a^2b^2 + 4ab^3 + b^4$$
$$(a+b)^5 = a^5 + 5a^4b + 10a^3b^2 + 10a^2b^3 + 5ab^4 + b^5$$
$$(a+b)^6 = a^6 + 6a^5b + 15a^4b^2 + 20a^3b^3 + 15a^2b^4 + 6ab^5 + b^6$$

계수만 나열해보자.

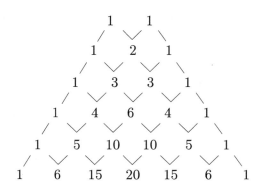

위의 두 수를 더한 것이 아래의 수가 된다는 것을 알 수 있다.

이 삼각형은 파스칼이 1655년에 간행한 저서에서 언급했기 때문에 오랫동안 '파스칼의 삼각형'이라고 불리웠지만, 나중에 파스칼 이전부터 인도나 중국의 수학자가 연구했던 것임이 밝혀져, 현재는 다양한 이름으로 불리고 있다. 확인할 수 있는 가장 오래된 기록은 인도의 수학자 핀갈라(기원전 5세기)의 운문으로, 인도에서는 '핀갈라의 삼각형'이라고 한다. 중국에서는 가헌(11세기)이나 양휘(13세기)가 연구했기 때문에, '가헌의 삼각형' 또는 '양휘의 삼각형'이라고 한다. 이란에서는 '하이얌의 삼각형', 이탈리아에서는 '타르타리아의 삼각형'이다.

이 각각의 계수를 직접 구하기 위해서는 순열 조합의 이론이 필요하다.

1, 2, 3, 4, 5. 이 5개의 수에서 3개를 골라 나열하는 경우에 몇 가지 나열 방법이 있는지 생각해보자.

첫 번째 선택 방법에는 1, 2, 3, 4, 5의 5가지가 있다. 이번에는 처음에 선택한 것을 제외한 4가지, 그 다음은 3가지가 된다. 구체적으로 쓰면 다음과 같다.

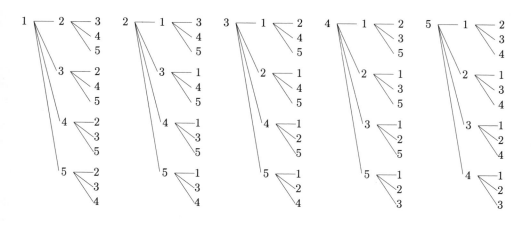

처음에는 5가지, 그 다음에는 4가지, 그 다음은 3가지가 되기 때문에 모두,

$$5 \times 4 \times 3 = 60$$

60가지가 된다. 이것을 5개의 숫자에서 3개를 고르는 순열이라고 하고 기호로 쓰면 다음과 같다.

$$_5P_3$$

계산식은 5와 3을 사용해서,

$$_5P_3 = 5 \times 4 \times 3 = \frac{5 \times 4 \times 3 \times 2 \times 1}{2 \times 1} = \frac{5!}{(5-3)!}$$

이 된다. 같은 방법으로 n개의 수 중에서 m개를 선택하는 순열은,

$$_nP_m = \frac{n!}{(n-m)!}$$

이다. 그런데 5개의 수에서 3개를 나열하는 것이 아니라 골라내기만 한다면 어떻게 될까? 예를 들어 1과 2와 3을 선택한 경우, 123, 132, 213, 231, 312, 321 이렇게 6가지 나열 방법이 있는데, 이것을 1가지로 생각하면 된다. 즉 아까 구한 순열을 6으로 나누면 구해진다.

$$\frac{60}{6} = 10$$

이것을 5개의 숫자에서 3개를 선택하는 조합이라고 하고,

$$_5C_3$$

으로 나타낸다. 계산식은 5와 3을 사용해서,

$$_5C_3 = \frac{_5P_3}{3!} = \frac{5!}{(5-3)!\,3!} = \frac{5\times4\times3\times2\times1}{2\times1\times3\times2\times1} = 10$$

이다. 실제로 5개 중에서 3개를 고르는 조합은,

123, 124, 125, 134, 135, 145, 234, 235, 245, 345

이렇게 10가지가 된다.

마찬가지로 n개의 숫자에서 m개를 선택하는 조합은 다음과 같다.

$$_nC_m = \frac{n!}{(n-m)!\,m!}$$

그럼 이항정리로 돌아가자.

예를 들어 $(a+b)^6$에서 a^4b^2의 계수를 구하는 경우는,

$$(a+b)(a+b)(a+b)(a+b)(a+b)(a+b)$$

이 6개의 괄호 중에서 a를 4개 선택하게 된다. 또는 같은 것이지만, b를 2개 고르는 것이라고 생각해도 된다. 각각 조합을 계산하면,

$$_6C_4 = \frac{6!}{(6-4)!\,4!} = \frac{6\times5\times4\times3\times2\times1}{2\times1\times4\times3\times2\times1} = 15$$

또는,

$$_6C_2 = \frac{6!}{(6-2)!\,2!} = \frac{6\times5\times4\times3\times2\times1}{4\times3\times2\times1\times2\times1} = 15$$

이 되고, 15로 구해진다. 마찬가지로 보고 $(a+b)^n$을 전개하면,

$$(a+b)^n = a^n + {_nC_{n-1}}a^{n-1}b + {_nC_{n-2}}a^{n-2}b^2 + {_nC_{n-3}}a^{n-3}b^3 + \cdots + b^n$$

이 되는 것을 알 수 있다.

앞에서 했던 '……의 삼각형'의 관계에 대해서도 증명해보자.

증명 삼각형에서는 위의 두 수를 더하면 아래의 수가 되었다.

즉 $(a+b)^n$의 $a^m b^{n-m}$의 계수와 $a^{m+1} b^{n-m-1}$의 계수를 더하면,
$(a+b)^{n+1}$의 $a^{m+1} b^{n-m}$의 계수가 되는 것이다. 따라서,

$$_nC_m + {}_nC_{m+1} = {}_{n+1}C_{m+1}$$

이 되면 된다.

$$_nC_m + {}_nC_{m+1} = \frac{n!}{(n-m)!\, m!} + \frac{n!}{(n-m-1)!\, (m+1)!}$$

$$= \frac{n!(m+1)}{(n-m)!\, m!(m+1)} + \frac{n!(n-m)}{(n-m)(n-m-1)!\, (m+1)!}$$

$$= \frac{n!(m+1)}{(n-m)!\, (m+1)!} + \frac{n!(n-m)}{(n-m)!\, (m+1)!}$$

$$= \frac{n!(m+1+n-m)}{(n-m)!\, (m+1)!}$$

$$= \frac{n!(n+1)}{(n-m)!\, (m+1)!}$$

$$= \frac{(n+1)!}{(n-m)!\, (m+1)!}$$

$$= {}_{n+1}C_{m+1}$$

이 되어 증명 끝!

그럼 이제부터 페르마의 소정리를 증명하자. 증명하려는 것은,

$\bmod p$에서 p가 복소수일 때, $a^{p-1} \equiv 1$ 단 $a \neq 0$

이다. 이대로 해도 되지만, 똑같으니까 양변에 a를 곱해서,

$$a^p \equiv a$$

을 증명하자.

증명 먼저 $a=2$일 때를 생각한다. $2=1+1$이므로 이항정리로 전개하면,

$$(1+1)^p = 1^p + {}_pC_1 \times 1^{p-1} \times 1 + {}_pC_2 \times 1^{p-2} \times 1^2 + \cdots$$
$$+ {}_pC_{p-1} \times 1 \times 1^{p-1} + 1^p$$

여기에서,

$${}_pC_n = \frac{p!}{(p-n)!\,n!} = \frac{p \times (p-1) \times \cdots \times 1}{(p-n) \times (p-n-1) \times \cdots \times 1 \times n \times (n-1) \times \cdots \times 1}$$

이 된다. 분모는 모두 p보다 작은 수이므로 소수인 p를 나누지 않는다. 따라서 ${}_pC_n$은 모두 p의 배수이다. 즉 $\bmod p$에서,

$${}_pC_n \equiv 0 \ (1 \leq n \leq p-1)$$

이 된다. 위의 식에 대입하면,

$$(1+1)^p \equiv 1^p + 0 \times 1^{p-1} \times 1 + 0 \times 1^{p-2} \times 1^2 + \cdots 0 \times 1 \times 1^{p-1} + 1^p$$
$$(1+1)^p \equiv 1^p + 1^p$$
$$2^p \equiv 2$$

가 되어 $a=2$인 경우를 증명할 수 있었다.

이번에는 수학적 귀납법을 이용한다. 수학적 귀납법이란 자연수 $n=1,\ 2,\ 3,\ \cdots$에 대한 명제에 대해서, 일단 첫 번째 수에 관해서

명제가 성립함을 증명하는 것이다.

그리고 $n=k$에 대해서 성립한다고 가정하고, $n=k+1$에 대해서 성립하는 것을 증명한다. 즉,

① $n=1$일 때 성립한다.
② $n=k$일 때 성립한다고 가정하면, $n=k+1$ 때도 성립한다.
이 두 가지가 증명되면, ①에 의해서 1에 대해 성립한다.
1에 대해 성립하면, ②에 의해서 2에 대해서도 성립한다.
2에 대해 성립하면, ②에 의해서 3에 대해서도 성립한다.
3에 대해 성립하면, ②에 의해서 4에 대해서도 성립한다.

$$\vdots$$

이 되므로, 모든 자연수에서 성립하게 된다. 물론 처음에 증명하는 수는 1이 아니어도 된다. 2부터 시작하면 2 이상의 수로 명제가 성립하게 된다.

페르마의 소정리에 대해서 $a=2$에 관해서는 증명했다. 이번에는 $n=k$일 때 성립하는 것으로 가정하고 $n=k+1$일 때 성립하는 것을 증명하면 된다. 즉,

$$k^p \equiv k$$

로 가정하고,

$$(k+1)^p \equiv k+1$$

을 증명하면 된다. $(k+1)^p$를 이항정리로 전개한다.

$$(k+1)^p \equiv k^p + {}_pC_1 \times k^{p-1} \times 1 + {}_pC_2 \times k^{p-2} \times 1^2 + \cdots$$
$$+ {}_pC_{p-1} \times k \times 1^{p-1} + 1^p$$

p는 소수이므로 $\bmod p$에서는,

$$_pC_n \equiv 0 \quad (1 \leq n \leq p-1)$$

대입하면,

$$(k+1)^p \equiv k^p + 0 \times k^{p-1} \times 1 + 0 \times k^{p-2} \times 1^2 + \cdots$$
$$+ 0 \times k \times 1^{p-1} + 1^p$$
$$\equiv k^p + 1$$

가정에 따라 $k^p \equiv k$이므로,

$$(k+1)^p \equiv k+1$$

증명 끝!

채은 이항정리에다 순열조합, 그리고 수학적 귀납법! 엄청나게 복잡하네요. 알 것도 같고 모를 것도 같고…….

아빠 페르마의 소정리에 관해서는 나중에 좀 더 우아한 증명을 소개할 테니 지금 이 시점에서 구석구석 다 이해할 필요는 없어. 그보다 이것은 페르마가 얼마나 고생했는지를 실감하기 위한 것이었어. 페르마는 현대와 같은 기호도, 물론 가우스의 기호도 쓰지 않고 이것을 증명했기 때문이지. 단 이 증명법은 지금에 와서는 역사적인 흥미를 끌어낼 뿐이야. 나중에 할 증명을 이해하게 되면, 페르마의 소정리도 너무나 당연한 결과로 생각될 거야. 또 2009년의 도쿄대 입시문제 1번은 페르마의 이 증명법을 이용한 것이었어.

채은 너무 당연하다는 듯이 들리네요.

아빠 수학적 귀납법은 앞으로 자주 사용할, 수학을 연구하는 데 필수 아이템이야. 하지만 잘못 사용하게 되면 터무니없는 결과가 되니까 주의해야 해. 이건 유명한 예인데, 머리카락 수를 n이라고 할 때 $n=0$의 경우, 그 사람은 대머리라고 할 수 있지.

채은 머리카락이 하나도 없다면 분명 대머리죠.

아빠 지금 $n=k$일 때 그 사람이 대머리라고 가정한다면 $n=k+1$의 경우에는 어떻게 될까?

채은 머리카락이 k개일 때는 대머리였잖아요. 머리카락이 1개 늘었다고 달라질 리는 없으니까 대머리는 대머리죠.

아빠 즉,

① $n=0$일 때는 대머리

② $n=k$일 때 대머리라고 하면, $n=k+1$일 때도 대머리

가 되어 수학적 귀납법이 성립해. 이것은 곧 채은이도 대머리라는 뜻이지!

채은 네? 그건 이상해요.

아빠 하지만 수학적 귀납법은 성립한단다.

채은 …….

아빠 정의가 애매한 것에 대해 수학적 귀납법을 사용한 것이 잘못이었어. $n=k$일 때 대머리라고 가정하면, $n=k+1$일 때도 대머리라 해도 어느 단계에 도달하면 대머리라 해도 되는지 애매해서 이 부분이 성립하지 않게 되니까. 뭐 이런 문제는 깊이 생각하지 않아도 돼. 페르마의 소정리를 사용하면 예를 들어,

$$2^{100}\text{을 7로 나눈 나머지를 구하시오.}$$

라는 문제는 편하게 풀 수가 있지. 해볼까?

채은 2^{10}은 약 1000이니까(1024가 참값임), 그 10제곱은 30자리 숫자 정도가 되겠는데요. 정확하게 구할 수 없어요.

아빠 페르마의 소정리를 이용하면……,

채은 $2^{7-1}\equiv2^6\equiv1$이 돼요. 그러니까 100을 6으로 나누면,

$$100\div6=16\cdots4$$

아빠   그 식이 아니지…….

채은   맞다.

$$100 = 16 \times 6 + 4$$

아빠   그것을 대입하면,

채은 $2^{100} \equiv 2^{16 \times 6 + 4} \pmod{7}$
$$\equiv 2^{16 \times 6} \times 2^4$$
$$\equiv (2^6)^{16} \times 2^4$$
$$\equiv 1^{16} \times 2^4$$
$$\equiv 16$$
$$\equiv 2$$

됐어요!

아빠   잘 했구나. 그리고 앞에서 역수를 기계적으로 구하는 방법이 있다고 했는데, 이 페르마의 소정리를 이용하면 구할 수 있지. 예를 들어 mod 13에서 2의 역수를 구해보자.

채은   mod 13이라면

$$2^{12} \equiv 1$$

이것은 곧 2^{11}이 2의 역수.

$$2^{11} \equiv 2^8 \times 2^2 \times 2 \equiv 9 \times 4 \times 2 \equiv 72 \equiv 7$$

※ 처음에 $2^2 \equiv 4$, $2^4 \equiv 4^2 \equiv 16 \equiv 3$, $2^8 \equiv 3^2 \equiv 9$를 계산해두면 편해요!

실제로,

$$2 \times 7 \equiv 14 \equiv 1 \pmod{13}$$

하지만 mod가 클 때는 거듭제곱 계산이 힘들어요.

아빠 아니, 거듭제곱 계산은 그렇게 어렵지 않아. 전자계산기만 있으면 편리하지. 예를 들어 mod 4001에서 3^{3761}을 구해보자. 먼저 오른쪽 그림처럼 3761을 2로 차례차례 나눠야 해. 그 나머지를 밑에서부터 쓰면 아래와 같아.

$$\begin{array}{r} 2\overline{)3761} \cdots 1 \\ 2\overline{)1880} \cdots 0 \\ 2\overline{)940} \cdots 0 \\ 2\overline{)470} \cdots 0 \\ 2\overline{)235} \cdots 1 \\ 2\overline{)117} \cdots 1 \\ 2\overline{)58} \cdots 0 \\ 2\overline{)29} \cdots 1 \\ 2\overline{)14} \cdots 0 \\ 2\overline{)7} \cdots 1 \\ 2\overline{)3} \cdots 1 \\ 1 \end{array}$$

$$111010110001_{(2)}$$

이것은 3761의 이진법 표기야. 즉,

$$3761 = 1 \times 2^{11} + 1 \times 2^{10} + 1 \times 2^9 + 0 \times 2^8 + 1 \times 2^7 + 0 \times 2^6$$
$$+ 1 \times 2^5 + 1 \times 2^4 + 0 \times 2^3 + 0 \times 2^2 + 0 \times 2^1 + 1 \times 2^0$$
$$= 2^{11} + 2^{10} + 2^9 + 2^7 + 2^5 + 2^4 + 1$$
$$= 2408 + 1024 + 512 + 128 + 32 + 16 + 1$$

또 3을 차례로 제곱하면 이것도 2제곱뿐이니까 전자계산기가 있으면 간단하지.

$$3^2 \equiv 9 \ (\text{mod } 4001)$$
$$3^4 \equiv 9^2 \equiv 81$$
$$3^8 \equiv 81^2 \equiv 6561 \equiv 2560$$
$$3^{16} \equiv 2560^2 \equiv 6553600 \equiv 3963$$
$$3^{32} \equiv 3963^2 \equiv 15705369 \equiv 1444$$
$$3^{64} \equiv 1444^2 \equiv 2085136 \equiv 615$$
$$3^{128} \equiv 615^2 \equiv 378225 \equiv 2131$$

$$3^{256} \equiv 2131^2 \equiv 4541161 \equiv 26$$

$$3^{512} \equiv 26^2 \equiv 676$$

$$3^{1024} \equiv 676^2 \equiv 456976 \equiv 862$$

$$3^{2048} \equiv 862^2 \equiv 743044 \equiv 2859$$

이제 이것을 대입해 구하면 돼.

$$3^{3761} \equiv 3^{2048+1024+512+128+32+16+1}$$

$$\equiv 3^{2048} \times 3^{1024} \times 3^{512} \times 3^{128} \times 3^{32} \times 3^{16} \times 3^1$$

$$\equiv 2859 \times 862 \times 676 \times 2131 \times 1444 \times 3963 \times 3$$

$$\equiv 3843 \times 676 \times 2131 \times 1444 \times 3963 \times 3$$

$$\equiv 1219 \times 2131 \times 1444 \times 3963 \times 3$$

$$\equiv 1040 \times 1444 \times 3963 \times 3$$

$$\equiv 1385 \times 3963 \times 3$$

$$\equiv 3384 \times 3$$

$$\equiv 2150$$

채은   전혀 간단하지 않잖아요!

아빠   페르마는 이런 계산을 모두 손으로 계산했어. 사실 페르마는 사소한 계산 실수가 잦아서 대혼란에 빠지곤 했던 모양이야.

채은   하하, 그거 재미있네요.

아빠   어쨌든 페르마의 소정리는 획기적인 발견이었어. 지식을 물려받는다는 의미에서 그야말로 페르마가 내민 횃불이라고 할 수 있지 않을까?

채은   그럼 페르마의 횃불은 이 채은이가 확실하게 이어받겠습니다!

아빠 왠지 미덥지 않은 걸. 마지막으로 한 가지 더, 앞에서 $ax+by=1$ 의 정수해를 구할 때, 유클리드 호제법을 사용하지 않는 방법이 있다고 했었지. 그것을 소개하마. 먼저,

$$7x+4y=1$$

을 풀어볼까? 일단 이것을 mod 7로 적용해봐.

채은 그러면 $7 \equiv 0$이니까,

$$4y \equiv 1 \ (\text{mod } 7)$$

아빠 일단 이 1차 합동식을 푸는 거야. 4의 역수는 몇 개의 숫자를 넣어보면 금방 알 수 있겠지만 페르마의 소정리를 이용하면 $4^6 \equiv 1$ (mod 7)이니까 $4 \times 4^5 \equiv 1$이 되어 4의 역수는 4^5이란다.

$$4^5 \equiv 16 \times 16 \times 4 \ (\text{mod } 7)$$
$$\equiv 2 \times 2 \times 4$$
$$\equiv 16$$
$$\equiv 2$$

이것을 이용하면,

채은 $4y \equiv 1$의 양변에 2를 곱하면 돼요.

$$2 \times 4y \equiv 2 \times 1 \ (\text{mod } 7)$$
$$y \equiv 2$$

아빠 이것은, y를 7로 나누면 2가 남는다는 뜻이지. 즉,

$$y = 7n + 2 \ (n은 \ 정수)$$

이것을 원래의 식에 대입하면,

채은 $7x + 4(7n + 2) = 1$

$\quad\quad 7x + 28n + 8 = 1$

$\quad\quad\quad\quad 7x = -28n - 8 + 1$

$\quad\quad\quad\quad 7x = -28n - 7$

$\quad\quad\quad\quad\ x = -4n - 1$

됐어요. $x = -4n - 1$, $y = 7n + 2$.

아빠 n에 적당한 정수를 넣으면 모든 해가 나와. 그런 의미에서 이것은 완전해야. 그럼 한 문제 더.

$$659x + 3271y = 1$$

채은   와아, 큰일이다. 일단 mod 659로 해둘게요. 그렇게 하면,

$$659 \equiv 0$$
$$3271 \equiv 635$$

따라서 원래의 식은 mod 659에서,

$$635y \equiv 1$$

635의 역수를 계산하는 거예요오오오!

아빠   앞에서 한 방법으로 하면 그렇게 큰일은 아니야. $635^{658} \equiv 1$이니까, $635 \times 635^{657} \equiv 1$. 즉 635의 역수는 635^{657}. 다시 말해 635^{657}을 계산하는 거니까 먼저 657을 이진법으로 나타내자.

채은   할 수 없죠. 해볼게요. 2로 차례차례 나누어 나머지를 밑에서부터 읽으면,

$$1010010001_{(2)}$$

아빠 즉 $657 = 1 + 16 + 128 + 512$이구나. 그리고 635를 mod 659로 차례대로 제곱해서 635^{512}까지 구하는 거야.

채은 전부 mod 659니까요.

$$635^1 = 635$$
$$635^2 \equiv 403225 \equiv 576$$
$$635^4 \equiv 576^2 \equiv 331776 \equiv 299$$
$$635^8 \equiv 299^2 \equiv 89401 \equiv 436$$
$$635^{16} \equiv 436^2 \equiv 190096 \equiv 304$$
$$635^{32} \equiv 304^2 \equiv 92416 \equiv 156$$
$$635^{64} \equiv 156^2 \equiv 24336 \equiv 612$$
$$635^{128} \equiv 612^2 \equiv 374544 \equiv 232$$
$$635^{256} \equiv 232^2 \equiv 53824 \equiv 445$$
$$635^{512} \equiv 445^2 \equiv 198025 \equiv 325$$

후우, 전자계산기가 없으면 못할 것 같아요.

아빠 그럼 결론은?

채은 $635^{657} \equiv 635^1 \times 635^{16} \times 635^{128} \times 635^{512}$
$$\equiv 635 \times 304 \times 232 \times 325$$
$$\equiv 302$$

아빠 그럼 $635y \equiv 1$을 풀자.

채은 양변에 302를 곱해서,

$$302 \times 635y \equiv 302 \times 1$$
$$y \equiv 302 \ (\text{mod } 659)$$

이것은,

$$y = 302 + 659n \quad (n은 \ 정수)$$

이니까 원래의 식에 대입해서,

$$659x + 3271(302 + 659n) = 1$$
$$659x + 987842 + 2155589n = 1$$
$$659x = -987842 - 2155589n + 1$$
$$659x = -987841 - 2155589n$$
$$x = -1499 - 3271n$$

일단 하기는 했어요.

아빠 두 가지만 확인해볼까? 먼저 $n = 0$일 때,

$$x = -1449, \ y = 302$$

이것을 대입하면,

채은 $659 \times (-1499) + 3271 \times 302 = -987841 + 987842 = 1$
맞아요.

아빠 그럼 $n = 5$일 때,

$$x = -17854, \ y = 3597$$

채은 대입하면,

$$659 \times (-17854) + 3271 \times 3597$$
$$= -11765786 + 11765787$$
$$= 1$$

아빠 딱 맞구나.

4. 황금 조각의 증명을 목표로

이 절에서는 디오판토스가 발견한 황금 조각 '$4n+1$형 소수는 제곱수의 합으로 나타낼 수 있다'를 증명할 준비를 할 예정이다. 페르마는 이것을 '두 제곱수 정리'라고 칭하고, 다양한 각도에서 연구했다. 여기에 수의 비밀을 푸는 열쇠가 있다고 확신했는지도 모른다.

$4n+3$형 소수는 제곱수의 합으로 표현할 수 없다고 앞에서 설명했다. 다만 그때는 아직 가우스의 합동기호 $\equiv$를 도입하지 않았기 때문에 쓰는 방식이 지저분했었다. 여기에서 다시 $\equiv$를 사용해 명확히 증명해 보자.

🔍증명 홀소수가 a^2+b^2으로 표현된 것과, a와 b 중 한쪽은 짝수이고, 다른 한쪽은 홀수이다.

mod 4에서 짝수는 0이나 2이므로, $0^2 \equiv 0$, $2^2 \equiv 4 \equiv 0$.

또 홀수는 1이나 3이므로 $1^2 \equiv 1$, $3^2 \equiv 9 \equiv 1$.

따라서 짝수^2+홀수$^2 \equiv 0+1 \equiv 1$이 되고, 이것은 $4n+1$형 소수에 만 적용된다.

몇 가지 더 준비한 것이 있다.

먼저 mod 5에서 2를 차례로 거듭제곱해보자.

$$2^2 \equiv 4 \quad 2^3 \equiv 8 \equiv 3 \quad 2^4 \equiv 6 \equiv 1$$

1이 나오면 똑같이 반복하기만 하면 된다. 여기에는,

$$\{1,\ 2,\ 3,\ 4\}$$

가 모두 나와 있다. mod 7에서 2의 거듭제곱을 계산해보면,

$$2^2 \equiv 4 \quad 2^3 \equiv 8 \equiv 1$$

이므로 반복하기만 하면 된다. 여기에는 $\{1,\ 2,\ 4\}$ 밖에 나오지 않는다.

그럼 3의 거듭제곱을 계산해보자.

$$3^2 \equiv 9 \equiv 2 \quad 3^3 \equiv 6 \quad 3^4 \equiv 18 \equiv 4 \quad 3^5 \equiv 12 \equiv 5 \quad 3^6 \equiv 15 \equiv 1$$

$\{1,\ 2,\ 3,\ 4,\ 5,\ 6\}$이 모두 나왔다.

mod 11에서 해보자.

$$2^2 \equiv 4 \qquad 2^3 \equiv 8 \qquad 2^4 \equiv 16 \equiv 5 \quad 2^5 \equiv 10 \quad 2^6 \equiv 20 \equiv 9$$

$$2^7 \equiv 18 \equiv 7 \quad 2^8 \equiv 14 \equiv 3 \quad 2^9 \equiv 6 \qquad 2^{10} \equiv 12 \equiv 1$$

$\{1,\ 2,\ 3,\ 4,\ 5,\ 6,\ 7,\ 8,\ 9,\ 10\}$이 모두 나왔다.

이처럼 mod p에서 a^n에 의해서,

$$\{1,\ 2,\ 3,\ \cdots,\ p-1\}$$

을 전부 나오게 할 수 있는 a를 '원시근'이라고 한다. 사실 소수 p에 대해서는 반드시 원시근이 존재한다. 이것은 정수론을 연구하는 데 상당히 편리한 도구이지만, 원시근의 존재를 증명한 것은 가우스이므로 증명은 나중에 할 것이다.

한 가지 준비가 더 있다.

mod 5의 {1, 2, 3, 4}를 모두 제곱해본다.

$$1^2 \equiv 1 \quad 2^2 \equiv 4 \quad 3^2 \equiv 9 \equiv 4 \quad 4^2 \equiv 16 \equiv 1$$

1과 4밖에 나오지 않는다. 즉 1의 제곱근은 1과 4, 4의 제곱근은 2와 3이다. 하지만 무엇을 제곱하더라도 2와 3은 나오지 않는다. 1, 4와 같이 제곱근이 있는 것을 제곱잉여, 2, 3과 같이 제곱근이 없는 것을 제곱비잉여라고 한다. 1^2은 항상 1이므로 1은 항상 제곱잉여가 된다.

제곱잉여, 제곱비잉여를 나타내는 편리한 기호가 있다. 르장드르가 고안한 기호이다.

$$\left(\frac{4}{5} \right) = 1$$

이것은 mod 5에서 4가 제곱잉여임을 나타낸다. 제곱비잉여의 경우는 -1로 한다. 즉,

$$\left(\frac{2}{5} \right) = -1 \qquad \left(\frac{3}{5} \right) = -1$$

이것은 정말 대단한 기호인데, 지금은 이 기호의 고마움을 느낄 수 없지만 구체적으로 다양한 수의 제곱잉여를 구해보면 이 기호의 위대함에 감동의 눈물을 흘릴 것이다. 기대해도 좋다(248쪽부터).

mod 7에 대해서 실험해보자.

$$1^2 \equiv 1 \qquad 2^2 \equiv 4 \qquad 3^2 \equiv 9 \equiv 2 \qquad 4^2 \equiv 16 \equiv 2$$

$$5^2 \equiv 25 \equiv 4 \qquad 6^2 \equiv 36 \equiv 1$$

1, 2, 4는 제곱잉여, 3, 5, 6은 제곱비잉여로, 르장드르의 기호를 사용하면,

$$\left(\frac{1}{7}\right) = \left(\frac{2}{7}\right) = \left(\frac{4}{7}\right) = 1$$

$$\left(\frac{3}{7}\right) = \left(\frac{5}{7}\right) = \left(\frac{6}{7}\right) = -1$$

mod 11에서는 어떻게 될까?

$$1^2 \equiv 1 \qquad 2^2 \equiv 4 \qquad 3^2 \equiv 9 \qquad 4^2 \equiv 16 \equiv 5$$

$$5^2 \equiv 25 \equiv 3 \qquad 6^2 \equiv 36 \equiv 3 \qquad 7^2 \equiv 49 \equiv 5 \qquad 8^2 \equiv 64 \equiv 9$$

$$9^2 \equiv 81 \equiv 4 \qquad 10^2 \equiv 100 \equiv 1$$

1, 3, 4, 5, 9는 제곱잉여, 2, 6, 7, 8, 10은 제곱비잉여. 따라서 다음과 같다.

$$\left(\frac{1}{11}\right) = \left(\frac{3}{11}\right) = \left(\frac{4}{11}\right) = \left(\frac{5}{11}\right) = \left(\frac{9}{11}\right) = 1$$

$$\left(\frac{2}{11}\right) = \left(\frac{6}{11}\right) = \left(\frac{7}{11}\right) = \left(\frac{8}{11}\right) = \left(\frac{10}{11}\right) = -1$$

mod 13에 대해서도 실험해보자.

$$1^2 \equiv 1 \qquad 2^2 \equiv 4 \qquad 3^2 \equiv 9 \qquad 4^2 \equiv 16 \equiv 3 \qquad 5^2 \equiv 25 \equiv 12$$

$$6^2 \equiv 36 \equiv 10 \qquad 7^2 \equiv 49 \equiv 10 \qquad 8^2 \equiv 64 \equiv 12 \qquad 9^2 \equiv 81 \equiv 3$$

$$10^2 \equiv 100 \equiv 9 \qquad 11^2 \equiv 121 \equiv 4 \qquad 12^2 \equiv 144 \equiv 1$$

1, 3, 4, 9, 10, 12는 제곱잉여, 2, 5, 6, 7, 8, 11은 제곱비잉여.

$$\left(\frac{1}{13}\right)=\left(\frac{3}{13}\right)=\left(\frac{4}{13}\right)=\left(\frac{9}{13}\right)=\left(\frac{10}{13}\right)=\left(\frac{12}{13}\right)=1$$

$$\left(\frac{2}{13}\right)=\left(\frac{5}{13}\right)=\left(\frac{6}{13}\right)=\left(\frac{7}{13}\right)=\left(\frac{8}{13}\right)=\left(\frac{11}{13}\right)=-1$$

이와 같이 어떤 수가 제곱잉여가 되고, 어떤 수가 제곱비잉여가 되는지는 매우 불규칙해서 언뜻 아무런 규칙도 없어 보인다. 단 지금까지의 실험에서도 분명한 것이 한 가지 있다.

> mod 5의 제곱잉여는 2개, 제곱비잉여도 2개.
> mod 7의 제곱잉여는 3개, 제곱비잉여도 3개.
> mod 11의 제곱잉여는 5개, 제곱비잉여도 5개.
> mod 13의 제곱잉여는 6개, 제곱비잉여도 6개.

즉 제곱잉여와 제곱비잉여는 똑같은 분량이 존재한다는 것이다. 이것은 조금만 생각하면 금방 알 수 있다.

mod p에서 정수 a와 $p-a$의 평방을 비교해보자.

$$(p-a)^2 \equiv p^2 - 2pa + a^2 \equiv a^2$$

즉,

$$(p-a)^2 \equiv a^2$$

이므로 예를 들어 mod 13에서 생각하면,

$$1^2 \equiv 12^2 \equiv 1 \qquad 2^2 \equiv 11^2 \equiv 4 \qquad 3^2 \equiv 10^2 \equiv 9$$
$$4^2 \equiv 9^2 \equiv 3 \qquad 5^2 \equiv 8^2 \equiv 12 \qquad 6^2 \equiv 7^2 \equiv 10$$

이 되고, {1, 2, …, 12} 중에 제곱잉여가 되는 것은,

$$\{1^2,\ 2^2,\ 3^2,\ 4^2,\ 5^2,\ 6^2\}=\{1,\ 4,\ 9,\ 3,\ 12,\ 10\}$$

이렇게 딱 절반씩이 된다. mod p의 경우는,

$$\left\{\ 1^2,\ 2^2,\ \cdots,\ \left(\frac{p-1}{2}\right)^2\right\}$$

이 중에 똑같은 것은 존재하지 않는다. 똑같은 것이 있다고 가정하고 그것을 a, b라고 하자.

$$a^2\equiv b^2$$

이때,

$$a^2-b^2\equiv 0\quad\rightarrow\quad (a+b)(a-b)\equiv 0$$

여기에서 a도 b도 $(p-1)/2$ 이하이므로, $a+b$는 $p-1$ 이하, 즉 mod p에서 0이 되는 것은 없다. 따라서,

$$a-b\equiv 0\quad\rightarrow\quad a\equiv b$$

가 된다. 그래서 mod p에서 {1, 2, …, $p-1$} 중 절반은 제곱잉여이고, 나머지 절반은 제곱비잉여가 된다.

또 원시근을 사용해서 생각해도 된다.

mod p에서, 원시근을 g라고 하면,

$$\{g,\ g^2,\ g^3,\ \cdots,\ g^{p-1}\equiv 1\}$$

은 순서는 다르지만,

$$\{1,\ 2,\ 3,\ \cdots,\ p-1\}$$

이렇게 똑같이 된다.

g^n에 대해서 n이 짝수, 즉 $n = 2m$일 때는,

$$g^n \equiv g^{2m} \equiv (g^m)^2$$

이 되고 이것은 제곱잉여이다. 앞에서 설명한 대로 제곱잉여는 전체 중 딱 절반이 된다. n이 짝수인 경우 딱 절반이므로 n이 홀수일 때는 제곱 잉여가 되지 않는다. 즉,

$$\{ g,\ g^2,\ g^3,\ \cdots,\ g^{p-1} \equiv 1 \} \ 중$$
$$g^2,\ g^4,\ g^6,\ \cdots 은\ 제곱잉여$$
$$g,\ g^3,\ g^5,\ \cdots 은\ 제곱비잉여가\ 된다.$$

그리고 이 원시근을 사용하면 각각 지수에 대해

$$짝수 + 짝수 = 짝수$$
$$짝수 + 홀수 = 홀수$$
$$홀수 + 짝수 = 홀수$$
$$홀수 + 홀수 = 짝수$$

가 되므로,

$$제곱잉여 \times 제곱잉여 \equiv 제곱잉여$$
$$제곱잉여 \times 제곱비잉여 \equiv 제곱비잉여$$
$$제곱비잉여 \times 제곱잉여 \equiv 제곱비잉여$$
$$제곱비잉여 \times 제곱비잉여 \equiv 제곱잉여$$

가 되는 것도 명백하다.

여기에서 어떤 수 a가 $\mathrm{mod}\ p$에서(p는 홀소수이다) 제곱잉여인지 제곱비잉여인지를 판별하는 기준을 나타내보자.

$\mathrm{mod}\ p$의 원시근을 g라고 하고, $a \equiv g^k$라고 한다. 그러면 $k = 2n$일 때(n은 정수),

$$(g^n)^2 \equiv a$$

가 되므로 a는 제곱잉여가 되고, $k = 2n+1$일 때는 제곱비잉여가 된다. 페르마의 소정리에 따라,

$$a^{p-1} \equiv 1$$
$$\therefore\ a^{p-1} - 1 \equiv 0$$

여기에서 $a^{p-1} = \left(a^{(p-1)/2} \right)^2$이므로 인수분해를 해서,

$$\left(a^{(p-1)/2} + 1 \right)\left(a^{(p-1)/2} - 1 \right) \equiv 0$$
$$a^{(p-1)/2} \equiv \pm 1$$

그렇다면 a가 제곱잉여일 때 $a^{(p-1)/2}$은 어떻게 될까? a가 제곱잉여라면 원시근 g에 대해서,

$$a \equiv \left(g^n \right)^2$$
$$\equiv g^{2n}$$

따라서,

$$a^{(p-1)/2} \equiv \left(g^{2n} \right)^{(p-1)/2}$$
$$\equiv \left(g^n \right)^{p-1}$$
$$\equiv 1$$

또 a가 제곱비잉여일 때는,

$$a \equiv g^{2n+1}$$

이므로,

$$
\begin{aligned}
a^{(p-1)/2} &\equiv \left(g^{2n+1} \right)^{(p-1)/2} \\
&\equiv g^{n(p-1)+(p-1)/2} \\
&\equiv \left(g^{n} \right)^{p-1} \cdot g^{(p-1)/2} \\
&\equiv g^{(p-1)/2}
\end{aligned}
$$

g는 원시근이므로 $p-1$제곱에서 처음으로 1이 되고, 그보다 작은 지수에서는 결코 1이 되지 않는다. 따라서,

$$a^{(p-1)/2} \equiv g^{(p-1)/2} \neq 1$$

그런데,

$$a^{(p-1)/2} \equiv \pm 1$$

였으므로 결국,

$$a^{(p-1)/2} \equiv -1$$

이 된다.

정리하면,

$$a가 \ 제곱잉여일 \ 때, \ a^{(p-1)/2} \equiv 1$$
$$a가 \ 제곱비잉여일 \ 때, \ a^{(p-1)/2} \equiv -1$$

이 된다. 르장드르의 제곱잉여 기호를 사용하면, 제곱잉여일 때는 1, 제곱비잉여일 때는 -1이므로,

$$\left(\frac{a}{p} \right) \equiv a^{(p-1)/2} \ (\bmod \ p)$$

가 된다. 이것을 발견한 사람이 오일러이다. 실제로 확인해보자.

mod 29에서 7이 제곱잉여인지 아닌지를 계산해보는 것이다.

$$\left(\frac{7}{29}\right) \equiv 7^{(29-1)/2} = 7^{14} = 678223072849 \equiv 1 \ (\text{mod } 29)$$

이는 mod 29에서,

$$6^2 \equiv 36 \equiv 7$$
$$23^2 \equiv 529 \equiv 7$$

이 되어, 7은 mod 29에서 제곱잉여이다.

하지만 실제 이 방법으로 제곱잉여인지 제곱비잉여인지를 판별하려고 해도 a가 큰 수가 되면 실행이 어렵다. 가우스는 이 방법이 사실상 거의 도움이 되지 않지만 그 간명함과 일반성 때문에 서술할 만한 가치가 있다고 했다.

그런데 −1의 경우만은 짝수 제곱이 1, 홀수 제곱이 −1이 되기 때문에 이 방법은 유효하다. 그럼 −1이 어떤 소수에 대해서 제곱잉여인지 또는 제곱비잉여인지 살펴보자.

이 식을 −1에 적용하면,

$$\left(\frac{-1}{p}\right) = (-1)^{(p-1)/2}$$

이 되므로 p가 $4n+1$형 소수인 경우에는,

$$\left(\frac{-1}{p}\right) = (-1)^{(p-1)/2} = (-1)^{2n} = 1$$

이 되어 제곱잉여이다.

p가 $4n+3$형 소수인 경우에는,

$$\left(\frac{-1}{p}\right) = (-1)^{(p-1)/2} = (-1)^{2n+1} = -1$$

이므로 제곱비잉여가 된다.

이것이 바로 가우스가 17살에 발견한 황금정리의 조각이다. 현재는 이 정리를 제곱잉여 상호법칙의 제1보조정리이라고 한다.

정리하면,

제곱잉여 상호법칙의 제1보조정리 ☆

p가 $4n+1$형 소수일 때, $\left(\dfrac{-1}{p}\right) = 1$

p가 $4n+3$형 소수일 때, $\left(\dfrac{-1}{p}\right) = -1$

계속해서 오일러의 방법에 대해서도 정리해보자.

소수 p에 대해서, $\left(\dfrac{a}{p}\right) \equiv a^{(p-1)/2} \pmod{p}$ ☆

채은 황금 조각의 증명을 준비한다더니 혼란한 틈에 아주 다양하게 채우셨네요. 제 머리는 따라가지 못하고 있어요.

아빠 페르마의 이야기를 하면서도 페르마가 몰랐던 가우스 기호나 르장드르 기호, 오일러의 정리 등을 거론한 건 사실 마음 아프지만 할 수 없어. 페르마가 썼던 도구만 사용하도록 제한하면 더 번거로워져서, 도저히 따라갈 수가 없을 것 같았거든. 몇 번이나 말했지만, 천재 페르마가 본 세계를 지금 그만한 재능도 없는 나나 채은이가 볼 수 있는 건 후세의 수학자들이 발견한 기호나 정리 덕분인 거야. 즉 페르마에 비하면 상당히 편하게 하고 있는 거지.

채은 그렇게까지 말씀하시면 할 말이 없잖아요. 페르마 정도의 천재가 아닌 건 분명하니까요. 그런데 먼저 처음에는 제곱수의 합으로 나타낼 수 있는 소수는 $4n+1$형으로 한정된다고 했어요. 이건 앞에서 했으니까 됐다고요.

아빠 어쩐지 태도가 거만해진 것 같은데, 어허……, 그건 배우는 입장에서 할 자세가 아니지?

채은 원래 이 공부는 제가 하고 싶어서 하는 게 아니잖아요. 아빠는 이런 연구가 흥미 있는지 모르겠지만, 전 이런 거 할 시간이 있으면 인터넷서핑이나 게임을 하고 싶다고요. 아무튼 억지로 시켜서 하는 거니까 잔소리는 듣고 싶지 않아요.

아빠 그렇게 말한다면 나도 할 말이 없네. 하지만 어쩌다 이렇게 논리 정연해진 거니? 순수하고 바르게 온순하게 자라주기를 바랐는데. 근본적으로 교육방침이 잘못된 게 아닐지······.

채은 이제 원시근인가요? 원시근이 존재한다는 건 나중에 증명하겠다고 했는데, 맞죠? 소수에 대해서는 원시근이 존재한다고 믿어도 되는 거네요.

아빠 가우스 선생님께서 증명했으니까! 신이 부정한다 해도 가우스 선생님은 믿을 수 있지. 뭐 나중에 원시근의 존재에 대해서도 증명할 테니 안심해도 돼.

채은 그리고 제곱잉여라는 뜬금없는 등장 말인데요. 앞에서 황금정리에 대해서 설명해도, 그 단계에서는 '그게 뭐야?'라든지, '그게 그렇게 대단해?'라는 반응이 돌아올 테니 좀 더 공부하고 나서 설명하겠다고 하셨어요. 하지만 지금 황금정리에 관해서 들어도 마찬가지인걸요. 이게 그렇게 대단한 거예요?

아빠 그러니까 아직 이 단계에서는 황금정리라는 말을 꺼내고 싶지 않았던 거야. 마지막까지 함께 가보면 알아. 그러면 황금정리가 보통의 정수 세계에서 가장 크고 엄청난 세계로 비약하는 열쇠라는 것을 이해할 수 있을 테니까. 판타지에 흔히들 나오잖니. 평범하고 보잘 것 없는 아이템이 이 세계와 이異세계를 연결하는 다리가 되었다는 이야기가. 황금정리가 바로 그런 존재거든!

5. 황금 조각의 정체를 파악하다

제곱잉여 제1보조정리에 대해서, '이 정리의 기품 있는 아름다움과 유용함으로 인해 다른 방법으로 증명을 하는 것은 쓸데없는 짓이 아닐까?' 하면서도 가우스는 다소 이색적이고 재미있는 증명을 소개했다.

🌀증명 홀소수 p는 윌슨의 정리에 따라, mod p에서 다음과 같다.

$$-1 \equiv (p-1)!$$
$$\equiv 1 \times 2 \times 3 \times \cdots \times (p-1)$$

이 1, 2, 3, $\cdots$, $(p-1)$ 중 앞에서 나왔듯이 반은 제곱잉여이고, 나머지 반은 제곱비잉여이다. 즉 제곱잉여도 제곱비잉여도 $(p-1)/2$개 존재한다.

116쪽에서 제곱잉여×제곱잉여$\equiv$제곱잉여, 제곱잉여×제곱비잉

여≡제곱비잉여, 제곱비잉여×제곱잉여≡제곱비잉여, 제곱비잉여×제곱비잉여≡제곱잉여라는 것을 확인했다. 이것은,

곱셈 안에 제곱비잉여가 짝수개 → 제곱잉여
곱셈 안에 제곱비잉여가 홀수개 → 제곱비잉여

가 되는 것을 의미한다.

$p=4n+1$일 때, $(p-1)/2$는 짝수. 제곱비잉여가 짝수개이므로 제곱잉여이다.

$p=4n+3$일 때, $(p-1)/2$는 홀수. 제곱비잉여가 홀수개이므로 제곱비잉여이다. 🔎

페르마는 어떤 소수가 제곱수의 합으로 표현되는가 하는 문제와, 이 제곱잉여 제1보조정리를 연관지어 끊임없이 고찰했다. 알고 있는 것을 정리하면, p가 홀소수일 때,

○ $p=4n+3$

　　−1이 제곱비잉여이다. 또한 제곱수의 합으로 나타낼 수 없다.

○ $p=4n+1$

　　−1은 제곱잉여이다. 또한 제곱수의 합으로 나타낼 수 있다?

지금 단계에서는 $4n+1$형 소수를 반드시 제곱수의 합으로 나타낼 수 있는지 아닌지는 알 수 없다. 하지만 아무리 실험을 반복해도 이것에 대한 반례는 발견되지 않았다.

'$4n+1$형 소수는 모두 제곱수의 합으로 나타낼 수 있는 것 같다'라는 것은 고대부터 알려진 사실이었다. 하지만 그때까지 아무도 증명에 성공

하지는 못했다.

그런데 페르마가 감히 이 어려운 문제에 도전했다. 페르마의 무기는 그가 직접 고안한 '무한강하법'이었다.

그 유명한 페르마의 대정리에 관해서 페르마는 《산수론》의 여백에 '참으로 놀라운 증명을 발견했지만, 그것을 기록하기에는 여백이 너무 좁다'라고 썼다. 그리고 그 증명을 어디에도 남기지 않았다. 다만 서간 속에 무한강하법으로 증명할 수 있다고 암시해 두었을 뿐이다.

현재는 페르마의 증명이 4차의 경우에 관해서가 아니었을까 추측되고 있다. 즉,

$$x^4 + y^4 = z^4$$

에 정수해가 있다고 가정한다. x, y, z는 짝수 제곱이 되므로 모든 양의 정수로서도 일반성은 잃지 않는다. 페르마는 이 식을 묘하게 바꾸어,

$$x_1^4 + y_1^4 = z_1^4 \quad (z_1 < z)$$

가 되는 x_2, y_2, z_2를 발견한 것이다. 그러면 같은 절차를 거쳐,

$$x_2^4 + y_2^4 = z_2^4 \quad (z_2 < z_1)$$
$$x_3^4 + y_3^4 = z_3^4 \quad (z_3 < z_2)$$
$$\vdots$$

이렇게 무한하게 작업을 계속할 수 있다. 하지만 z는 양의 정수이므로 무한하게 작아질 리가 없다. 이것은 모순이다.

이것이 무한강하법에 의한 4차의 경우에 관한 페르마의 대정리의 증명이다.

페르마는 두 제곱수 정리에 대해서도 전가의 보검-무한강하법-을

발휘한다. 그럼 구체적으로 확인해보자.

소수 3709를 무한강하법을 이용해 제곱수의 합으로 나타낼 것이다.

$$3709 \equiv 1 \ (\text{mod } 4)$$

이므로, mod 3709에서 −1은 제곱비잉여이다. 따라서,

$$x^2 \equiv -1 \ (\text{mod } 3709)$$

는 해를 가진다. 계산해보면 1609와 2100이 해인 것을 알 수 있다.

작은 수를 선택하자.

$$1609^2 \equiv -1$$
$$1609^2 + 1 \equiv 0 \ (\text{mod } 3709)$$

이것은 $1609^2 + 1$이 3709로 나눌 수 있음을 나타낸다. 계산해보면,

$$1609^2 + 1 = 2588882 = 698 \times 3709$$

여기서 1609와 1을 mod 698로 적용한다. 제곱을 하기 때문에 음수도 상관없으니 가능한 절댓값을 작게 하기 위해서 값을,

$$-\frac{698}{2} < x \leq \frac{698}{2}$$

라고 한다. 그러면 다음과 같다.

$$1609 \equiv 213 \quad 1 \equiv 1 \ (\text{mod } 698)$$

제곱수의 합을 구하기 위해서 계속해서 698로 나눈다.

$$213^2 + 1^2 = 45370 = 698 \times 65$$

지금 만든 두 식을 나열해보자.

$$1609^2 + 1 \equiv 698 \times 3709$$
$$213^2 + 1 = 698 \times 65$$

좌변×좌변, 우변×우변을 계산한다.

$$(1609^2 + 1)(213^2 + 1) = (698 \times 3709)(698 \times 65)$$

여기서 브라마굽타의 항등식(51쪽)을 생각해보자.

$$(a^2 + b^2)(x^2 + y^2) = (ax + by)^2 + (ay - bx)^2$$

이것을 위의 좌변에 적용한다.

$$(1609 \times 213 + 1 \times 1)^2 + (1609 \times 1 - 213 \times 1)^2 = 698^2 \times 3709 \times 65$$
$$342718^2 + 1396^2 = 698^2 \times 3709 \times 65$$

342718과 1396은 698로 나누어떨어진다. 나눗셈을 실행하면,

$$491^2 + 2^2 = 3709 \times 65$$

3709×698을 3709×65로 축소할 수 있다. 이것을 계속하면 언젠가는 반드시 3709×1이 될 것이다. 더 확실하게 이해하기 위해 계속 연습하기 바란다.

채은 왠지 매우 귀찮은 일을 하는 것 같은데, 이 다음은 건너뛰면 안 돼요?

아빠 이제 겨우 $3709 \times 65 = 241085$가 제곱수의 합으로 나타낼 수 있다는 걸 나타냈을 뿐인걸. 앞으로 갈 길이 멀어.

채은 휴우, 그럼 먼저 491과 2를 mod 65로 적용하는 거였죠?

$$491 \equiv 36$$
$$2 \equiv 2$$

아빠 잠깐만. mod 65에서,

$$36 \equiv 36 - 65 \equiv -29$$

니까 36보다 -29를 사용하는 게 좋아.

채은 아 그런가요? 그러면,

$$(-29)^2 + 2^2 = 845 = 65 \times 13$$

아빠 아까 했던 식과 서로 곱하는 거야.

채은 $(491^2 + 2^2)\{(-29)^2 + 2^2\} = 65^2 \times 3709 \times 13$

브라마굽타의 항등식을 사용하면,

$$\{491 \times (-29) + 2 \times 2\}^2 + \{491 \times 2 - (-29) \times 2\}^2$$
$$= 65^2 \times 3709 \times 13$$
$$14235^2 + 1040^2 = 65^2 \times 3709 \times 13$$

전체를 65^2으로 나누면,

$$219^2 + 16^2 = 3709 \times 13$$

3709×13이 됐어요.

아빠 한걸음 남았다. 계속해.

채은 mod 13에 219와 16을 적용해요.

$$219 \equiv 11 \equiv -2$$
$$16 \equiv 3$$

따라서, $(-2)^2 + 3^2 = 13 = 13 \times 1$

브라마굽타의 항등식을 이용하면, 다음과 같이 나와요.

$$\{ 219 \times (-2) + 16 \times 3 \}^2 + \{ 219 \times 3 - (-2) \times 16 \}^2 = 13^2 \times 3709 \times 1$$
$$390^2 + 689^2 = 13^2 \times 3709$$
$$30^2 + 53^2 = 3709$$

아빠 이렇게 할 수 있으면 모든 $4n+1$형 소수는 제곱수의 합으로 나타낼 수 있지. 이 계산을 문자를 써서 일반적으로 진행하면 완벽한 증명이 되지만, 상당히 번거로워지니 생략하도록 하자. 페르마는 힘들게 $4n+1$형 소수를 두 개의 제곱수의 합으로 표현하는 구체적인 방법을 나타낸 것뿐이지만, 이것을 따라가도 어째서 $4n+1$형 소수만이 제곱수의 합으로 표현할 수 있는지 전혀 납득할 수가 없지. 초등정수론에는 이처럼 교묘한 방법으로 증명은 하고 있지만, 어째서 그렇게 되는지 납득이 가지 않는다는 증명이 많아. 사실 나중에 좀 더 우아하게 증명할 거란다.

채은 그럼 처음부터 그걸 하지 왜 이렇게 귀찮은 걸 했어요?

아빠 페르마의 고충을 조금이라도 느껴보고 싶었거든. 앞에서도 썼지만 페르마는 초등정수론을 정복하기 위한 충분한 무기를 갖고 있지 않았어. 무한강하법이라는 뛰어난 무기를 갖추기는 했지만, 그 무한강하법도 후세의 눈으로 보면, 구석기의 무기나 마찬가지거든. 페르마는 아무것도 없는 곳에서부터 하나씩 만들어 쌓아올려야만 했어. 게다가 의지할 동지도 없었고 죽을 때까지 고독한 전투였지.

채은 흐음, 왠지 페르마가 불쌍하게 느껴져요. 페르마님, 살아 있을 때는 고독했을지 몰라도 지금은 페르마님을 이해하는 사람들이 아주 많답니다.

아빠 그럼 여기에서 페르마의 성과를 정리해볼까?

페르마의 두 제곱수 정리

$$p = 4n + 1 형 소수는$$

$$\left(\frac{-1}{p}\right) = 1 \quad 즉 \ x^2 \equiv -1 에 \ 해가 \ 있다.$$

$$\Leftrightarrow p = a^2 + b^2 으로 \ 나타낼 \ 수 \ 있다.$$

'이것'과 '제곱수의 합으로 표현할 수 있는 정수의 인수는 제곱수를 제외하면 2와 $4n+1$형 소수뿐이다'라는 정리를 조합하면, 제곱수의 합으로 표현할 수 있는 정수는 제곱수의 합의 곱으로

나타낼 수 있는 것을 알 수 있어(제곱수는 a^2+0^2으로 나타낼 수 있기 때문에, 그 자체가 제곱수의 합인 것에 주의). 예를 들어,

$$85 = 4 + 81 = 2^2 + 9^2$$

처럼 85는 제곱수의 합으로 표현할 수 있어. 85를 소인수분해하면,

$$85 = 5 \times 17$$

따라서,

$$85 = (1^2 + 2^2)(1^2 + 4^2)$$

이렇게 제곱수의 합의 곱이 돼. 브라마굽타의 항등식을 이용하면 두제곱수의 합이 되므로 결국 다음과 같이 나타낼 수 있지.

$$85 = (1^2 + 2^2)(1^2 + 4^2) = 2^2 + 9^2 = 6^2 + 7^2$$

채은 흐음, 재미있네요. 제곱수의 합은 제곱수의 합의 곱이 된다니. 적당한 수를 써서 해볼래요. 예를 들어,

$$839^2 + 3517^2$$

이것을 제곱수의 합의 곱으로 나타내봐요.

아빠 먼저 소인수분해를 해서,

$$839^2 + 3517^2 = 13073210$$
$$= 2 \times 5 \times 37 \times 89 \times 397$$
$$= (1^2 + 1^2)(1^2 + 2^2)(1^2 + 6^2)(5^2 + 8^2)(6^2 + 19^2)$$

채은 흐음, 왠지 제곱수의 합으로 표현할 수 있는 수는 서로 단단한 인연으로 연결된 가족 같아요.

6. 금광을 찾아서

어떤 소수를 제곱수의 합으로 나타낼 수 있는가 하는 문제는 완전히 해결했다. 제곱수의 합으로 나타낼 수 있는지 아닌지는 -1이 제곱잉여인지의 여부에 달려 있다.

페르마는 여기에서 멈추지 않고 더욱 진보된 연구를 했다.

어떤 소수를,

$$a^2 - 2b^2$$

인 형태로 표현할 수 있을까? 이것을 $a^2 + b^2$으로 표현할 때와 마찬가지로 생각하면, 2가 제곱잉여인지 아닌지와 관계가 있을 것 같다. 실제로 $\bmod p$에서 2가 제곱잉여라면 어떤 x에 대해서,

$$x^2 \equiv 2 \ (\bmod \ p)$$
$$x^2 - 2 \equiv 0$$

가 되고, 이것은 x^2-2가 p로 나누어떨어진다는 것을 뜻한다. 즉,

$$x^2-2\times1^2=np \ (n은 \ 정수)$$

로 나타낼 수 있는 것이다. 그리고 이렇게 나타내는 것이 가능하다면, 브라마굽타의 항등식의 확장판,

$$(a^2+Nb^2)(x^2+Ny^2)=(ax+Nby)^2+N(ay-bx)^2$$
$$(a^2+Nb^2)(x^2+Ny^2)=(ax-Nby)^2+N(ay+bx)^2$$

을 이용해서,

$$p=x^2-2y^2$$

으로 바꿀 수 있다. 그렇다면 2는 p가 어떤 소수일 때 제곱잉여가 될까?

−1일 때에는 오일러의 방법을 이용해 간단히 계산할 수 있었지만, 2가 되면 이 방법으로는 불가능하다. $2^{(p-1)/2}$의 결과를 바로 판정할 방법이 없기 때문이다.

예를 들어 일단 100까지 실험해보자.

$p=3$	불가	
$p=5$	불가	
$p=7$	$3^2\equiv9\equiv2$	$4^2\equiv16\equiv2$
$p=11$	불가	
$p=13$	불가	
$p=17$	$6^2\equiv36\equiv2$	$11^2\equiv121\equiv2$
$p=19$	불가	

$p=23$	$5^2 \equiv 25 \equiv 2$	$18^2 \equiv 324 \equiv 2$
$p=29$	불가	
$p=31$	$8^2 \equiv 64 \equiv 2$	$23^2 \equiv 529 \equiv 2$
$p=37$	불가	
$p=41$	$17^2 \equiv 289 \equiv 2$	$24^2 \equiv 576 \equiv 2$
$p=43$	불가	
$p=47$	$7^2 \equiv 49 \equiv 2$	$40^2 \equiv 1600 \equiv 2$
$p=53$	불가	
$p=59$	불가	
$p=61$	불가	
$p=67$	불가	
$p=71$	$12^2 \equiv 144 \equiv 2$	$59^2 \equiv 3481 \equiv 2$
$p=73$	$32^2 \equiv 1024 \equiv 2$	$41^2 \equiv 1681 \equiv 2$
$p=79$	$9^2 \equiv 81 \equiv 2$	$70^2 \equiv 4900 \equiv 2$
$p=83$	불가	
$p=89$	$25^2 \equiv 625 \equiv 2$	$64^2 \equiv 4096 \equiv 2$
$p=97$	$14^2 \equiv 196 \equiv 2$	$83^2 \equiv 6889 \equiv 2$

규칙을 알겠는지?

채은 이런 식으로 나열되는 거군요. 뭔가 힌트 없을까?

아빠 1이 제곱잉여인지 아닌지는 mod 4에 대해서 생각하면 될 거야. 그럼 mod 4로 정리해보면,

채은 제곱잉여가 되는 건 7, 17, 23, 31, 41, 47, 71, 73, 79, 89, 97. 이 것을 mod 4로 적용하면 3, 1, 3, 3, 1, 3, 3, 1, 3, 3, 1, 1. 1 도 나오고 3도 나오니까 규칙은 없어 보여요.

아빠 제곱비잉여에 관해서도 알아보는 건 어떨까?

채은 소용없을 거예요. 제곱비잉여가 되는 건 3, 5, 11, 13, 19, 29, 37, 43, 53, 59, 61, 67, 83. mod 4로 적용하면 3, 1, 3, 1, 3, 1, 1, 3, 1, 3, 3. 이쪽도 1과 3이 제각각 나와서 정리가 안 돼요.

아빠 mod 4에서 안 된다면 mod 8로 해보면 어떨까?

채은 그게 잘 될까요? mod 8에서,

$$7, 17, 23, 31, 41, 47, 71, 73, 79, 89, 97$$
$$\equiv 7, 1, 7, 7, 1, 7, 7, 1, 7, 1, 1$$

인데요, 1과 7밖에 나오지 않아요. 제곱비잉여 쪽은,

$$3, 5, 11, 13, 19, 29, 37, 43, 53, 59, 61, 67, 83$$
$$\equiv 3, 5, 3, 5, 3, 5, 5, 3, 5, 3, 5, 3, 3$$

이쪽은 3과 5뿐이에요. 그러면 mod 8에서 1이나 7일 때는 제곱잉여, 3이나 5일 때는 제곱비잉여라고 할 수 있을 것 같은데.

아빠 그렇지. 그러면 앞에서 말한, mod 8에서 1이나 7이 되는 소수를

$$x - 2y^2$$

인 형태로 표현해볼까? 3943은 mod 8에서 7이니까, 2가 제곱잉여가 돼. 즉,

$$x^2 \equiv 2 \ (\text{mod } 3943)$$

가 되는 x가 존재하지.

채은 말은 쉽지만, 그런 x를 찾는 것만으로도 힘들다고요.

아빠 뭐 이 부분은 컴퓨터로 실행하면 mod 3943에서 $1629^2 \equiv 2$야. 그렇게 하면,

$$1629^2 - 2 \times 1^2 \equiv 0 \ (\text{mod } 3943)$$

이 돼. 이것을 =의 세계로 적용하면,

$$1629^2 - 2 \times 1^2 = 2653639 = 673 \times 3943$$

여기에서 브라마굽타의 항등식의 확장판을 잘 사용하면, $a^2 - 2b^2$ 형태까지 갈 수 있는데, 계산은 힘드니까 결과만 나타내면,

$$3943 = 75^2 - 2 \times 29^2$$

틀리지 않는지 전자계산기로 확인해봐.

채은 (계산하지 않아도 돼서 다행이다! 전자계산기로 확인하는 정도쯤은 해줄 수 있어!) 확인했어요. 맞아요.

아빠 사실 정수를 확장한 세계에서 바라볼 때, a^2+b^2의 세계와 a^2-2b^2의 세계는 전혀 다른 세계란다. a^2+b^2은 유클리드의 정역이라고 하고, 보통의 정수 세계의 규칙이 대체로 통용되지만, a^2-2b^2은 1의 약수가 무한하게 존재하는 말도 안 되는 세계가 되지. 이쪽 연구도 꽤 어려워. 이것에 관해서는 나중에 하자.

채은 음, 큰 차이는 없을 것 같았는데. 하지만 유클리드 정역이라고 하니까 왠지 멋있어 보여요. 게임에 자주 나오는 성역 같거든요. 그럼 다른 한쪽은 무시무시한 괴물이 굴러다니는 던전이 되려나?

아빠 그런데 페르마는 만신창이가 되면서도 마지막 힘을 쥐어짜내서 한 걸음 더 나아갔단다.

채은 돈이 걸려 있는 것도 아니고 누가 칭찬해주는 것도 아닌데, 대단하네요.

아빠 이런 모습을 보면 수학을 배워서 무슨 도움이 되냐고 하는 게 얼마나 어리석은 질문인지 알 수 있지. 그러니까 도움이 되지 않는 것이······.

채은 네네, 아빠의 지론은 알고 있다고요. 여기에서 또 이 책을 읽어봐야 아무 도움도 되지 않는다고 외치기 시작한다면, 책이 팔리지 않는다고요. 그건 그렇고 페르마는 또 무엇에 관해서 연구한 거죠?

아빠 −1과 2가 제곱잉여인지 아닌지를 연구했으니 그 다음에는 −2가 제곱잉여인지 아닌지에 대한 것이겠지.
예를 들어 100 이하의 소수에 대해서 실험해볼까?

$p=2$	불가		
$p=3$	$1^2 \equiv 1 \equiv -2$	$2^2 \equiv 4 \equiv 1 \equiv -2$	
$p=5$	불가	$p=7$	불가
$p=11$	$3^2 \equiv 9 \equiv -2$	$8^2 \equiv 64 \equiv -2$	
$p=13$	불가		
$p=17$	$7^2 \equiv 49 \equiv -2$	$10^2 \equiv 100 \equiv -2$	
$p=19$	$6^2 \equiv 36 \equiv -2$	$13^2 \equiv 169 \equiv -2$	
$p=23$	불가	$p=29$	불가
$p=31$	불가	$p=37$	불가
$p=41$	$11^2 \equiv 121 \equiv -2$	$30^2 \equiv 900 \equiv -2$	
$p=43$	$16^2 \equiv 256 \equiv -2$	$27^2 \equiv 729 \equiv -2$	
$p=47$	불가	$p=53$	불가
$p=59$	$23^2 \equiv 529 \equiv -2$	$36^2 \equiv 1296 \equiv -2$	
$p=61$	불가		
$p=67$	$20^2 \equiv 400 \equiv -2$	$47^2 \equiv 2209 \equiv -2$	
$p=71$	불가		
$p=73$	$12^2 \equiv 144 \equiv 71 \equiv -2$	$61^2 \equiv 3721 \equiv 71 \equiv -2$	
$p=79$	불가		
$p=83$	$9^2 \equiv 81 \equiv -2$	$74^2 \equiv 5476 \equiv 81 \equiv -2$	
$p=89$	$40^2 \equiv 1600 \equiv 87 \equiv -2$	$49^2 \equiv 2401 \equiv 87 \equiv -2$	
$p=97$	$17^2 \equiv 289 \equiv 95 \equiv -2$	$80^2 \equiv 6400 \equiv 95 \equiv -2$	

채은   오!

아빠   오오!

채은   오오오!

아빠   알겠니?

채은   전혀 모르겠어요. 규칙이 없잖아요. 엉망이에요. 예를 들어 mod 4에서 정리해볼까요? 제곱잉여는,

$$3, 11, 17, 19, 41, 43, 59, 67, 73, 89, 97$$
$$\equiv 3, 3, 1, 3, 1, 3, 3, 3, 1, 3, 1, 1$$

이렇게 제각각이에요.

제곱비잉여는,

$$2, 5, 7, 13, 23, 29, 31, 37, 47, 53, 61, 71, 79$$
$$\equiv 2, 1, 3, 1, 3, 1, 3, 1, 1, 3, 3$$

이쪽도 제각각이죠.

mod 8로 해볼게요.

제곱잉여는,

$$3, 11, 17, 19, 41, 43, 59, 67, 73, 89, 97$$
$$\equiv 3, 3, 1, 3, 1, 3, 3, 3, 1, 3, 1, 1$$

어머나, 1과 3뿐이에요.

제곱비잉여는,

$$2, 5, 7, 13, 23, 29, 31, 37, 47, 53, 61, 71, 79$$
$$\equiv 2, 5, 7, 5, 7, 5, 7, 5, 7, 5, 5, 7, 7$$

2는 특별하니까 제외하고, 홀소수는 5와 7. 규칙을 알았어요!

아빠   그렇지. 2는 특별하게 생각하고, mod 8에서 1과 3이 제곱잉여, 5와 7이 제곱비잉여란다.

mod 8에서 1이 되는 소수는 $1+8n$으로 나타낼 수 있으니 mod 4에서도 1이지. -1은 제곱잉여, 2도 제곱잉여, -2도 제곱잉여가 되지.

mod 8에서 3이 되는 소수는 $3+8n$으로 나타낼 수 있으니 mod 4에서도 3이지. -1은 제곱비잉여, 2도 제곱비잉여, -2는 제곱잉여가 되지.

mod 8에서 5가 되는 소수는 $5+8n$으로 나타낼 수 있으니 mod 4에서는 1이지. -1은 제곱잉여, 2는 제곱비잉여, -2도 제곱비잉여가 되지.

mod 8에서 7이 되는 소수는 $7+8n$으로 나타낼 수 있으니 mod 4에서는 3이지. -1은 제곱비잉여, 2는 제곱잉여, -2는 제곱비잉여가 되지.

이 세 관계를 이해하겠니?

채은 ???

아빠 일람표를 만들면 한눈에 알 수 있지. 어때?

채은 아, 알았다. -1일 때와 2일 때의 값을 곱하면 -2일 때의 값이 돼요.

	$\left(\dfrac{-1}{p}\right)$	$\left(\dfrac{2}{p}\right)$	$\left(\dfrac{-2}{p}\right)$
2	1	-1	-1
3	-1	-1	1
5	1	-1	-1
7	-1	1	-1
11	-1	-1	1
13	1	-1	-1
17	1	1	1
19	-1	-1	1
23	-1	1	-1
29	1	-1	-1
31	-1	1	-1
37	1	-1	-1
41	1	1	1
43	-1	-1	1
47	-1	1	-1
53	1	-1	-1
59	-1	-1	1
61	1	-1	-1
67	-1	-1	1
71	-1	1	-1
73	1	1	1
79	-1	1	-1
83	-1	-1	1
89	1	1	1
97	1	1	1

아빠 그렇지. 기호로 쓰면,

$$\left(\frac{-1}{p}\right) \times \left(\frac{2}{p}\right) = \left(\frac{-2}{p}\right)$$

가 돼.

채은 하하, 재미있어요.

아빠 118쪽에서, 제곱잉여×제곱잉여≡제곱잉여, 제곱잉여×제곱비
잉여≡제곱비잉여, 제곱비잉여×제곱잉여≡제곱비잉여, 제곱비
잉여×제곱비잉여≡제곱잉여라고 했는데, 제곱잉여를 '1', 제곱
비잉여를 '−1'로 나타내면 이 함수는 $1 \times 1 = 1$, $1 \times (-1) = -1$,
$(-1) \times 1 = -1$, $-1 \times (-1) = 1$이나 똑같은 셈이지. 즉 르장드르
의 기호를 이용하면 다음과 같이 된단다.

$$\left(\frac{a}{p}\right) \times \left(\frac{b}{p}\right) = \left(\frac{ab}{p}\right)$$

채은 감쪽같네요. 방금 했던 계산은 당연한 거였어요.

아빠 르장드르의 기호가 대단한 거지. 힘들게 제곱잉여를 구했으니, 제
곱수에 의한 표현에 대해서도 몇 가지 확인해볼까? −2가 제곱잉
여이면,

$$x^2 + 2y^2$$

으로 표현할 수 있지. 예를 들어 mod 89에서 −2가 제곱잉여니까,

$$89 = 9^2 + 2 \times 2^2$$

이 돼. 좀 더 큰 소수로 생각해보자. 3203은 어떨까? $8n + 3$형 소
수니까 가능할 거야.

채은 귀찮아. 어차피 아빠의 컴퓨터한테 시킬 거니까(탁탁 전자계산기를 두드린다), 다 했어요!

$$3203 = 39^2 + 2 \times 29^2$$

아빠 그럼, $8n+1$, $8n+7$에서 2가 제곱잉여, $8n+3$, $8n+5$에서 2가 제곱비잉여인 것을 증명해볼까? -1일 때는 오일러의 정리를 이용해 간단하게 증명할 수 있지만, 2가 되면 불가능해. 하지만 어떻게든 오일러의 정리를 이용해보마. 먼저 구체적인 수를 대입해볼까? 19로 해보자. mod 19에서 생각해보는 건데, 제일 먼저 1부터 9까지의 수에 2를 곱해서 전부를 곱한다.

$$2 \times 4 \times 6 \times 8 \times 10 \times 12 \times 14 \times 16 \times 18$$
$$= 2^9 \times 1 \times 2 \times 3 \times 4 \times 5 \times 6 \times 7 \times 8 \times 9$$
$$= 2^9 \times 9!$$

또 하나, 2~18 사이의 짝수를 mod 19에서 -9부터 9까지의 수로 바꾼 후 똑같이 해. 8까지는 그대로, 10부터는 19를 빼면 돼.

$$2 \equiv 2 \qquad 4 \equiv 4 \qquad 6 \equiv 6 \qquad 8 \equiv 8$$
$$10 \equiv -9 \quad 12 \equiv -7 \quad 14 \equiv -5 \quad 16 \equiv -3 \quad 18 \equiv -1$$

이것을 서로 곱하면,

$$2 \times 4 \times 6 \times 8 \times (-9) \times (-7) \times (-5) \times (-3) \times (-1)$$
$$= (-1)^5 \times 9!$$

mod 19에서 생각하면 이 두 개의 곱셈은 똑같으니까.

$$2^9 \times 9! \equiv (-1)^5 \times 9! \ \rightarrow \ 2^9 \equiv (-1)^5 \equiv -1 \ (\text{mod } 19)$$

$\dfrac{19-1}{2}=9$이니까 이것은 오일러의 정리로 제곱잉여인지 아닌지를 조사하는 식 자체란다. 이것으로 mod 19에서 2는 제곱비잉여라는 것을 알 수 있어. 이것을 일반적으로 하면 되는 거야. 기본적인 아이디어는 mod 19에서 2~18 중, 9를 넘는 것이 몇 개 있는지를 알아보는 데 있어. $p=8n+1$ 소수일 때, 2가 제곱비잉여임을 증명해볼래?

채은 앗, 갑자기! 그런! 알았어요. 똑같이 하면 되는 거죠? 먼저 p보다 작은 짝수를 모두 곱해요. 가장 큰 짝수는 $8n+1-1=8n$이고, 개수는 $4n$개네요.

오일러의 정리로 구하는 게,

$$2^{\frac{p-1}{2}}=2^{\frac{8n+1-1}{2}}=2^{\frac{8n}{2}}=2^{4n}$$

이 되는 부분이 특이하네요.

증명 $2\times4\times6\times\cdots\times8n=2^{4n}\times1\times2\times3\times\cdots$
$$\times4n=2^{4n}\times4n!\ \cdots①$$

다음은 mod p에서 2~8n의 짝수를 $-\dfrac{p-1}{2}$에서 $\dfrac{p-1}{2}$로 해서 서로 곱한다.

$\dfrac{p-1}{2}=\dfrac{8n+1-1}{2}=4n$이므로 2에서 $4n$까지는 그대로, $4n+2$부터는 p를 뺀다.

$$4n+2-p\equiv4n+2-(8n+1)\equiv-(4n-1)$$
$$4n+4-p\equiv4n+4-(8n+1)\equiv-(4n-3)$$

$$4n+6-p \equiv 4n+6-(8n+1) \equiv -(4n-5)$$

$$\vdots$$

$$8n-p \equiv 8n-(8n+1) \equiv -1$$

1에서 $4n-1$까지는 몇 개일까?

아빠 n에 적당한 수를 대입해 확인해보면 돼.

채은 음, $n=1$일 때에는 1, 3 이렇게 2개, $n=2$일 때에는 1, 3, 5, 7 이렇게 4개, $n=3$일 때는 1, 3, 5, 7, 9, 11 이렇게 6개, 즉 $2n$개네요. 그러니까,

$$(-1)^{2n} \times 4n! \quad \cdots ②$$

①과 ②는 mod p에서는 같으니까,

$$2^{4n} \times 4n! \equiv (-1)^{2n} \times 4n! \ \rightarrow \ 2^{4n} \equiv 1$$

1이 됐으므로 $8n+1$ 형의 소수에서 2는 제곱잉여예요. 💡

아빠 그렇지. $8n+3$, $8n+5$, $8n+7$일 때도 똑같이 하면 돼. 지금까지의 결과를 정리해둘까?

> ⭐
>
> mod 8에서 1이나 7의 소수 p는,
>
> $$\left(\frac{2}{p}\right)=1 \ \ \text{즉} \ x^2 \equiv 2\text{에 해가 있다.}$$
>
> $\Leftrightarrow a^2-2b^2$의 형태로 나타낼 수 있다.

mod 8에서 1이나 3의 소수 p는,

$$\left(\frac{-2}{p}\right)=1 \ \text{즉} \ x^2 \equiv -2 \text{에 해가 있다.}$$

$\Leftrightarrow a^2+2b^2$의 형태로 나타낼 수 있다.

$$\left(\frac{a}{p}\right) \times \left(\frac{b}{p}\right) = \left(\frac{ab}{p}\right)$$

페르마는 다시 $a^2 \pm Nb^2$ 형태로 표현할 수 있는 소수를 연구했지만, 페르마가 가진 무기만으로는 악전고투를 면할 수 없었지. N이 커지자 전가傳家의 보검인 무한강하법도 효과가 없었거든. 이쯤에서 페르마를 떠나 다음 시대로 이동해볼까?

1665년 1월 12일, 페르마는 조용히 숨을 거두었다. 그로부터 약 반세기 후 페르마의 횃불은 사라져버린 것처럼 빛을 잃었다.

   페르마는 인류 역사 속에서도 보기 드문 천재였는데, 그런 페르마의 연구를 이해할 수 있고 페르마도 몰랐던 문제를 풀 수 있다는 것은 매우 멋진 일인 것 같다.

   페르마 시대로 타임 슬립할 수 있다면, 페르마에게 천재라는 말을 들을지도 모른다. 즉 누구나 천재가 되는 것이다.

   또 디오판토스나 히파티아 시대로 간다면 신처럼 떠받들지 않을까?

   이런 예측을 확실하게 할 수 있는 분야는 수학뿐일 것이다. 물리나 화학은 실험도구 등의 발전에 좌우되는 부분이 있지만, 수학은 종이와 펜만 있으면 충분하기 때문이다. 그런 의미에서 페르마나 디오판토스와 나는 조건이 같다고 할 수 있다. 그렇게 생각하니 기쁘다.

   예술 분야에서는 옛날의 천재와 어깨를 나란히 한다는 건 상상도 할 수 없는 일이다. 모차르트보다 뛰어난 곡을 만든다는 것도 불가능하고, 야샤 하이페츠Jascha Heifetz(1901~1987)처럼 바이올린을 연주할 수도 없다.

   하지만 수학에서는 옛날의 천재가 알지 못했던 문제를 풀 수 있으니, 얼마나 멋진 일인가아!

CHAPTER 3

오일러

Leonhard Euler

1707~1783

1. 전란 속에서

레온하르트 오일러^{Leonhard Euler}는 1707년 프랑스, 독일과 국경이 맞닿아 있는 스위스 제3의 도시인 바젤 근교 리헨에서 태어났다. 바젤대학에서 신학을 배우고, 자코브 베르누이^{Jakob Bernoulli}의 수학 강의도 수강했던 그의 아버지 파울 오일러는 교구목사로 아들 레온하르트도 목사가 되기를 바랐지만, 일찍부터 수학적 재능을 발휘한 아들의 길을 방해하지는 않았다.

오일러

오일러가 태어난 해는 자코브 베르누이는 이미 사망하고 동생 요한 베르누이^{Johann Bernoulli}가 바젤대학에서 교편을 잡고 있었을 때였다. 요한 베르누이는 오일러의 재능을 알아보고 오일러가 대학에 입학하기 전부터 주1회 개인수업을 했다.

요한 베르누이는 17세기를 대표하는 대수학자로, 특히 라이프니치 이후의 미·적분학을 완성하는 데 커다란 기여를 한 인물이다. 요한은 꽤 강퍅한 성격이었던 듯 형 자코브와는 견원지간이었고, 만년에는 아들 다니엘과도 크게 싸웠다고 한다. 그런 성격상 어린 소년의 개인수업 같은 것은 절대로 하지 않았을 그가 오일러의 개인수업을 한 것만 봐도 오일러의 재능이 뛰어났음을 알 수 있다.

후일 오일러는 요한에게 수업 받던 날들을 그리워 했다고 한다. 당시 오일러는 일주일 동안 요한이 내준 문제를 고민한 뒤에 그 결과를 요한에게 설명했다. 쓸데없는 질문으로 요한을 귀찮게 하지 않도록 신경을 썼던 것이다. 물론 당대 제일의 대수학자 요한의 강의도 교화적이었겠지만, 일주일 동안 문제에 대한 다각도의 생각은 의미 있는 경험이었을 것이다.

오일러는 요한의 아들 니콜라스와 다니엘과도 사이가 좋았으며, 특히 7살 위인 다니엘과는 형제처럼 지내며 평생 교류를 이어나간다.

또 10대 후반에 조선造船에 관한 논문으로 상을 받았지만 사실 아이러니하게도 산이 많은 스위스에서 태어나고 자란 오일러는 그때까지도 바다에 떠 있는 배를 한 번도 본 적이 없었다.

그 후 페테르부르크 아카데미에서 일하던 니콜라스와 다니엘 형제의 추천으로 오일러 역시 페테르부르크 아카데미에서 초대장을 받는다. 이 시대는 페르마 때와는 달라져 수학이나 과학 분야의 재능을 살려 살 수 있었던 시대였다.

1727년 오일러를 태운 배가 페테르부르크에 도착한다.

그 당시 일본에서는 교호개혁享保改革이 진행되고 있었다. 엄격한 도쿠가와 요시무네德川吉宗의 정책에 반기를 들고, 당시로서는 놀라울 정도로 자유화정책을 진행한 도쿠가와 무네하루德川宗春가 오와리尾張의 번주가 된 것은 3년 후인 1730년이다. 와산의 세계에서는 다케베 카타히로, 마츠나가 요시스케라는 대수학자가 활약하면서 전성기에 접어들고 있었다.

조선에서는 1724년 영조가 왕위에 올랐고, 그 뒤를 이은 정조에 이르기까지 조선왕조의 르네상스라고도 할 수 있는 시대가 이어졌다.

향후 150여 년간 일본과 조선에서는 평화로운 시대가 이어졌지만, 이와는 대조적으로 유럽은 피투성이로 물든 격동의 18세기가 막 시작되고 있었다.

러시아에서는 약 22년에 걸친 대북방전쟁에 승리하여 표트르 대제라는 칭호를 얻은 표트르 1세가 과학기술이나 예술 분야에서 프랑스 등의 서유럽을 쫓아가기 위해서 발안한 페테르부르크 아카데미를 출범시켰다.

하지만 표트르 1세는 아카데미 설립을 미처 보지 못하고 1725년에 급사한다. 후계자를 정하지 못한 상태에서 서거했기 때문에 문제가 생겼지만, 근위부대가 황후를 지지하고 원로원을 억압하면서 예카테리나 황후가 예카테리나 1세로 즉위했다.

예카테리나 1세는 원래 발트 해에 면한 리보니아 농민의 딸로 스웨덴의 용기병과 결혼했는데, 대북방전쟁 때 러시아군의 포로가 되었다. 그런 그녀를 러시아 장군이 표트르 1세에게 헌상했는데, 첫 아내를 수도원에 유폐시킨 표트르 1세는 건강하고 쾌활한 성격의 예카테리나에게 반해 황후의 자리에까지 앉힌다. 즉 러시아 최초의 여왕은 평범한 농민 출신의 외국인이었던 것이다.

예카테리나 1세는 표트르 1세의 유지를 이어받아 아카데미를 설립하지만 오일러가 페테르부르크에 도착하기 일주일 전에 급사하고 만다. 그 치세는 2년여에 불과했다. 또 오일러를 추천했던 니콜라스도 전년도에 병사한 후였다.

새롭게 황제가 된 표트르 2세는 12살에 불과했다. 정치는 불안정하고 아카데미 운영도 순조롭지 않았지만 오일러는 뛰어난 재능을 발휘하여 아카데미에서 안정된 지위를 구축했다. 그리고 1733년 다니엘이 바젤로 돌아가자 후임으로 임명되었다.

형제처럼 지내던 다니엘이 고향으로 돌아간 것은 아쉬웠지만 쓸쓸할 겨를이 없었다. 사랑에 빠졌기 때문이다.

당시 페테르부르크에서는 무뚝뚝한 얼굴로 계산에만 열중하던 오일러가 난데없이 사랑에 빠졌다는 우스꽝스러운 노래가 유행했다고 한다. 상대는 게오르크 구젤이라는 궁정화가의 딸 카타리나였다. 게오르크는 오일러와 같은 스위스 출신으로 표트르 1세가 네덜란드에 있을 때 발탁하여 아카데미에 직접 초청한 인물이었다.

오일러는 마음 편히 살 수 있는 집을 얻어 신혼을 보냈다. 카타리나는 13명의 아이를 낳았는데 오일러보다 오래 산 자녀는 셋뿐이었다.

페테르부르크에서 오일러는 바젤 문제를 해결해 유럽의 대수학자로 찬양받게 되었다.

바젤 문제란,

$$\frac{1}{1^2} + \frac{1}{2^2} + \frac{1}{3^2} + \frac{1}{4^2} + \frac{1}{5^2} + \cdots$$

의 극한값을 구하는 문제로, 바젤 대학의 교수였던 베르누이 형제가 이 문제에 매달렸기 때문에 붙은 명칭이다.

조화수열,

$$\frac{1}{1} + \frac{1}{2} + \frac{1}{3} + \frac{1}{4} + \frac{1}{5} + \cdots$$

이 무한대로 발산하는 것은 잘 알려져 있었다. 하지만 바젤 문제에 관해서는 오일러의 스승인 요한 베르누이를 비롯해 유럽의 명망 있는 수학자들조차도 단서마저 잡지 못한 상황이었다.

이 수열이 수렴하는 것은 확실했다. 하지만 수렴은 실제로 느리다. 10항까지 더하면 1.5497…, 100항까지 더해도 1.63498…, 1000항까지 더해도 1.634934…, 이런 상황이기 때문에 어떤 값에 수렴하는 것인지 짐작도 가지 않았다. 정확한 값은 1.644934…이므로 1000항까지 계산해도 참값과 일치하는 것은 3자리뿐이었다.

오일러는 천재적인 통찰력과 끈기를 발휘해 이 수열을 연구하여 마침내 소수점 이하 20자리까지의 근삿값을 얻었다. 정확한 값은 평생 계산해도 불가능했다. 참값을 얻어낸 것은 아니었지만, 오일러도 이 수열에 관한 연구는 여기에서 멈추고 반쯤 포기했다.

그런데 몇 년 후 오일러는 기상천외한 방법으로 이 수열을 해결했고 그 결과 또한 상상을 초월했다.

$$\frac{1}{1^2} + \frac{1}{2^2} + \frac{1}{3^2} + \frac{1}{4^2} + \frac{1}{5^2} + \cdots = \frac{\pi^2}{6}$$

자연수의 역수의 제곱을 더하다 보면 어째서 π 가 나오는 것일까? 실로 수수께끼 같은 결과였다.

1735년 오일러는 중병을 앓은 후유증으로 오른쪽 눈이 실명하는 불행을 겪지만 좌절하지 않았다. 그 후로도 방대한 양의 논문을 썼던 것이다.

1740년 여제 안나가 서거하고, 안나 언니의 손자 이안 6세가 황제가 된다. 황제라고는 해도 이안 6세는 생후 2개월에 불과한 갓난아이였기 때문에 정치 안정은 고사하고 아카데미의 존속조차 위협을 받았다.

그 무렵 프로이센에서 군인왕 프리드리히가 서거하고 아들 프리드리히 2세가 왕이 된다. 프리드리히 2세는 왕위에 오르자마자 고문 폐지, 빈민에게 볍씨 대여, 검열 폐지 등의 계몽주의 정책을 펼치고, 베를린에 아카데미를 설립하기로 한다. 그 아카데미에 오일러가 선발된다.

그와 동시에 오스트리아 계승전쟁에 개입한 프리드리히 2세는 한때 약혼자였으며 이제 막 합스부르크 가를 계승한 마리아 테레지아에게서 슐레지엔을 빼앗는다. 이에 분노한 마리아 테레지아는 후일 프리드리히 2세의 생명을 위협하게 된다.

1741년 7월, 베를린으로 거처를 옮긴 오일러의 활약은 그야말로 엄청났으며 그 업적은 수학의 모든 분야에 미쳤다.

1755년에는 젊은 라그랑주에게서 온 편지에 열광적이라고 할 만한 답장을 보낸다. 편지에 감동을 받은 오일러는 라그랑주를 베를린 아카데미에 초대하기 위해서 온갖 방법을 동원하지만, 7년전쟁의 발발로 안타깝게 실현되지 못했다.

오스트리아 계승전쟁으로 슐레지엔을 잃고 호시탐탐 복수의 기회를 노리던 마리아 테레지아는 마침내 외교혁명이라고 불리는 프랑스와의 역사적 화친을 통해 프로이센 포위망을 형성한다. 합스부르크 가를 계승한 마리아 테레지아, 프랑스 왕의 측실이자 실질적인 권력자였던 마담 퐁파두르, 그리고 러시아의 엘리자베타 여왕이라는 세 여걸에 의한 이 포위망은 '3자매 페티코

트 작전'이라고도 한다. 여자를 어리석은 존재라고 비웃으며 평생 경멸했던 프리드리히 2세가 세 여성에게 포위당해 절체절명의 위기에 빠진 것이다.

1759년 8월 12일, 프로이센군은 쿠네르스도르프에서 오스트리아·러시아 연합군에게 참패를 당한다. 전장에 임할 때는 4만 9천 명이었던 병사가 가까스로 도망친 뒤에는 고작 3천에 불과했다고 한다.

프리드리히 2세는 죽음을 각오했다. 더 이상 베를린을 지키는 군대도 없었고, 프로이센은 멸망을 눈앞에 두고 있었다.

하지만 오스트리아·러시아 연합군은 베를린에 진군하지 않았다. 양국 간의 상호불신과 전후 세력 균형이 무너지는 것을 우려한 러시아가 프로이센의 멸망까지는 바라지 않았기 때문이다. 이것이 첫 번째 브란덴부르크의 기적이다.

이로써 프로이센은 한숨을 돌릴 수 있었지만 전황은 절망적이었다. 베를린이 점령을 당했을 잠시 동안 오일러의 주거지도 기병에게 유린당했을 정도였다.

그런데 1762년 1월, 러시아의 엘리자베타 여제가 급사한다. 오랜 세월에 걸친 미식과 음란 때문이라고 한다. 뒤를 이어 황제가 된 이는 무엇이든 독일식을 좋아하고 프리드리히 2세를 숭배하던 표트르 3세였다. 표트르 3세는 즉시 군에 전투중지를 명령하여 파멸 직전의 프리드리히 2세에게 구원의 손길을 내밀었다. 두 번째 브란덴부르크의 기적이었다.

이 두 번의 기적은 독일인에게 묘한 여운을 남겨, 히틀러 등은 제2차 세계대전 마지막까지 똑같은 기적이 일어날 것이라고 믿었다는 설이 있다.

이 일로 전쟁에 넌덜머리가 난 프리드리히 2세는 그 후로 큰 전쟁을 일으키지는 않았지만 두 번째 폴란드 분할로 서프로이센을 획득하는 등

영토적 야심은 결코 시들 줄 몰랐다.

그리고 오일러와의 관계도 점점 차갑게 식었다. 그 사이 오일러가 거둔, 브란덴부르크의 기적과는 비교할 수 없을 정도로 엄청난 성과도 프리드리히 2세에게는 하찮게 보였던 것이다. 귀족적인 우아함의 결여, 굳이 따지자면 촌스러운 오일러보다 파리풍의 세련된 행동을 좋아했기 때문이기도 했다.

이 시기의 오일러에게 러시아가 유혹의 손길을 내밀었다.

그 당시 전승을 목전에 두고 프로이센과 강화를 했던 표트르 3세에 대한 귀족과 군인들의 공공연한 불만이 분출되어 쿠데타가 일어난 것이다. 그들은 표트르 3세를 왕좌에서 끌어내리고 예카테리나 2세를 황후로 옹립했다. 쿠데타가 일어난 지 며칠 후에 표트르 3세는 옥사했는데, 대외적으로는 지병인 격렬한 치질 통증에 의한 발작사라고 발표되었지만 살해당한 것으로 짐작되고 있다. 죽음까지도 조롱거리로 만든 것이다.

로마노프 왕조의 피는커녕 러시아인의 피도 섞이지 않은 예카테리나 2세에 대한 반발도 있었지만 예카테리나 2세는 탁월한 정치력으로 불만 세력을 제압했다. 일찍이 계몽사상에 익숙했던 예카테리나 2세는 교육 개혁과 병원 설립 등 사회개혁에도 힘을 쏟았고, 아카데미에도 전력을 다했다. 그와 동시에 러일전쟁, 폴란드 분할 등을 통해 러시아 제국의 영토를 크게 확대하고, 국내적으로는 농노제를 강화했다. 하지만 그로 인해 치세 후반에는 엄청난 농민반발에 시달린다. 예카테리나 2세는 공개된 애인만 십수 명이고, 애인의 총수는 수백 명이 이른다고도 한다.

베를린 아카데미에 염증을 느낀 오일러는 페테르부르크에서의 손짓에 응한다. 이때 그의 나이는 69세였다.

러시아로 떠난 오일러 대신 베를린으로 온 사람은 라그랑주였다. 이에

프리드리히 2세는 애꾸눈의 수학자보다 양쪽 눈의 수학자가 더 좋다고 말했다고 전해진다.

페테르부르크 아카데미의 재건에 힘을 쏟았던 예카테리나 2세는 아카데미의 전권을 오일러에게 일임했다. 당시 페테르부르크로 가는 오일러를 폴란드의 스타니스와프 왕은 마치 국빈이라도 맞이하듯이 대접했다. 예카테리나 2세의 옛 애인이었던 스타니스와프 왕이 오일러를 환대한 것은 예카테리나 2세의 뜻을 참작한 것으로 보인다.

페테르부르크에 도착한 직후 오일러는 남아 있던 왼쪽 눈의 시력까지도 잃지만 굴하지 않고 수의 패턴으로 수학적 황무지를 개척했다. 이 당시 오일러의 조수 중에는 아들 요한 알베르트 오일러도 있었다. 또 형제처럼 지낸 다니엘도 오일러를 위해 바젤에서 조수를 보냈다.

두 눈을 잃은 상황에서도 오일러는 수백 편의 논문을 발표했다.

그리고 1783년 9월, 조용히 숨을 거둔다.

채은 오일러가 살던 시대는 격동의 시기였네요.

아빠 그 무렵 일본이나 조선은 평화로운 시대가 계속되었지. 전쟁이 없는 건 당연했어. 그런데 오일러가 살았던 18세기의 유럽은 어딘가에서는 반드시 전쟁이 벌어지고 있는 시대였거든. 19세기에 들어서면 곳곳에서 혁명이 발발해서 더 어지러워지고, 20세기에는 제1차 세계대전, 제2차 세계대전이 일어나. 이렇게 많은 전쟁을 하고도 잘도 살아남았지?

채은 프리드리히 2세나 예카테리나 2세는 전쟁도 했지만, 국내적으로는 좋은 일도 많이 했던 것 같아요.

아빠 그 부분은 평가하기가 어려워. 그들을 계몽전제군주라고 하는데 위로부터의 근대화를 진행하려고 했지. 아이러니하게도 그로 인해 민중의 삶은 좋아지지 않았어.

채은 왜요? 근대화는 좋은 거잖아요?

아빠 근대화는 봉건적인 틀을 무너뜨리는 것이기도 하지만, 동시에 국가가 민중을 직접 지배하는 체제를 구축하는 것이기도 해. 국민국가를 만드는 과정인 거지. 봉건제의 수책을 걷어치우는 건 좋지만, 이번에는 국가가 큰소리를 치며 민중을 '국민'으로 삼는 거니까.

채은 무슨 말인지 잘 모르겠어요.

아빠 일본을 예로 들어 보자꾸나. 에도시대에 흑선이 와서 전쟁이 일어날지도 모른다는 소란이 일어났을 때에도 사람들은 자신이 포탄을 들고 싸울 거라고는 생각지도 않았어. 그건 사무라이들이 할 일이라고 생각했거든. 그런데 메이지시대가 되자 사농공상의 신분은 없어졌지만, 이번에는 빨간 종이 한 장으로 군대에 끌려가 목숨까지 빼앗기게 된 거야.

채은 빨간 종이가 뭐예요?

아빠 징집영장을 빨간 종이라고 해. 메이지의 근대화, 당시의 표현에 의하면 문명화에 의해 민중은 어느 날 갑자기 끌려나가 포탄을 들고 외국에서 살인행위에 가담하게 되는 상황에 처한 거지. 가네코 미츠하루金子光晴가 지은 시가 있어.

> 네모난 찬합처럼
> 좁아빠진 이 일본
> 구석구석 비열하게
> 우리는 숫자로 헤아려진다.
> 그리고 무례하게도
> 우리를 소집하려 한다.
> 호적부야, 빨리 불타버려라.
> 아무도. 내 아들을 기억하지 마라.
> 아들아
> 이 손바닥에 구겨져 버려라.
> 모자 속에 잠시 숨어 있어라.
> 아비와 어미는 산자락의 낡은 집에서

밤새도록 그 이야기를 나누었다.

산자락의 마른 수풀을 적시고,

나뭇가지 뚝뚝 꺾는 소리를 내며

밤새 비가 쏟아진다.

아들아, 흠뻑 젖은 네가

무거운 총을 질질 끌고 헐떡이며

실성한 듯 걷고 있구나. 그곳이 어디더냐!

어딘지 모르겠구나. 하지만 그런 너를

아비와 어미는 정처 없이 찾아 나선다.

그런 악몽들만 계속되는 하룻밤이

길고도, 불안한 밤이 겨우 밝아온다.

비가 그쳤다.

아들이 없는 공허한 하늘에

무어냐, 역겹도록

다 낡아빠진 유카타 같은

후지富士

《현대시문학 가네코 미츠하루》 사조사, 1975년

채은 흐음, 드라마에 나오는 가츠 가이슈勝海舟는 에도 막부에 대해서
험담만 하던데.

1. 전란 속에서   **161**

아빠 에도 막부의 기둥이 썩었던 건 사실이야. 하지만 메이지의 근대화 방향에는 문제가 있었어. 수학적으로 보면 메이지의 근대화로 인해 와산이 어이없이 무너졌지. 와산은 즐기기 위한 수학이었는데, 새롭게 등장한 수학은 아이들을 차별하고 선별하는 도구가 되었거든. 덕분에 수학을 싫어하는 사람들이 대량으로 생산되는 상황이 된 거야.

채은 아, 그렇게 말하니까 이해가 돼. 시험이 없었다면 수학도 재미있을 텐데.

2. 서로소인 수는 몇 개일까?

정수론에서 오일러의 업적은 n보다 작고 n과의 최대공약수가 1이 되는 양의 정수의 개수를 구하는 함수, 즉 오일러의 ϕ(파이) 함수를 제일 먼저 들 수 있을 것이다.

이 함수는 에도시대에 구루시마 요시히로라는 와산가가 오일러보다 100년 정도 먼저 발견했기 때문에 일본에서는 구루시마－오일러 함수라고도 한다.

그럼 ϕ함수에 대해서 알아보자. 일단 몇 개의 값을 구해볼 것이다.

$\phi(6)$을 계산해보자. 6보다 작고 $(n, 6)=1$이 되는 양수 정수 n은,

$$1, 5$$

2개이므로,

$$\phi(6)=2$$

이다. 또 7보다 작고 $(n, 7)=1$이 되는 양의 정수 n은,

$$1, \ 2, \ 3, \ 4, \ 5, \ 6$$

6개이므로

$$\phi(7)=6$$

이다. 1은 어느 경우에나 등장하므로 $\phi(1)$도 1이 되는 것으로 한다.
이제 실험으로 법칙을 찾아보자.

$\phi(1)=1$	$\phi(2)=1$	$\phi(3)=2$	$\phi(4)=2$
$\phi(5)=4$	$\phi(6)=2$	$\phi(7)=6$	$\phi(8)=4$
$\phi(9)=6$	$\phi(10)=4$	$\phi(11)=10$	$\phi(12)=4$
$\phi(13)=12$	$\phi(14)=6$	$\phi(15)=8$	$\phi(16)=8$
$\phi(17)=16$	$\phi(18)=6$	$\phi(19)=18$	$\phi(20)=8$
$\phi(21)=12$	$\phi(22)=10$	$\phi(23)=22$	$\phi(24)=8$
$\phi(25)=20$	$\phi(26)=12$	$\phi(27)=18$	$\phi(28)=12$
$\phi(29)=28$	$\phi(30)=8$	$\phi(31)=30$	$\phi(32)=16$
$\phi(33)=20$	$\phi(34)=16$	$\phi(35)=24$	$\phi(36)=12$
$\phi(37)=36$	$\phi(38)=18$	$\phi(39)=24$	$\phi(40)=16$
$\phi(41)=40$	$\phi(42)=12$	$\phi(43)=42$	$\phi(44)=20$
$\phi(45)=24$	$\phi(46)=22$	$\phi(47)=46$	$\phi(48)=16$
$\phi(49)=42$	$\phi(50)=20$		

법칙이 보이는지?

◎◎○○◎◎○○◎◎○○◎◎○○◎◎○○◎◎○○

아빠 어때, 뭐가 보이니?

채은 그렇게 금방 알 수는 없잖아요. 천천히 생각해볼 테니 시간을 주세요.

아빠 시간은 충분히 있으니 마음껏 생각해보렴.

채은 (다음날 학교에서 돌아오더니 갑자기) 엄청난 법칙을 발견했어요!

아빠 그래? 어떤 법칙이지?

채은 보세요.

$$\phi(2)\times\phi(3)=1\times2=2=\phi(6)$$
$$\phi(2)\times\phi(5)=1\times4=4=\phi(10)$$
$$\phi(2)\times\phi(7)=1\times6=6=\phi(14)$$
$$\phi(2)\times\phi(11)=1\times10=10=\phi(22)$$
$$\phi(2)\times\phi(13)=1\times12=12=\phi(26)$$
$$\phi(2)\times\phi(17)=1\times16=16=\phi(34)$$
$$\phi(2)\times\phi(19)=1\times18=18=\phi(38)$$
$$\phi(2)\times\phi(23)=1\times22=22=\phi(46)$$
$$\phi(3)\times\phi(5)=2\times4=8=\phi(15)$$
$$\phi(3)\times\phi(7)=2\times6=12=\phi(21)$$
$$\phi(3)\times\phi(11)=2\times10=20=\phi(33)$$
$$\phi(3)\times\phi(13)=2\times12=24=\phi(39)$$
$$\phi(5)\times\phi(7)=4\times6=24=\phi(35)$$

아빠 그렇지. 그 규칙을 발견하기 바랐단다. 한 가지 주의할 점은,

$$\phi(6)\times\phi(8)=2\times4=8, \quad \phi(48)=16$$

채은 알아요. 곱셈이 가능한 건 서로소인 경우만이에요.

아빠 그럼 증명해볼까? 증명하고 싶은 건 m과 n이 서로소일 때, 즉,

$$(m, n)=1$$

일 때,

$$\phi(m)\times\phi(n)=\phi(mn)$$

이라는 건데, 구체적으로 $m=3$, $n=4$일 때를 생각해보마.

3과 서로소인 수는 {1, 2}

4와 서로소인 수는 {1, 3}

12와 서로소인 수는 {1, 5, 7, 11}

$\phi(3)=2$, $\phi(4)=2$, $\phi(12)=4$, $\phi(3)\times\phi(4)=\phi(12)$이야.

이때,

mod 3에서 1이고 mod 4에서 1 ⇔ mod 12에서 1

mod 3에서 1이고 mod 4에서 3 ⇔ mod 12에서 7

mod 3에서 2이고 mod 4에서 1 ⇔ mod 12에서 5

mod 3에서 2이고 mod 4에서 3 ⇔ mod 12에서 11

이렇게 일대일대응하고 있어. 일반적으로 말하자면,

$$x\equiv a \pmod{m}\text{이고 } x\equiv b \pmod{n}$$

일 때 단 하나의

$$x \equiv c \ (\mathrm{mod} \ mn)$$

가 정해지고, 거꾸로

$$x \equiv c \ (\mathrm{mod} \ mn)$$

일 때 단 하나의,

$x \equiv a \ (\mathrm{mod} \ m)$이고 $x \equiv b \ (\mathrm{mod} \ n)$

이 정해지지. 만약 이것이 증명된다면,

$$\phi(m) \times \phi(n) = \phi(mn)$$

라고 할 수 있어.

채은 그러니까 그 경우 m과 소인수와 동시에 n과 소인수가 하나 있다면, mn이 소인수가 하나 있는 게 되고, 반대로 mn과 소인수가 하나 있으면 m과 소인수인 동시에 n과 소인수가 하나 있는 셈이 되네요.

아빠 구체적인 수를 대입해볼까? $m=5$, $n=7$로 할 거야. 그럼 $mn=35$이고, 35와 서로소인 수 13을 골라볼까?

채은 $x \equiv 13 \ (\mathrm{mod} \ 35)$

이렇게 하는 거죠? 그러면,

$$\mathrm{mod} \ 5에서 \ x \equiv 13 = 3$$
$$\mathrm{mod} \ 7에서 \ x \equiv 13 = 6$$

이렇게 돼요.

아빠 이쪽은 간단하구나. 그럼 반대로. mod 5에서 $x \equiv 3$, mod 7에서 $x \equiv 6$이라고 했을 때 mod 35에서 수가 하나로만 정해질까?

채은 13이라는 정답은 알겠는데, 어떻게 구해야 하죠?

아빠 mod 7에서 $\equiv 0$이 되고 mod 5에서 $\equiv 3$이 되는 수와, mod 5에서 $\equiv 0$이 되고 mod 7에서 $\equiv 6$이 되는 수를 충족시키면 돼.

채은 그렇군요. mod 7에서 $\equiv 0$이 되고 mod 5에서 $\equiv 3$이 되는 수를 p라고 하면, p는 7의 배수예요. 따라서,

$$p = 7x \equiv 3 \ (\mathrm{mod}\ 5)$$

이렇게 구하면 돼요.

7의 역수는 음, 그러니까 3이에요. 그래서 3을 양변에 곱해서,

$$3 \times 7x \equiv 3 \times 3 \ (\mathrm{mod}\ 5)$$
$$x \equiv 4$$

가 되니까 구하는 수는, $p = 7x = 7 \times 4 = 28$. mod 7에서 $\equiv 0$이 되고 mod 5에서 $\equiv 3$이 돼요.

아빠 마찬가지로 mod 5에서 $\equiv 0$이 되고, mod 7에서 $\equiv 6$이 되는 수를 q라고 하면,

$$q = 5x \equiv 6 \ (\mathrm{mod}\ 7)$$

5의 역수는 3.

$$\therefore \ 3 \times 5x \equiv 3 \times 6$$
$$x \equiv 4$$

가 되므로 구하는 수는 $q = 5x = 5 \times 4 = 20$.

채은 그럼 mod 35에서,

$$28 + 20 \equiv 48 \equiv 13$$

으로 정해졌어요.

아빠 이것을 일반적으로 하면 돼.

증명 ① mod mn에서 $x \equiv c$일 때, c를 mod m과 mod n으로 계산하면,

$$x \equiv a \ (\text{mod } m), \quad x \equiv b \ (\text{mod } n)$$

을 결정할 수 있다.

② 반대로 $x \equiv a \ (\text{mod } m)$, $x \equiv b \ (\text{mod } n)$일 때는,

$$ny \equiv a \ (\text{mod } m)과, \quad mz \equiv b \ (\text{mod } n)$$

을 푼다. $(m, n) = 1$이므로 반드시 풀 수 있다.

$$x \equiv ny + mz \ (\text{mod } mn)$$

으로 하면 단 하나의 수가 정해진다.

그럼 이렇게 해서 $(m, n) = 1$일 때,

$$\phi(m)\phi(n) = \phi(mn)$$

이 증명되었으므로 $\phi(x)$를 구해보자. x가,

$$x = a^p b^q \cdots c^r$$

으로 소인수분해할 수 있다고 가정하면,

$$\phi(x) = \phi(a^p)\phi(b^q)\cdots\phi(c^r)$$

로 소인수분해할 수 있다. 이제 $\phi(a^p)$만 구하면 된다. 먼저 $p=1$의 경우에는 어떻게 될까?

채은 a는 소수이므로 1, 2, 3, …, $a-1$은 모두 a와 서로소가 돼요. 따라서,

$$\phi(a) = a-1$$

아빠 그럼 $\phi(a^p)$를 구해보자. 먼저 구체적인 수를 대입해볼까? $\phi(8) = \phi(2^3)$은 어떠니?

채은 1, 2, 3, …, 7, 8 중에서 2의 배수는 2×1, 2×2, 2×3, 2×4, 즉 2×1, …, $2\times2^{3-1}$의 $4(=2^{3-1})$. 따라서

$$\phi(8) = \phi(2^3) = 2^3 - 2^{3-1} = 8 - 4 = 4$$

아빠 $\phi(16) = \phi(2^4)$는?

채은 1, 2, …, 16 중에서 2의 배수는 2×1, 2×2, 2×3, …, 2×8, 즉 2×1, …, $2\times2^{4-1}$의 $8(=2^{4-1})$개.

$$\phi(16) = \phi(2^4) = 2^4 - 2^{4-1} = 16 - 8 = 8$$

아빠 그럼 $\phi(a^p)$은?

채은 1, 2, …, a^p 중에서 a의 배수는 $a\times1$, $a\times2$, $a\times3$, …, $a\times a^{p-1}$의 a^{p-1}개. 따라서,

$$\phi(a^p) = a^p - a^{p-1}$$

아빠 잘했구나. 이것은,

$$\phi\left(a^{p}\right)=a^{p}\left(1-\frac{1}{a}\right)$$

로 쓸 수 있지. 그럼 $\phi(x)=\phi(a^{p}b^{q}\cdots c^{r})$은?

채은 $\phi(x)=\phi(a^{p}b^{q}\cdots c^{r})=\phi(a^{p})\times\phi(b^{q})\times\cdots\times\phi(c^{r})$

$\quad\quad=(a^{p}-a^{p-1})(b^{q}-b^{q-1})\cdots(c^{r}-c^{r-1})$

아빠 이것을 다른 방법으로 쓰면,

$$\phi(x)=a^{p}\left(1-\frac{1}{a}\right)b^{p}\left(1-\frac{1}{b}\right)\cdots c^{p}\left(1-\frac{1}{c}\right)$$

$$=a^{p}b^{q}\cdots c^{r}\left(1-\frac{1}{a}\right)\left(1-\frac{1}{b}\right)\cdots\left(1-\frac{1}{c}\right)$$

$$=x\left(1-\frac{1}{a}\right)\left(1-\frac{1}{b}\right)\cdots\left(1-\frac{1}{c}\right)$$

$(x=a^{p}b^{q}\cdots c^{r}$이므로$)$

가 된단다. 실제로 계산하기에는 이쪽이 더 편하지. 그럼 좀 더 연습해볼까? 먼저 $\phi(12)$를 구해보자.

채은 $12=2^{2}\times 3$이니까,

$$\phi(12)=(2^{2}-2^{1})(3^{1}-3^{0})=(4-2)(3-1)=4$$

아빠 다른 공식으로 쓰면?

채은 $\phi(12)=12\left(1-\frac{1}{2}\right)\left(1-\frac{1}{2}\right)$

$$=12\times\frac{1}{2}\times\frac{2}{3}$$

$$=4$$

아빠 $\phi(50)$은?

채은 $50 = 2 \times 5^2$

$$\phi(50) = 50\left(1 - \frac{1}{2}\right)\left(1 - \frac{1}{5}\right)$$

$$= 50 \times \frac{1}{2} \times \frac{4}{5}$$

$$= 20$$

아빠 그렇지. 그럼 좀 더 큰 수로 해볼까? $\phi(123456)$은 어때? $123456 = 2^6 \times 3 \times 643$이야.

채은 $\phi(123456) = 123456\left(1 - \frac{1}{2}\right)\left(1 - \frac{1}{3}\right)\left(1 - \frac{1}{643}\right)$

$$= 123456 \times \frac{1}{2} \times \frac{2}{3} \times \frac{642}{643}$$

$$= 41088$$

아빠 맞았어. 이 ϕ함수에는 '정말 그래?'라고 생각할 만한 재미있는 성질이 있어. 예를 들어 12의 약수는 1, 2, 3, 4, 6, 12인데, $\phi(1)$, $\phi(2)$, $\phi(3)$, $\phi(4)$, $\phi(6)$, $\phi(12)$를 전부 더해보렴.

채은 $\phi(1) + \phi(2) + \phi(3) + \phi(4) + \phi(6) + \phi(12)$

$$= 1 + 1 + 2 + 2 + 2 + 4$$

$$= 12$$

아? 어떻게 된 거지?

아빠 50의 약수에 대해서도 해볼까?

채은 50의 약수는 1, 2, 5, 10, 25, 50이니까

$$\phi(1)+\phi(2)+\phi(5)+\phi(10)+\phi(25)+\phi(50)$$
$$=1+1+4+4+20+20$$
$$=50$$

거짓말 같아요!

아빠 여기에는 재미있는 증명이 있어. 예를 들어 $\phi(12)$에 대해서 생각하면, 1, 2, 3, 4, 5, 6, 7, 8, 9, 10, 11, 12를 나열하고, 각각 12로 나누어 분수로 만드는 거야. 이런 식이지.

$$\frac{1}{12} \quad \frac{2}{12} \quad \frac{3}{12} \quad \frac{4}{12} \quad \frac{5}{12} \quad \frac{6}{12} \quad \frac{7}{12} \quad \frac{8}{12} \quad \frac{9}{12} \quad \frac{10}{12}$$
$$\frac{11}{12} \quad \frac{12}{12}$$

이것을 각각 약분하면,

$$\frac{1}{12} \quad \frac{1}{6} \quad \frac{1}{4} \quad \frac{1}{3} \quad \frac{5}{12} \quad \frac{1}{2} \quad \frac{7}{12} \quad \frac{2}{3} \quad \frac{3}{4} \quad \frac{5}{6}$$
$$\frac{11}{12} \quad \frac{1}{1}$$

이 분모에는 12의 약수가 전부 있어. 분자에는 그 분모와 서로소인 수가 전부 나오지. 예를 들어 분모가 6이라면 6과 서로소인 1과 5가 나오고, 개수는 당연히 12개인 거지.

이 성질은 나중에 원시근의 존재를 증명할 때 사용돼.

여기까지 한 것을 정리해볼까?

오일러의 ϕ 함수

$x = a^p b^q \cdots c^r$ 일 때, x 와 서로소가 되는 수의 개수는,

$$\phi(x) = \phi(a^p b^q \cdots c^r)$$
$$= (a^p - a^{p-1})(b^q - b^{q-1}) \cdots (c^r - c^{r-1})$$
$$= x\left(1 - \frac{1}{a}\right)\left(1 - \frac{1}{b}\right) \cdots \left(1 - \frac{1}{c}\right)$$

또 하나

x 의 약수를 $1,\ a,\ b,\ \cdots,\ x$ 라고 하면,

$$x = \phi(1) + \phi(a) + \phi(b) + \cdots + \phi(x)$$

3. 귀곡산

덧셈, 뺄셈, 곱셈이 자유롭게 가능한, 닫힌 세계를 '환^{環}'이라고 한다. 정수 전체는 덧셈, 뺄셈, 곱셈으로 닫혀 있으므로 환이다. 이것을 유리정수환이라고 하며, $\mathbb{Z}$로 나타낸다. 이것은 무한환이다.

mod m에서 생각해보자.

{0, 1, 2, …, $m-1$ }이 대표가 되는데, 이것도 덧셈, 뺄셈, 곱셈으로 닫혀 있으므로 환이다. 단 이것은 유한환이다. 이 환을,

$$\mathbb{Z}/m\mathbb{Z}$$

으로 쓰고 잉여환이라고 한다. 예를 들어,

$$\mathbb{Z}/12\mathbb{Z}$$

는 mod 12의 환이고, {0, 1, 2, 3, 4, 5, 6, 7, 8, 9, 10, 11}이 그 대표원이 된다. 이 $\mathbb{Z}/12\mathbb{Z}$에서 m과 서로소인 것만을 골라낸 전체를

$(\mathbf{Z}/m\mathbf{Z})^\times$ 라고 한다.

예를 들어 $(\mathbf{Z}/12\mathbf{Z})^\times$ 의 대표원은 {1, 5, 7, 11}이고, 그 개수는 $\phi(12)=4$이다.

이 대표원은 모두 m과 서로소이므로 역수가 존재한다. 즉 곱셈에 대해 생각하면 그 역연산인 나눗셈까지 포함해서 자유자재로 행할 수 있다. 하나의 연산을 자유자재로 행할 수 있는 닫힌 세계를 '군群'이라고 한다. 그리고 곱셈에 대해서 생각한 $(\mathbf{Z}/m\mathbf{Z})^\times$를 기약잉여류군이라고 한다.

$(\mathbf{Z}/12\mathbf{Z})^\times$ 의 대표원 {1, 5, 7, 11}에 5를 곱해보자.

$$1\times5\equiv5$$
$$5\times5\equiv25\equiv1$$
$$7\times5\equiv35\equiv11$$
$$11\times5\equiv55\equiv7$$

이 되고, 순서는 바뀌었지만 결과는 {1, 5, 7, 11}이다. 이것을 모두 곱하면,

$$1\times5\times7\times11\equiv(1\times5)\times(5\times5)\times(7\times5)\times(11\times5)$$
$$1\times5\times7\times11\equiv1\times5\times7\times11\times5^4$$
$$1\equiv5^4$$

이번에는 대표원에 7을 곱해보자.

$$1\times7\equiv7$$
$$5\times7\equiv35\equiv11$$
$$7\times7\equiv49\equiv1$$
$$11\times7\equiv77\equiv5$$

역시 결과는 {1, 5, 7, 11}이다. 서로 곱하면,

$$1 \times 5 \times 7 \times 11 \equiv (1 \times 7) \times (5 \times 7) \times (7 \times 7) \times (11 \times 7)$$
$$1 \times 5 \times 7 \times 11 \equiv 1 \times 5 \times 7 \times 11 \times 7^4$$
$$1 \equiv 7^4$$

11을 곱해도 결과는 마찬가지이다. 확인해보자.

$$1 \times 11 \equiv 11$$
$$5 \times 11 \equiv 55 \equiv 7$$
$$7 \times 11 \equiv 77 \equiv 5$$
$$11 \times 11 \equiv 121 \equiv 1$$

이것들을 모두 곱한 것도 당연히 똑같다.

$$1 \times 5 \times 7 \times 11 \equiv (1 \times 11) \times (5 \times 11) \times (7 \times 11) \times (11 \times 11)$$
$$1 \times 5 \times 7 \times 11 \equiv 1 \times 5 \times 7 \times 11 \times 11^4$$
$$1 \equiv 11^4$$

정리하면,

$$1^4 \equiv 5^4 \equiv 7^4 \equiv 11^4 \equiv 1$$

이 된다. 이것은 일반화할 수 있다.

증명 $(\mathbb{Z}/m\mathbb{Z})^{\times}$의 대표원 $\{1, a, b, \cdots, c\}$에 대표원 중 하나인 n을 곱한다.

$$na \equiv nb$$

라면 n의 역수 n^{-1}을 양변에 곱해서,

$$n^{-1}na \equiv n^{-1}nb$$
$$a \equiv b$$

가 되므로,

$$\{n \times 1, \ n \times a, \ n \times b, \ \cdots, \ n \times c\}$$

는 모두 다르고, 순서는 다르지만 전체적으로 $\{1, \ a, \ b, \ \cdots, \ c\}$와 똑같아진다. 대표원의 개수는 $\phi(m)$이다. 이것을 모두 곱하면,

$$1 \times a \times b \times \cdots \times c \equiv (n \times 1) \times (n \times a) \times (n \times b) \times \cdots \times (n \times c)$$
$$1 \times a \times b \times \cdots \times c \equiv 1 \times a \times b \times \cdots \times c \times n^{\phi(m)}$$
$$n^{\phi(m)} \equiv 1$$

이것이 오일러의 정리이다. m이 소수일 경우 $\phi(m) = m - 1$이므로

$$n^{m-1} \equiv 1$$

이 된다. 이것은 페르마의 소정리 자체이다. 즉 오일러의 정리는 페르마의 소정리를 소수 이외의 정수로 확장한 것이다. 또 이 증명은 페르마의 소정리의 별다른 증명이 되었다. 앞에서 했던 이항정리에 의한 증명보다 훨씬 더 깔끔한 증명이 됐을 것이다.

몇 가지 실험을 해보자.

$(\mathbf{Z}/50\mathbf{Z})^{\times}$에서 생각해보자. $\phi(50) = 20 = 4 + 16$이므로 20제곱을 구하기 위해서는 4제곱과 16제곱을 서로 곱해야 한다.

▶ 먼저 3에 대해서 생각해보자. 처음에 4제곱과 16제곱을 구한다.

$$3^2 \equiv 9 \quad 3^4 \equiv 9^2 \equiv 81 \equiv 31 \quad 3^8 \equiv 31^2 \equiv 961 \equiv 11$$
$$3^{16} \equiv 11^2 \equiv 121 \equiv 21$$

따라서 $3^{20} \equiv 3^{16} \times 3^4 \equiv 21 \times 31 \equiv 651 \equiv 1$

▶ 7에 대해서도 마찬가지이다.

$7^2 \equiv 49$ $7^4 \equiv 49^2 \equiv 2401 \equiv 1$ $7^8 \equiv 1^2 \equiv 1$ $7^{16} \equiv 1^2 \equiv 1$

따라서 $7^{20} \equiv 7^{16} \times 7^4 \equiv 1 \times 1 \equiv 1$

▶ 11은 어떻게 될까?

$11^2 \equiv 121 \equiv 21$ $11^4 \equiv 21^2 \equiv 441 \equiv 41$ $11^8 \equiv 41^2 \equiv 1681 \equiv 31$

$11^{16} \equiv 31^2 \equiv 961 \equiv 11$

따라서 $11^{20} \equiv 11^{16} \times 11^4 \equiv 11 \times 41 \equiv 451 \equiv 1$

정리하면 다음과 같다.

오일러의 정리

$(\mathbf{Z}/m\mathbf{Z})^{\times}$의 원소 a에 대해서,

$$a^{\phi(m)} \equiv 1 \ (\bmod \ m)$$

m이 소수일 때는 $\phi(m) = m - 1$이므로 페르마의 소정리.

여기에서 잠시 재미있는 문제를 풀어보자.

3~4세기경에 쓰인 《손자산경孫子算經》이라는 수학서에 있었던 문제이기 때문에 '중국인의 나머지정리' 또는 '손자의 정리'라고도 한다.

귀곡산鬼谷算이라는 표현도 있다. 한나라 장군 한신이 부대를 3열, 5열, 7열로 배열하고, 남은 인원을 근거로 전체 인원수를 계산했다는 전설이 그 이름의 유래이다. 부하가 한신에게 어떻게 인수를 계산했는지 질문하

자 한신이 귀곡산이라고 대답했다고 한다.

이것을 에도시대의 일본에서는 백오감산^{百五減算}이라고 했다. 왜 백오감산이라고 했는지는 실제로 계산해보면 알 수 있다.

《손자산경》의 원문은 다음과 같다.

今有物, 不知其數 금유물, 부지기수

三, 三數之, 賸二 삼, 삼수지, 잉이

五五數之, 賸三 오오수지, 잉삼

七七數之, 賸二 칠칠수지, 잉이

問物幾何 문물기하

(도산경 《초등정수론》 일본평론사, 1972년)

어떤 물체가 있는데 그 수는 알 수 없다. 이것을 3개씩 묶으면 2개가 남고, 5개씩 묶으면 3개가 남는다. 또 7개씩 묶으면 2개가 남는다. 물건은 몇 개일까?

즉 3으로 나누면 2가 남고, 5로 나누면 3이 남고, 7로 나누면 2가 남는 수는 무엇인가? 하는 연립합동식 문제이다.

《손자산경》은 이렇게 말한다.

3으로 나눈 나머지에 70을 곱하고, 5로 나눈 나머지에 21을 곱하고, 7로 나눈 나머지에 15를 곱해서 합계를 낸다. 합계가 105를 넘으면 105를 뺀다. 그것이 답이다.

3으로 나눈 나머지를 a, 5로 나눈 나머지를 b, 7로 나눈 나머지를 c 라고 하면, 《손자산경》에서는

$$A = 70a + 21b + 15c$$

를 해라고 한다. 맞는지 확인해보자.

mod 3에서는,

$70 \equiv 1 \quad 21 \equiv 0 \quad 15 \equiv 0$이므로, $A \equiv 1 \times a + 0 \times b + 0 \times c \equiv a$

mod 5에서는,

$70 \equiv 0 \quad 21 \equiv 1 \quad 15 \equiv 0$이므로, $A \equiv b$

mod 7에서는,

$70 \equiv 0 \quad 21 \equiv 0 \quad 15 \equiv 1$이므로, $A \equiv c$

이렇게 잘 풀린다. 또 3으로 나눈 나머지, 5로 나눈 나머지, 7로 나눈 나머지가 정해져 있기 때문에 이 답은 3, 5, 7의 최소공배수, $3 \times 5 \times 7 = 105$를 더하거나 빼도 된다. 즉 mod 105로 생각할 필요가 있다. 이것이 백오감산이라는 명칭의 유래이다.

《손자산경》의 문제를 적용하면 mod 105에서,

$$70 \times 2 + 21 \times 3 + 15 \times 2 \equiv 233 \equiv 23$$

실제로 23은 3으로 나누면 2가 남고, 5로 나누면 3이 남고, 7로 나누면 2가 남는다.

그렇다면 70, 21, 15라는 수는 어떻게 구한 것일까?

70은 mod 3에서는 1, mod 5와 mod 7에서는 0이 되도록 선택하면 된다. mod 5와 mod 7에서 0이 되는 것은 $5 \times 7 = 35$의 배수이다. 또 페르마의 소정리에 따라 mod 3에서 모든 수는 제곱하면 $\equiv 1$이 된다 ($3 - 1 = 2$이므로). mod가 소수가 아닐 때는 페르마의 소정리를 확장하

여 오일러의 정리를 이용하면 된다. 그래서,

$$35^2 \equiv 1225 \equiv 70 \ (\bmod\ 105)$$

이렇게 70이 나온다. 같은 방법으로 해서 21은,

$$(3 \times 7)^4 \equiv 21^4 \equiv 21 \ (\bmod\ 105)$$

15는

$$(3 \times 5)^6 \equiv 15^6 \equiv 15 \ (\bmod\ 105)$$

로 구하면 된다.

연립합동식은 mod가 각각 서로소인 경우 반드시 해가 존재한다. 이것은 $\phi(x)$를 구할 때 나타내두었다. 즉,

① $x \equiv a \ (\bmod\ m)$이고 $x \equiv b \ (\bmod\ n)$

일 때,

② $x \equiv c \ (\bmod\ mn)$

가 단 하나 정해지고, 반대로

② $x \equiv c \ (\bmod\ mn)$

일 때,

① $x \equiv a \ (\bmod\ m)$이고 $x \equiv b \ (\bmod\ n)$

이 단 하나 정해진다. 바꾸어 말하면 ①의 수와 ②의 수는 일대일로 대응한다. 손자의 정리는 ①에서 ②를 구하는 것이므로 mod가 서로소라

면 해가 존재하는 것이 분명하다.

연립합동식이 3개 이상인 경우에도 똑같이 생각하면 된다. mod가 $m_1,\ m_2,\ m_3,\ \cdots$인 경우 각각 서로소라면, 예를 들어 $m_1,\ m_2$와 m_3도 서로소일 것이므로 해는 존재한다.

정리해보자.

손자의 정리(중국인의 나머지정리, 귀곡산, 백오감산)

$m_1,\ m_2,\ m_3,\ \cdots$가 각각 서로소라면,

$$x \equiv a_1 \ (\bmod\ m_1)$$

$$x \equiv a_2 \ (\bmod\ m_2)$$

$$x \equiv a_3 \ (\bmod\ m_3)$$

$$\vdots$$

는 $\bmod\ m_1 m_2 m_3 \cdots$에 해가 존재한다.

연습문제를 풀어보자.

① $x \equiv 5 \ (\text{mod } 7)$

$x \equiv 6 \ (\text{mod } 10)$

$x \equiv 3 \ (\text{mod } 11)$

② 몇 제곱을 해도 끝의 두 자릿수가 변하지 않는 두 자리 양의 정수는 무엇인가?

②의 문제는,

$$x^n \equiv x \ (\text{mod } 100)$$

을 의미한다. $100 = 2^2 \times 5^2$이므로,

$$x^n \equiv x \ (\text{mod } 4)$$

$$x^n \equiv x \ (\text{mod } 25)$$

와 마찬가지이다.

채은 페르마의 소정리 증명은 앞에서 했던 이항정리를 사용하는 증명 에 비하면 훨씬 이해하기 쉽네요. 하지만 그래도 당연하다는 기분 은 들지 않아요.

아빠 앞으로 한걸음 더 나아간 증명을 할 거란다. 그렇게 하면 군의 구 조부터는 당연하게 느낄 수 있을 거야.

채은 정말 그랬으면 좋겠어요. 증명을 읽고 어떻게든 이해하려고 애쓸 수는 있어도 당연하게 느끼는 경지는 되지 못하고 있거든요.

아빠 그건 나중을 위해 아껴두고, 연습문제를 풀어볼까?

채은 $7 \times 10 \times 11 = 770$. 그래서 mod 770에 답이 있어요.

$$\phi(7) = 6\text{이므로, } (10 \times 11)^6 \equiv 330$$
$$\phi(10) = 4\text{이므로, } (7 \times 11)^4 \equiv 231$$
$$\phi(11) = 10\text{이므로, } (7 \times 10)^{10} \equiv 210$$

가 되니까 구하는 답은,

$$5 \times 330 + 6 \times 231 + 3 \times 210 = 3666 \equiv 586 \ (\text{mod } 770)$$

정확히 7로 나누면 5가 남고, 10으로 나누면 6이 남고, 11로 나 누면 3이 남아요.

아빠 잘했구나. 그럼 이제 ②를 해볼까?

채은 mod 100에서 $x^n \equiv x$가 답이라는 건 알겠는데, mod 4와 mod

25에서 $x^n \equiv x$라면, mod 100에서도 그렇다고 할 수 있어요?

아빠 mod 4에서 $x^n \equiv x$라는 건 $x^n - x$가 4의 배수라는 뜻이지. 마찬
가지로 mod 25에서 $x^n \equiv x$라면 $x^n - x$가 25의 배수인 거야. 4
의 배수인 동시에 25의 배수니까 100의 배수가 되는 거지.

채은 그러네요. 듣고 보니 이해가 돼요. 그럼 mod 4에서,

$$x^n \equiv x$$

는 어떻게 풀어요?

아빠 mod 4에서의 대표원은 0, 1, 2, 3이야. 전부 넣어서 확인해봐.

채은 대입해서 성립하는 것은 0이나 1뿐이에요. 하지만 mod 25라면
대표원은 25개나 있잖아요. 전부 대입해서 확인해야 해요? 0과 1
이 해라는 건 금방 알겠는데…….

아빠 $n = 2$인 경우에는

$$x^2 \equiv x$$
$$x^2 - x \equiv 0$$
$$x(x-1) \equiv 0$$

에서 $x \equiv 0$이 하나의 해가 돼. $x \not\equiv 0$에서 x가 기약잉여류군의 원
소라면, 역수가 존재하므로 x의 역수를 양변에 곱해서,

$$x - 1 \equiv 0$$
$$x \equiv 1$$

이 되지.

채은 기약잉여류군의 원소가 아니면요?

아빠 조금쯤 혼자 생각해보면 좋겠는데. 기약잉여류군이 아닌 원소는 25와 서로소가 아니야. 따라서 0, 5, 10, 15, 20이지만 전부 제곱하면 ≡0이 되니까 0 외에는 해가 없어.

채은 그렇군요. 그렇다면 mod 4에서도 mod 25에서도 0이나 1이 되는 거네요.

아빠 정리하면,

$$x \equiv a \ (\text{mod } 4)$$
$$x \equiv b \ (\text{mod } 25)$$

에서 $(a, b) = (0, 0), (0, 1), (1, 0), (1, 1)$을 알아보면 돼.

채은 그럼 해를 구하는 식을 만들게요. mod 100에서 구해볼게요.

$$\phi(4) = 2이니까 \ 25^2 \equiv 625 \equiv 25$$
$$\phi(25) = 20이니까 \ 4^{20} \equiv 76$$

따라서 해를 구하는 식은,

$$x \equiv 25a + 76b$$

아빠 $(a, b) = (0, 0)$을 대입하면,

채은 $x \equiv 0$. 이건 0, 100, 200, …이니까 두 자릿수가 아니에요.

아빠 $(a, b) = (0, 1)$일 때는?

채은 $x \equiv 76$. 두 자릿수이고 이것을 충족하는 것은 76뿐이에요.
계속해서, $(a, b) = (1, 0)$일 때 $x \equiv 25$. 답은 25네요.

$(a, b) = (1, 1)$일 때는 $x \equiv 101 \equiv 1$. 두 자릿수가 아니에요.

아빠 실제로 25를 계속 곱하면,

25, 625, 15625, 390625, 9765625, 244140625,
  6103515625, 152587890625, …

이렇게 25로 끝나는 수가 돼. 76의 거듭제곱도 만들어볼까?

76, 5776, 438976, 33362176, 2535525376,
  192699928576, 14645494571776, 1113034787454976,
  84590643846578176, 6428888932339941376, …

이것도 76으로 끝나는 수가 돼.

채은 흐음, 뭔가 재미있어요.

4. 마침내 당연한 경지에!

mod m에서, m과 서로소인 원소를 골라낸 $(\mathbf{Z}/m\mathbf{Z})^{\times}$를 기약잉여류군이라고 했다. 여기에서는 이 군의 구조를 탐색해볼 것이다.

$(\mathbf{Z}/7\mathbf{Z})^{\times}$의 대표원은 {1, 2, 3, 4, 5, 6}이다. 각 원소의 거듭제곱을 구해보자. 1이 되면 그 후에는 그것만 반복되므로 1이 될 때까지 하면 된다.

▶ $1^1 \equiv 1$

▶ $2^1 \equiv 2$ $2^2 \equiv 4$ $2^3 \equiv 8 \equiv 1$

▶ $3^1 \equiv 3$ $3^2 \equiv 9 \equiv 2$ $3^3 \equiv 2 \times 3 \equiv 6$ $3^4 \equiv 6 \times 3 \equiv 18 \equiv 4$

   $3^5 \equiv 4 \times 3 \equiv 12 \equiv 5$ $3^6 \equiv 5 \times 3 \equiv 15 \equiv 1$

▶ $4^1 \equiv 4$ $4^2 \equiv 16 \equiv 2$ $4^3 \equiv 2 \times 4 \equiv 8 \equiv 1$

$\blacktriangleright 5^1 \equiv 5 \quad 5^2 \equiv 25 \equiv 4 \quad 5^3 \equiv 4 \times 5 \equiv 20 \equiv 6$

$5^4 \equiv 6 \times 5 \equiv 30 \equiv 2 \quad 5^5 \equiv 2 \times 5 \equiv 10 \equiv 3$

$5^6 \equiv 3 \times 5 \equiv 15 \equiv 1$

$\blacktriangleright 6^1 \equiv 6 \quad 6^2 \equiv 36 \equiv 1$

보기가 불편하니 결과만 나열해보자.

$\blacktriangleright$ 1

$\blacktriangleright$ 2, 4, 1

$\blacktriangleright$ 3, 2, 6, 4, 5, 1

$\blacktriangleright$ 4, 2, 1

$\blacktriangleright$ 5, 4, 6, 2, 3, 1

$\blacktriangleright$ 6, 1

여기에는 다양한 법칙이 나타나 있다.

한 문제 더 풀어보자.

$(\mathbb{Z}/11\mathbb{Z})^{\times}$ 에서 결과만 나열한다.

$\blacktriangleright$ 1

$\blacktriangleright$ 2, 4, 8, 5, 10, 9, 7, 3, 6, 1

$\blacktriangleright$ 3, 9, 5, 4, 1

$\blacktriangleright$ 4, 5, 9, 3, 1

$\blacktriangleright$ 5, 3, 4, 9, 1

$\blacktriangleright$ 6, 3, 7, 9, 10, 5, 8, 4, 2, 1

$\blacktriangleright$ 7, 5, 2, 3, 10, 4, 6, 9, 8, 1

▶ 8, 9, 6, 4, 10, 3, 2, 5, 7, 1

▶ 9, 4, 3, 5, 1

▶ 10, 1

한 문제 더! $(\mathbf{Z}/13\mathbf{Z})^{\times}$의 결과를 나열해보자.

▶ 1

▶ 2, 4, 8, 3, 6, 12 ,11, 9, 5, 10, 7, 1

▶ 3, 9, 1

▶ 4, 3, 12, 9, 10, 1

▶ 5, 12, 8, 1

▶ 6, 10, 8, 9, 2, 12, 7, 3, 5, 4, 11, 1

▶ 7, 10, 5, 9, 11, 12, 6, 3, 8, 4, 2, 1

▶ 8, 12, 5, 1

▶ 9, 3, 1

▶ 10, 9, 12, 3, 4, 1

▶ 11, 4, 5, 3, 7, 12, 2, 9, 8, 10, 6, 1

▶ 12, 1

한 번만 더 $(\mathbf{Z}/17\mathbf{Z})^{\times}$로 풀어보자.

▶ 1

▶ 2, 4, 8, 16, 15, 13, 9, 1

▶ 3, 9, 10, 13, 5, 15, 11, 16, 14, 8, 7, 4, 12, 2, 6, 1

▶ 4, 16, 13, 1

▶ 5, 8, 6, 13, 14, 2, 10, 16, 12, 9, 11, 4, 3, 15, 7, 1

▶ 6, 2, 12, 4, 7, 8, 14, 16, 11, 15, 5, 13, 10, 9, 3, 1

▶ 7, 15, 3, 4, 11, 9, 12, 16, 10, 2, 14, 13, 6, 8, 5, 1

▶ 8, 13, 2, 16, 9, 4, 15, 1

▶ 9, 13, 15, 16, 8, 4, 2, 1

▶ 10, 15, 14, 4, 6, 9, 5, 16, 7, 2, 3, 13, 11, 8, 12, 1

▶ 11, 2, 5, 4, 10, 8, 3, 16, 6, 15, 12, 13, 7, 9, 14, 1

▶ 12, 8, 11, 13, 3 2, 7, 16, 5, 9, 6, 4, 14, 15, 10, 1

▶ 13, 16, 4, 1

▶ 14, 9, 7, 13, 12, 15, 6, 16, 3, 8, 10, 4, 5, 2, 11, 1

▶ 15, 4, 9, 16, 2, 13, 8, 1

▶ 16, 1

이 결과들을 보고 여러분도 다양한 법칙을 발견하는 즐거움이 함께 하기를 바란다.

채은 군에 관해서는 《열세 살 딸에게 가르치는 갈루아 이론》에서 했기 때문에 기억나는 것들이 있어요. 예를 들어 mod 7의 기약잉여류군에서 $\{2,\ 2^2 \equiv 4,\ 2^3 \equiv 1\}$은 곱셈으로 닫혀 있으니까 부분군이고, 2를 차례차례 거듭제곱해가면 모든 원소가 나올 테니 2를 생성원으로 하는 순환군이에요.

아빠 호오 잘 기억하고 있네. 그럼 모든 원소는 부분군을 만든다고 할 수 있을까?

채은 그럴 수 있을 것 같긴 한데……, 적어도 위에서 실험한 것에 한에서는 모든 원소는 거듭제곱하면 몇 개는 1이 되고, 거기까지 나온 원소를 전부 모으면 부분군이 돼요.

아빠 그럼 증명해보자.

증명 $(\mathbf{Z}/m\mathbf{Z})^{\times}$의 원소를 a라고 하자. 군 $(\mathbf{Z}/m\mathbf{Z})^{\times}$는 유한군이고, 그 원소의 수는 $\phi(m)$개이다. 지금 a, a^2, a^3, …로 거듭제곱을 만든다. 그러면 몇 개는 반드시 똑같은 것이 나온다.

채은 원소의 수가 유한하니까 당연하죠.

아빠 a^p와 a^q가 똑같이 됐다고 하자. $(\mathbf{Z}/m\mathbf{Z})^{\times}$는 군이니까 반드시 역수가 있어. p쪽이 q보다 크다고 한다. 역원을 양변에 q회 곱하면, 우변은 1이 돼. 즉 $a^{p-q}=1$이 되지. 그럼 다시 $a^r=1$이 되

는 r 중에서 최소의 것을 n이라고 하자. 그러면,

$$\{a,\ a^2,\ a^3,\ \cdots a^n=1\}$$

가 군이 돼. 이 안에 똑같은 것은 없어.

채은 어째서요? 똑같은 게 있을지도 모르잖아요.

아빠 예를 들어

$$a^x = a^y \quad (x > y)$$

가 됐다고 하고, a의 역원을 곱하면,

$$a^{x-y} = 1$$

이 돼. 그런데 x도 y도 n 이하의 정수였으므로 $x-y$는 당연히 n보다 작아진다. 이것은 n이 정해지는 방식에 어긋난다. 따라서 이러한 x, y는 존재하지 않는다.

채은 그렇군요.

아빠 이렇게 해서 모든 원소가 순환군을 만드는 것을 알았어. 그럼 다시 2를 생성원으로 하는 군의 원소는 {2, 4, 1}의 3개인데, 이 3개를 뭐라고 하지?

채은 잊어버렸어요.

아빠 군 안의 원소의 개수는 '위수'야.

채은 아 맞다. 지금 막 생각났어요.

아빠 그래서 순환군의 경우에는 생성원, 이 경우에는 2인데, 이 2를 거듭제곱해서 만들 수 있는 원소의 수와 순환군의 원소의 수는

똑같으니까, '2의 위수'라고 해도 마찬가지야. 그럼 $(\mathbb{Z}/7\mathbb{Z})^{\times}$의 안에 위수 3인 원소는 그 외에 무엇이 있을까?

채은 4의 위수도 3, 이라기보다 4를 생성원으로 하는 순환군은 {4, 2, 1}이니까 2를 생성원으로 하는 순환군이나 똑같아요.

아빠 $(\mathbb{Z}/7\mathbb{Z})^{\times}$의 원소를 위수에 따라 분류하면?

채은 위수 1 → 1
위수 2 → 6
위수 3 → 2, 4
위수 6 → 3, 5

아빠 $(\mathbb{Z}/11\mathbb{Z})^{\times}$의 원소도 같은 방법으로 분류해보렴.

채은 위수 1 → 1
위수 2 → 10
위수 5 → 3, 4, 5, 9
위수 10 → 2, 6, 7, 8

아빠 $(\mathbb{Z}/13\mathbb{Z})^{\times}$는?

채은 위수 1 → 1
위수 2 → 12
위수 3 → 3, 9
위수 4 → 5, 8
위수 6 → 4, 10
위수 12 → 2, 6, 7, 11

아빠 $(\mathbb{Z}/17\mathbb{Z})^\times$는?

채은   위수 1 → 1

위수 2 → 16

위수 4 → 4, 13

위수 8 → 2, 8, 9, 15

위수 16 → 3, 5, 6, 7, 10, 11, 12, 14

아빠   mod 7의 기약잉여류군의 원소의 위수는 {1, 2, 3, 6}, mod 11 의 원소의 위수는 {1, 2, 5, 10}, mod 13의 원소의 위수는 {1, 2, 3, 4, 6, 12}, mod 17의 원소의 위수는 {1, 2, 4, 8, 16}. 뭐 느껴지는 것 없니?

채은   아, 이건 당연한 거예요. 원소의 위수라는 건 그 원소를 생성원으로 하는 순환군의 위수지만, 이것은 원래의 군의 부분군이잖아요. 라그랑주의 정리에 의하면 부분군의 위수는 전체 군의 위수의 약수예요. p가 소수일 때 mod p의 기약잉여류군의 위수는 $p-1$이니까 원소의 위수는 $p-1$의 약수가 되는 게 당연해요. 실제로 mod 7의 경우에는 6의 약수, mod 11인 경우에는 10의 약수, mod 13인 경우에는 12의 약수, mod 17의 경우에는 16의 약수가 돼요.

아빠   오호, 이걸 당연하다고 느끼게 됐다는 것은 채은이도 조금은 발전했다는 뜻인가? 라그랑주의 정리는 어떻게 증명했는지, 생각나니?

채은   음……그러니까(《열세 살 딸에게 가르치는 갈루아 이론》을 넘겨 보면서),

군을 잉여류로 분류한다!

아빠 그렇지. 이건 나중에 확실하게 해볼 테니 계속 해볼까?

김채은의 대가설!

아빠 위수 1의 원소는 mod 에 상관없이 하나구나. 그럼 위수 2의 원소는?

채은 어라? 어떤 mod든 하나밖에 없어요.

아빠 위수 3의 원소는?

채은 mod 7과 mod 13에서는 두 개. mod 11과 mod 17에는 없어요.

아빠 위수 4의 원소는 어떨까?

채은 mod 13과 mod 17에서, 양쪽 다 두 개. 위수 6의 원소도 mod 7, mod 11에 있는데, 양쪽 다 두 개. 그리고 2개 이상의 mod에서 중복되는 것은 없지만, 이상하네요. 위수 n의 원소의 개수는 mod가 달라도 같은 건가요?

아빠 좋은 걸 깨달았구나. 위수 n의 원소의 개수를 $f(n)$으로 나타냈을 때 과연 이 $f(n)$은 mod에 상관없이 일정한지 아닌지 잠깐 실험해볼까? 수가 커지면 힘드니까 위수 4의 원소를 찾아볼까? mod 13, mod 17 이외에, 위수 4의 원소가 있는 것은?

채은 먼저 $4+1=5$. 그 다음엔 $8+1=9$인데 이건 소수가 아니에요. $12+1=13$과 $16+1=17$은 알아봤어요. $20+1=21$, $24+1=25$는 소수가 아니에요. 그 다음에는 $28+1=29$예요.

아빠 그럼 mod 5와 mod 9를 알아볼까?

먼저 $(\mathbb{Z}/5\mathbb{Z})^{\times}$

▶ 1

▶ 2, 4, 3, 1

▶ 3, 4, 2, 1

▶ 4, 1

채은 역시 위수 4의 원소는 두 개예요.

아빠 $(\mathbb{Z}/29\mathbb{Z})^{\times}$ 수가 커서 힘들겠지만 해보자.

▶ 1

▶ 2, 4, 8, 16, 3, 6, 12, 24, 19, 9, 18, 7 ,14, 28, 27, 25, 21, 13, 26, 23, 17, 5, 10, 20, 11, 22, 15, 1

▶ 3, 9, 27, 23, 11, 4, 12, 7, 21, 5, 15, 16, 19, 28, 26, 20, 2, 6, 18, 25, 17, 22, 8, 24, 14, 13, 10, 1

▶ 4, 16, 6, 24, 9, 7, 28, 25, 13, 23, 5, 20, 22, 1

▶ 5, 25, 9, 16, 22, 23, 28, 24, 4, 20, 13, 7, 6, 1

▶ 6, 7, 13, 20, 4, 24, 28, 23, 22, 16, 9, 25, 5, 1

▶ 7, 20, 24, 23, 16, 25, 1

▶ 8, 6, 19, 7, 27, 13, 17, 20, 15, 4, 3, 24, 18, 28, 21, 23, 10, 22, 2, 16, 12, 9, 14, 25, 26, 5, 11, 1

▶ 9, 23, 4, 7, 5, 16, 28, 20, 6, 25, 22, 24, 13, 1

▶ 10, 13, 14, 24, 8, 22, 17, 25, 18, 6, 2, 20, 26, 28, 19, 16, 15, 5, 21, 7, 12, 4, 11, 23, 27, 9, 3, 1

▶ 11, 5, 26, 25, 14, 9, 12, 16, 2, 22, 10, 23, 21, 28, 18, 24, 3, 4, 15, 20, 17, 13, 27, 7, 19, 6, 8, 1

▶ 12, 28, 17, 1

▶ 13, 24, 22, 25, 6, 20, 28, 16, 5, 7, 4, 23, 9, 1

▶ 14, 22, 18, 20, 19, 5, 12, 23, 3, 13, 8, 25, 2, 28, 15, 7, 11, 9, 10, 24, 17, 6, 26, 16, 21, 4, 27, 1

▶ 15, 22, 11, 20, 10, 5, 17, 23, 26, 13, 21, 25, 27, 28, 14, 7, 18, 9, 19, 24, 12, 6, 3, 16, 8, 4, 2, 1

▶ 16, 24, 7, 25, 23, 20, 1

▶ 17, 28, 12, 1

▶ 18, 5, 3, 25, 15, 9, 17, 16, 27, 22, 19, 23, 8, 28, 11, 24, 26, 4, 14, 20, 12, 13, 2, 7, 10, 6, 21, 1

▶ 19, 13, 15, 24, 21, 22, 12, 25, 11, 6, 27, 20, 3, 28, 10, 16, 14, 5, 8, 7, 17, 4, 18, 23, 2, 9, 26, 1

▶ 20, 23, 25, 7, 24, 16, 1

▶ 21, 6, 10, 7, 2, 13, 12, 20, 14, 4, 26, 24, 11, 28, 8, 23, 19, 22, 27, 16, 17, 9, 15, 25, 3, 5, 18, 1

▶ 22, 20, 5, 23, 13, 25, 28, 7, 9, 24, 6, 16, 4, 1

▶ 23, 7, 16, 20, 25, 24, 1

▶ 24, 25, 20, 16, 7, 23, 1

▶ 25, 16, 23, 24, 20, 7, 1

▶ 26, 9, 2, 23, 18, 4, 17, 7, 8, 5, 14, 16, 10, 28, 3, 20, 27, 6, 11, 25, 12, 22, 21, 24, 15, 13, 19, 1

▶ 27, 4, 21, 16, 26, 6, 17, 24, 10, 9, 11, 7, 15, 28, 2,

25, 8, 13, 3, 23, 12, 5, 19, 20, 18, 22, 14, 1

▶ 28, 1

채은 힘들었어요. 예상대로 결과는 두 개. 12와 17이에요. 그럼 여기에서 김채은의 대가설! $f(n)$은 mod에 상관없이 일정하다!

아빠 $f(n)$에 관해서 정확하게 정의해두자. $f(n)$은 mod p(p는 소수)에서 위수 n의 원소 개수이지만, 그런 p가 존재하는 것은 n이 $p-1$의 약수일 때뿐이야. 즉,

---

김채은의 대가설 ☆

홀소수 p에 대해서, n은 $p-1$의 약수라고 한다.
또 mod p에서 위수가 n인 원소의 개수를 $f(n)$이라고 한다.
이때, $f(n)$은 어떤 p이든 일정하다.

라는 것이지.

채은 어떤 p라도 성립한다면 굳이 p가 이렇다 저렇다 하지 말고, '$f(n)$은 일정하다'라고 쓰면 되잖아요.

아빠 그건 그렇지만, n이 $p-1$의 약수가 아닐 때는 위수 n인 원소가 존재하지 않을 거야. 즉 $f(n)=0$이 돼버리니까, 역시 p와 n의 관계에 관해서는 알아둘 필요가 있어.

채은 그렇군요. $p=7$일 때 $f(3)=2$이지만, $p=5$일 때 $f(3)=0$이 되니 그건 곤란해요.

아빠 그럼 그 가설을 한 걸음 더 진행해볼까? 지금까지 알아본 결과를 정리하마.

$$f(1)=1 \quad f(2)=1 \quad f(3)=2 \quad f(4)=2 \quad f(5)=4$$
$$f(6)=2 \quad f(8)=4 \quad f(10)=4 \quad f(12)=4 \quad f(16)=8$$

그리고 $(\mathbf{Z}/29\mathbf{Z})^{\times}$의 결과를 추가하면,

$$f(7)=6 \quad f(14)=6 \quad f(28)=12$$

뭔가 느껴지니?

채은 그렇게 말씀하셔도…….

아빠 이런 함수를 앞에서 했는데?

채은 앞에서 한 함수라고 하면, ϕ함수 정도밖에 떠오르지 않는데요……. 아 혹시 ϕ함수와 같은 건가요? (계산해서 확인해본다) 거짓말 같아. 딱 맞잖아요?

아빠 따라서, 김채은의 대가설을 수정해야 하지 않을까?

채은 그럼 다시 하죠.

김채은의 대가설 (수정판) ☆

홀소수 p에 대해서, n은 $p-1$의 약수이다.
$\bmod p$에서 위수 n의 원소의 개수를 $f(n)$이라고 한다. 이때,

$$f(n)=\phi(n)$$

아빠 대가설을 증명하는 건 어려우니, 그 전에 라그랑주의 정리를 증명 해볼까? 먼저 증명의 흐름은 구체적인 수를 사용해 실험해볼 거 야. 모처럼 $(\mathbb{Z}/29\mathbb{Z})^\times$의 일람표를 만들었으니, 이것을 이용해볼 까? 위수 7의 배수군을 찾아보렴.

채은 7, 16, 20, 23, 24, 25를 생성원으로 하는 군은 모두 위수 7이 에요.

아빠 어느 것을 생성원으로 하든 내용물은 똑같아. 원래의 군을 G, 위 수 7의 부분군을 H로 하면,

$$G = \{1, 2, 3, \cdots, 28\}$$
$$H = \{1, 7, 16, 20, 23, 24, 25\}$$

이것을 바탕으로 잉여류를 만드는 거야. 어떻게 하는지 생각 나니?

채은 H의 원소가 아닌 것을 H에 곱해요.

아빠 그럼 2를 곱해볼까?

채은 $2H = \{2 \times 1, 2 \times 7, 2 \times 16, 2 \times 20, 2 \times 23, 2 \times 24, 2 \times 25\}$
$= \{2, 14, 32, 40, 46, 48, 50\}$
$= \{2, 14, 3, 11, 17, 19, 21\}$

아빠 똑같은 건 나오지 않는구나. 그럼 다음!

채은 지금까지 나오지 않았던 원소를 곱해요. 작은 순서대로 하면 4 예요.

$$4H = \{4 \times 1, \ 4 \times 7, \ 4 \times 16, \ 4 \times 20, \ 4 \times 23, \ 4 \times 24, \ 4 \times 25\}$$
$$= \{4, \ 28, \ 64, \ 80, \ 92, \ 96, \ 100\}$$
$$= \{4, \ 28, \ 6, \ 22, \ 5, \ 9, \ 13\}$$

지금까지 나오지 않은 원소는, 음……, 8이요.

$$8H = \{8 \times 1, \ 8 \times 7, \ 8 \times 16, \ 8 \times 20, \ 8 \times 23, \ 8 \times 24, \ 8 \times 25\}$$
$$= \{8, \ 56, \ 128, \ 160, \ 184, \ 192, \ 200\}$$
$$= \{8, \ 27, \ 12, \ 15, \ 10, \ 18, \ 26\}$$

다 했어요!

아빠 이 잉여류들에 중복은 없을까?

채은 없어요. 어느 원소든 각각 달라요.

아빠 그럼 다시 정리해서 쓰면,

$$G = H + 2H + 4H + 8H$$

여기에서 만든 H, $2H$, $4H$, $8H$를 잉여류라고 하고, 이 잉여류들의 원소의 개수는 모두 같으니, 원소의 개수에 주목하면,

(유한군의 위수) = (부분군의 위수) × (잉여류의 수)

가 돼. 따라서 부분군의 위수는 유한군의 위수의 약수가 되고. 이것을 문자를 이용해 일반적으로 증명하면 되는 거야.

증명 군 H를 유한군 G의 부분군이라고 한다.

$$H = \{a_1, \ a_2, \ \cdots, \ a_n\}$$

군 G의 원소 중에서 H에 포함되지 않은 것을 하나 고른다. 이것을 b라고 하면,

$$bH = \{ba_1, ba_2, \cdots ba_n\}$$

군 G의 원소에서 H에도 bH에도 포함되지 않은 것을 하나 고른다. 이것을 c라고 하면,

$$cH = \{ca_1, ca_2, \cdots ca_n\}$$

이다. 군 G는 유한군이므로 언젠가는 이 작업이 끝난다.

$$G = H + bH + cH + \cdots + zH$$

가 된다. 여기에서 같은 원소가 섞여 있지 않은지 2단계로 나누어 확인한다.

　① 하나의 잉여류 안에 같은 원소가 있는가?
　② 두 개의 잉여류 안에 같은 원소가 있는가?

먼저 ①부터 시작한다.

잉여류 bH의 안에 ba_s와 ba_t가 존재한다. G는 군이므로 당연히 b에는 역원이 있다.

$$ba_s = ba_t \qquad \text{양변에 } b\text{의 역원을 곱한다.}$$
$$b^{-1}ba_s = b^{-1}ba_t$$
$$a_s = a_t$$

즉 ba_s와 ba_t는 같은 원소에 b를 곱한 것에 불과하다.

이번에는 ②를 확인해보자.

잉여류 bH와 cH의 ba_p와 ca_q가 동일하다고 하자. 또 잉여류를

만들 때 bH를 만든 후에 cH를 만들었다고 하자. 즉 c는 그때까지 만든 잉여류에는 포함되지 않았던 원소이다.

$$ba_p = ca_q \qquad \text{양변에 } a_q \text{의 역원을 곱한다.}$$
$$ba_p a_q^{-1} = ca_q a_q^{-1}$$
$$ba_p a_q^{-1} = c$$

H는 군이므로 $a_p a_q^{-1}$는 H의 원소이다. 이것은 c가 잉여류 bH의 원소인 것을 나타내며, c의 선택 방법에 위반된다. 💡

이렇게 해서 잉여류 H, bH, cH, $\cdots$, zH 안에 중복되는 것이 없음이 증명되었다. 따라서

군 G의 위수＝군 H의 위수×잉여류의 수

이므로 다음의 정리가 성립한다.

라그랑주의 정리

부분군의 위수는 유한군의 위수의 약수이다. ⭐

다시 오일러의 정리

$\bmod m$의 기약잉여류군 $(\mathbb{Z}/m\mathbb{Z})^{\times} = M$에서 생각해보자. 지금 M의 원 a를 생성원으로 하는 순환군 A를 생각해볼 것이다. A는 M의 부분군이므로 A의 위수는 M의 위수의 약수가 된다. A의 위수는 a의 위

수와 동일하므로, 당연히 a의 위수는 M의 위수의 약수가 된다. 더 말할 필요 없이 M의 위수는 m과 서로소가 되는 수의 개수이므로 $\phi(m)$이다.

이것을 정리하면,

정리

$(\mathbf{Z}/m\mathbf{Z})^{\times}$의 원소 a의 위수는 $\phi(m)$의 약수이다.

즉 a의 위수를 r이라고 하면,

$$rn = \phi(m)$$

따라서,

$$a^{\phi(m)} \equiv a^{rn} \equiv (a^r)^n \equiv 1^n \equiv 1$$

이것은 오일러의 정리이다.

$(\mathbf{Z}/m\mathbf{Z})^{\times}$의 m을 소수로 하면, $\phi(m) = m-1$이므로,

---

정리

소수 p를 mod 로 하는 기약잉여류군의
원소 a의 위수는 $p-1$의 약수이다.

즉 a의 위수를 r이라고 하면, r은 $p-1$의 약수이므로,

$$rn = p - 1 \quad (n은 \ 정수)$$

따라서

$$a^{p-1} \equiv a^{rn} \equiv (a^r)^n \equiv 1^n \equiv 1$$

이며 이것은 페르마의 소정리이다.

채은 와아, 굉장해요. 즉 a를 생성원으로 하는 순환군은 전체의 군의 부분군이니까 그 위수는 $p-1$의 약수니 당연히 a^{p-1}은 1이 될 수밖에요. 페르마의 소정리가 당연하게 느껴져요. 하지만 왠지 페르마의 소정리도 대단하지 않게 생각돼요. 방금 표를 만들어보니까 이 정도는 바로 보이더라고요.

아빠 알기 때문에 그렇게 말할 수 있는 거야. 아무것도 보이지 않는 곳에서 뭔가를 처음 발견한다는 건 대단한 것이지. 인류가 수학을 시작한 지 얼마나 되었는지 정확히 알 수 없지만, 적어도 유클리드나 디오판토스가 그만큼의 성과를 거둔 이후 1,500년이 넘도록 아무도 깨닫지 못했으니까.

채은 듣고 보니 그러네요. 하지만 왜 이렇게 간단한 것을 아무도 깨닫지 못했을까요?

아빠 알고 있으니까 간단하게 느껴지는 것뿐이야. 이것을 깨닫기 위해서는 페르마 같은 천재가 나타나기를 기다릴 수밖에 없었으니까. 수학의 정리 중에도 이 정도로 단순하고 아름다운 정리는 드물단다. 오일러도 절찬을 아끼지 않았지.

채은 하지만 표를 만들어보면…….

아빠 페르마가 이 정리를 발견한 건 제곱수의 합이나 a^2+2b^2, a^2+3b^2… 이렇게 표현할 수 있는 소수를 찾는 도중이었으니까……, 아직 $\equiv$ 기호도 없어서 mod p에서 $a^n \equiv 1$로 나타낼 수도 없었고, a^n을 p로 나눈 나머지가 1이 되는 것은 어느 때인가? 하는 문제를 설정하고 연구하던 상황이었어. 그런 상태에서 방금과 같은 표를 만든다는 발상이 생겨날 리가 없지. 반대로 말하면 군이라는 개념이 전혀 없는 상태에서 페르마의 소정리를 발견했다는 것은, 페르마의 천재성을 입증하는 증거라고 할 수 있어.

채은 흐음, 그렇게 대단하다고요?

아빠 그런 결과론적 해석은 바보취급을 당할 뿐이야.

채은 결과론적 해석이 뭐예요?

아빠 역사가나 역사소설가들은 당연히 역사적인 결과를 알고 있잖니? 그래서 그 결과에 맞춰, A는 선견지명이 있는 뛰어난 인물이라든지 B는 앞을 볼 줄 모르는 어리석은 자라는 식으로 잘난 척하며 단죄하듯이 역사를 기술하지. 예를 들어 천하를 겨루는 전투인 세키가하라는 도쿠가와 이에야스가 내다본 대로 전개했기 때문에 동군이 격전 끝에 이겼다는 허튼소리가 그렇지. 실제로 그 역사 현장에 있었던 사람은 한치 앞이 보이지 않는 어둠 속에서 살아남기 위해 아등바등했을 거야. 역사는 복잡계라 예측할 수가 없지. 지구 뒤편에서 나비가 날개를 파닥였기 때문에 세키가하라 전투의 결과가 뒤집혔다고 할 수 있어.

채은 그게 무슨 뜻이에요?

아빠 복잡계에서는 초기 조건이 눈에 보이지 않을 정도의 작은 차이가 중대한 결과의 차이를 낳기도 해. 이론적으로도 지구 뒤편에서 나비가 날갯짓을 하면서 발생한 미세한 공기의 흔들림이 수개월 후에 거대한 태풍을 일으킨다는 것이 증명됐지. 이것을 나비효과라고 한단다.

채은 그건 너무 극단적인 이야긴데요.

아빠 아니, 그렇게 극단적인 얘기는 아니야. 역사만큼 복잡하지 않은 계에서도 이런 극단적인 실험결과가 나와.

이케나미 쇼타로^{池波正太郎}의 소설 중에 《사나다 태평기^{眞田太平記}》라는 장편이 있어. 그 작품에서는 세기가하라 직전, 쿠사노모노라고 하는 사나다의 닌자가 집요하게 이에야스를 노리지만, 몇 차례 우연이 겹치면서 이에야스는 몇 번이나 위기일발로 목숨을 구한단다. 또 오고라는 무술이 뛰어난 여자 닌자의 일화도 나오지. 이에야스 쪽 닌자인 요스케는 멀리서 이에야스의 가마로 다가가는 오고를 발견해. 하지만 거리가 있어서 달려가 봐야 늦어버리는 절체절명의 순간이지.

'요스케는 간절함을 담아 오고에게 단창^{手槍}을 집어던졌다.
허공을 도약한 오고는 흔들리는 가마 위에서, 이쪽을 돌아본 도쿠가와 이에야스의 찢어질 듯 노려보는 두 눈과 마주쳤다.
그를 향해 날아간 오고는 입에 물고 있던 와키자시(협차, 일본도 중 허리에 차는 작은 칼)를 오른손으로 거머쥔 뒤 온몸의 힘을 실어 찍어 내리려 했다. 그 순간!

바람을 가르고 날아온 요스케의 단창이 오고의 오른쪽 어깨를 파고들었다.

자세가 흐트러진 오고는 이에야스의 가마 기둥에 몸을 부딪친 뒤 가마꾼들의 머리 위로 떨어졌다.'

(이케나미 쇼타로 《사나다 태평기(7) 세키가하라》 신조문고. 1987년)

이에야스는 아주 간발의 차로 목숨을 구한 거지. 물론 이것은 픽션이지만, 현실의 역사 속에서도 여러 가지 사건이 있었을 테니, 결과가 필연이라고는 할 수 없어. 애초에 세키가하라 전투에서 동군이 승리한 것은 고바야카와 히데아키小早川秀秋(1582~1602)의 배신이 결정적인 원인이었는데, 그 순간 고바야카와 히데아키의 결단이 어느 쪽으로 흐를지 이에야스로서도 미지수였을 거야. 최근의 뇌과학 연구에 의하면, 인간의 뇌는 항상 흔들리고 있어서 스스로 뭔가를 결정했다고 생각해도 실제로 그 결정이 동요 속의 어느 순간에 실행되었는지 하는 우연에 좌우되는 일이 많다더구나. 그리고 인간의 뇌는 자신의 과거를 합리화하려는 성질이 있어서, 흔들림의 와중에 내린 결단이었다고 해도 나중에는 이런 저런 핑계를 대고 합리화하기 때문에 본인은 숙고 끝에 내린 합리적인 결단이었다고 생각하게 된다는 거야. 이른바 '슈뢰딩거의 고양이' 같은 것인데, 결단하기 전에는 yes냐 no냐 반반 상태로 존재하다가 결단의 순간 우연히 yes인지 no인지 결정한다는 거지. 현대로서는 뇌의 작용에 관해서 아직 거의 알려지지 않았기 때문에 이것도 어디까지 믿어야 할지 알 수 없지만 어쨌든…….

채은 페르마의 대단함은 충분히 알았으니까 그만 하세요. 나 참, 한 번 이야기가 벗어나면 끝날 줄을 모른다니까요.

아빠 에헴! 지금 강조하고 있는 건 페르마의 대단함과 천재 페르마 정 도는 돼야 발견할 수 있었던 정리를, 열세 살 소녀가 당연하다고 느낄 수 있는 현대수학의 위대함이지.

채은 네네, 이걸 당연하다고 느낄 수 있는 건, 이 뒤죽박죽된 모든 것을 정리정돈한 현대수학 덕분입니다요.

오일러의 공로

아빠 그럼 그 현대수학의 위대함을 보여주는 오일러의 업적을 하나 소 개하마. 오일러가 군론 같은 현대수학에 통달했던 것은 아니야. 군론의 창시자라는 갈루아가 태어난 것도 한참 뒤였고, 여기에서 소개하는 형태로 군의 이론이 정리된 것은 훨씬 나중의 일이거든. 다만 오일러는 페르마에게 없었던 무기를 사용할 수가 있었어.

채은 재미있네요. 서두는 됐고요, 오일러는 무엇을 했나요?

아빠 페르마는 2^{2^n}에 1을 더한 것을 소수라고 예상했어. 즉 2^n은 2, 4, 8, 16, 32, 64, …니까,

$$2^2+1=5$$
$$2^4+1=17$$
$$2^8+1=257$$
$$2^{16}+1=65537$$
$$2^{32}+1=4294967297$$
$$2^{64}+1=18446744073709551617$$
$$\vdots$$

이 되는데, 페르마는 손으로 계산하는 게 힘들어서, 5, 17, 257, 65537까지만 소수인 것을 확인했어. 그리고 그 외에는 소수일 거라고 예상했지. 물론 증명할 수 없다는 것도 알고 있었어. 현재 이수들은 페르마 수라고 한단다.

채은 오일러가 이것을 증명한 거예요?

아빠 아니, 틀렸다는 것을 확인했지. 앞의 4개는 분명 소수인데, 다섯 번째인 4294967297을 오일러가 소인수분해했어.

채은 와, 그렇게 큰 수의 소인수를 발견했군요. 물론 컴퓨터 같은 건 없었으니 힘들었을 텐데. 설마 2, 3, 5, 7, 11… 이렇게 차례차례 나눈 건 아니겠죠?

아빠 페르마와 달리 오일러는 계산을 아주 잘했어. 하지만 오일러가 그런 쓸데없는 짓을 할 리가 없지. 그냥 추측으로 몇 개의 소수로 나누다가 우연히 발견했다거나……?
해보렴.

채은 그렇게 말씀하지 마시고, 오일러가 어떻게 했는지 알려주세요.

아빠 $2^{32}+1$에 소인수 p가 있다고 가정하자. $\bmod\ p$에서 생각하면 어떻게 될까?

채은 $2^{32}+1 \equiv 0 \ (\bmod\ p)$

아빠 이항해서 양변을 제곱하면?

채은
$$2^{32} \equiv -1$$
$$(2^{32})^2 \equiv (-1)^2$$
$$2^{64} \equiv 1 \ (\bmod\ p)$$

아빠 이게 뭘 뜻하겠니?

채은 아, 그렇구나. 2의 위수가 64인 거죠? 64의 약수.

아빠 64로 한정되지. 64보다 작은 약수라면 32, 16, 8, 4, 2, 1인데, 어쨌든 몇 제곱이든 하면,

$$2^{32} \equiv 1$$

이 돼. 하지만 앞에서,

$$2^{32} \equiv -1$$

이라고 했어. 이건 모순이지. 따라서 2의 위수는 64야. 그럼 어떻게 될까?

채은 2의 위수는 $p-1$의 약수죠. 따라서 64는 $p-1$의 약수!

아빠 식으로 쓰면?

채은 $64n = p - 1$

아빠 즉,

$$p = 64n + 1$$

이런 형태가 돼. 이러면 범위가 꽤 줄어들지? n에 1, 2, …을 대입해서 소수를 찾는 거야. 그게 소인수일 가능성이 있는 거지. 해 보렴.

채은 와, 굉장해요. 빨리 해봐야지.

$$n = 1 \quad \rightarrow \quad p = 65 \qquad 5로\ 나누어떨어진다.$$
$$n = 2 \quad \rightarrow \quad p = 129 \qquad 3으로\ 나누어떨어진다.$$

$$n=3 \quad \rightarrow \quad p=193 \quad \text{소수지만, 불가.}$$

$$n=4 \quad \rightarrow \quad p=257 \quad \text{소수지만, 불가.}$$

$$n=5 \quad \rightarrow \quad p=321 \quad \text{3으로 나누어떨어진다.}$$

$$n=6 \quad \rightarrow \quad p=385 \quad \text{5로 나누어떨어진다.}$$

$$n=7 \quad \rightarrow \quad p=449 \quad \text{소수지만, 불가.}$$

$$n=8 \quad \rightarrow \quad p=513 \quad \text{3으로 나누어떨어진다.}$$

$$n=9 \quad \rightarrow \quad p=577 \quad \text{소수지만, 불가.}$$

$$n=10 \quad \rightarrow \quad p=641 \quad \text{소수지만… 돼요!}$$

$$4294967297 = 641 \times 6700417$$

아빠 6700417은 소인수이므로 이것으로 소인수분해는 끝이야. 덧붙여 이 소수는,

$$6700417 = 64 \times 104694 + 1$$

의 형태가 된단다.

채은 다음 페르마 수는 어떻게 돼요?

아빠 역시 소수가 아니야. 하지만 같은 방법을 써도 수가 너무나도 커서 손으로 계산하기는 어려워. 컴퓨터의 힘을 빌려보자. 마찬가지로 $2^{64}+1$이 소인수 p를 가지고 있다면?

채은 $2^{64}+1 \equiv 0 \pmod{p}$

$$2^{64} \equiv -1$$
$$2^{128} \equiv 1$$

여기에서 방금과 같은 이유로 2의 위수는 128. 따라서 128은

$p-1$의 약수. 즉,

$$128n = p-1$$
$$p = 128n+1$$

이고, $128n+1$의 형태의 소수를 찾으면 되는 건데요…….

아빠 n에 1, 2, 3, …을 대입하면

$$129, \ 257, \ 385, \ 513, \ 641, \ 769, \ 897,$$
$$1025, \ 1153, \ 1281, \ \cdots$$

이고 소수만 골라내면,

$$257, \ 641, \ 769, \ 1153, \ \cdots$$

하지만 어느 것도 딱 나누어떨어지지 않지. 컴퓨터의 도움을 받으면

$$2^{64}+1 = 18446744073709551617$$
$$= 274177 \times 67280421310721$$

이 되고. 274177은 $n = 2142$일 때야.

채은 그건 도저히 손으로 계산할 마음이 생기지 않네요.

아빠 현재 알려져 있는 것 중에 이 이상 큰 페르마 수는 모두 합성수란다. 따라서 페르마 수는 처음 4개를 제외하고 모두 합성수라고 예상한 사람도 있어.

채은 페르마의 직감이 맞지 않았던 거네요.

5. 원시근은 분명히 존재한다

지금부터는 소수 p의 기약잉여류군 $(\mathbf{Z}/p\mathbf{Z})^{\times}$에 원시근이 있다는 것을 증명할 것이다.

먼저 구체적으로 원시근을 구해본다. mod를 73으로 가정하고 적당한 원소에 대해서, 그 원소가 생성되는 순환군을 만들어본다.

2가 생성되는 순환군은,

$$\{2,\ 4,\ 8,\ 16,\ 32,\ 64,\ 55,\ 37,\ 1\}$$

이고, 위수는 9이다.

이번에는 여기에 나오지 않은 원소를 적당하게 고른다. 뭐든 좋으니 일단 65로 해본다. 65가 생성되는 순환군은,

$$\{65,\ 64,\ 72,\ 8,\ 9,\ 1\}$$

이고 위수는 6이다. 따라서 $2 \times 65 \equiv 130$을 생성원으로 하는 순환군을

생각한다. 그 원소는

$$130^n = (2 \times 65)^n = 2^n \times 65^n$$

이 된다. $2^9 \equiv 1$, $65^6 \equiv 1$이므로 n이 9의 배수인 동시에 6의 배수일 때 $\equiv 1$이 된다. 즉 9와 6의 공배수이다. 9와 6의 최소공배수는 18이므로 위수는 18이 될 것이다. 과연 그럴까?

$$130 \equiv 57$$

이므로 57이 생성되는 순환군을 조사해보자.

$$\{57, 37, 65, 55, 69, 64, 71, 32,$$
$$72, 16, 36, 8, 18, 4, 9, 2, 41, 1\}$$

위수는 18이 되었다. 지금까지 나오지 않은 원소를 적당히 고른다. 이번에는 10으로 하자. 10이 생성되는 순환군은,

$$\{10, 27, 51, 72, 63, 46, 22, 1\}$$

이 되고 위수는 8이다. 8과 18의 최소공배수는 72이므로 $57 \times 10 = 570$의 위수는 72가 될 것이다. 위수가 72가 되는 원소가 원시근이다.

$$570 \equiv 59$$

이므로 59를 생성원으로 하는 순환군으로 조사해본다.

$$\{59, 50, 30, 18, 40, 24, 29, 32, 63, 67, 11, 65, 39,$$
$$38, 52, 2, 45, 27, 60, 36, 7, 48, 58, 64, 53, 61, 22,$$
$$57, 5, 3, 31, 4, 17, 54, 47, 72, 14, 23, 43, 55, 33,$$
$$49, 44, 41, 10, 6, 62, 8, 34, 35, 21, 71, 28, 46, 13,$$
$$37, 66, 25, 15, 9, 20, 12, 51, 16, 68, 70, 42, 69,$$
$$56, 19, 26, 1\}$$

고맙게도 위수는 72가 되고, 59가 원시근인 것을 알 수 있다.

지금까지 한 것을 엄밀하게 일반화하면 원시근의 존재를 증명한 것이 된다. 즉 적당한 원소를 선택하고, 그것이 원시근이 아닌 경우에는 그 원소가 생성하는 순환군에 없는 또 다른 원소를 골라 서로 곱한다. 그렇게 하면 서로 곱한 원소의 위수는 원래 원소의 위수보다 커진다. 무한강하법의 역으로, 언젠가는 원시근에 도달하는 것이다.

하지만 여기에서는 좀 더 멋진 증명을 소개하고자 한다.

그 전에 59 이외의 원시근을 구해볼 것이다.

59를 생성원으로 하는 순환군의 원소는 59^n이라는 형태를 취한다. 59^n을 생성원으로 하는 순환군은,

$$\{ (59^n)^1 , (59^n)^2 , (59^n)^3, \cdots \} = \{59^n, 59^{2n}, 59^{3n}, \cdots\}$$

여기에서 n, $2n$, $3n$, $\cdots$, $71n$이 전부 72의 배수가 아니라면, 이것들은 $\equiv 1$이 아니다. 그리고 $72n$일 때 $\equiv 1$이 된다. 즉 n이 72와 서로소라면 원시근이 된다.

72와 서로소인 것은,

1, 5, 7, 11, 13, 17, 19, 23, 25, 29, 31, 35, 37, 41, 43, 47, 49, 53, 55, 59, 61, 65, 67, 71

이렇게 24개이다. 따라서,

$$59^1 \equiv 59$$
$$59^5 \equiv 40$$

$$59^7 \equiv 29$$

$$\vdots$$

$$59^{71} \equiv 26$$

은 모두 원시근이고, 73의 원시근은 $\phi(72)=24$로 24개이다.

〈김채은의 대가설〉 증명을 위한 기나긴 준비

마침내

$$f(n)=\phi(n)$$

$$\left(\begin{array}{l} f(n) \text{은, mod } p \text{에서 위수가 } n \text{인 원소의 개수.} \\ \text{단 } p \text{는 홀소수이고, } n \text{은 } p-1 \text{의 약수.} \\ \phi(n) \text{은 } n \text{보다 작고, } n \text{과 서로소인 원소의 개수.} \end{array} \right)$$

의 증명에 착수하고 싶지만, 그 전에 몇 가지 준비해둘 것이 있다.

▷ 준비1   모든 계수가 정수인 n차 다항식

$$f(x)=a_0 x^n + a_1 x^{n-1} + a_2 x^{n-2} + \cdots + a_n \qquad a_0 \neq 0$$

을, b를 정수라고 하고 $x-b$로 나눴을 때의 몫을 $g(x)$, 나머지를 r이라고 하면,

$$f(x)=(x-b)g(x)+r$$

이 된다. 이 나눗셈의 계산을 각각 살펴보면, 곱셈, 뺄셈, 곱셈, 뺄셈, ⋯의 반복이다. 따라서 $g(x)$도 정수가 계수인 다항식이 되고, r은 정수이다.

▷ 준비2　복소수를 계수로 하는 n차의 대수방정식

$$a_0 x^n + a_1 x^{n-1} + a_2 x^{n-2} + \cdots + a_n = 0 \qquad a_0 \neq 0$$

는 복소수의 범위에서 n개의 해를 갖는다. 이것은 가우스가 증명한 대수학의 기본정리이다.

　그럼 정수를 계수로 하는 n차 합동방정식

$$a_0 x^n + a_1 x^{n-1} + a_2 x^{n-2} + \cdots + a_n \equiv 0 \qquad a_0 \not\equiv 0 \ (\bmod p) \ p \text{는 소수}$$

는 몇 개의 해를 가질까? 직접 문제를 풀면서 확인해보자.

$$f(x) = x^3 + 2x^2 - x - 2$$

로, $f(x) \equiv 0$을 풀어보자.

　▶ mod 2에서는,

　　$f(0) = -2 \equiv 0 \qquad f(1) = 0 \equiv 0$에서 해는 $\{0, 1\}$의 2개

　▶ mod 3에서는,

　　$f(0) = -2 \equiv 1 \qquad f(1) = 0 \equiv 0 \qquad f(2) = 12 \equiv 0$

에서 해는 $\{1, 2\}$ 2개. 이하는 결과만 나타낸다.

　▶ mod 5　→　$\{1, 3, 4\}$　3개
　▶ mod 7　→　$\{1, 5, 6\}$　3개
　▶ mod 11　→　$\{1, 9, 10\}$ 3개

　하나 더.

$$f(x) = x^4 + 5x + 5$$

를 풀어보자.

▶ mod 2   →   해 없음

▶ mod 3   →   해 없음

▶ mod 5   →   {0} 1개

계속 해가 없다가,

▶ mod 11   →   { 2, 5, 10 } 3개

다시 해가 계속 없다가

▶ mod 31   →   { 6, 8, 19, 29 } 4개

  mod 37   →   해 없음

▶ mod 41   →   { 6, 21, 22, 33 } 4개

삼차에서는 3개 이하, 사차에서는 4개 이하의 결과가 나왔다. 아무래도 n차에서는 n개 이하의 해를 가지는 것 같다.

이것이 참인지 이제 증명해볼까?

증명 수학적 귀납법을 이용한다.

(1) $n = 1$일 때,

$$a_0 x + a_1 \equiv 0 \quad a_0 \neq 0 \ (\bmod \ p)$$

는 p가 소수일 때는 반드시 1개의 해를 갖는다.

(2) $n - 1$ 이하에서는 정리가 성립한다고 가정한다.

$$f(x) = a_0 x^n + a_1 x^{n-1} + a_2 x^{n-2} + \cdots + a_n \quad a_0 \neq 0$$

라고 한다. 지금,

$$f(x) \equiv 0 \ (\bmod \ p)$$

에 해가 없다면, 'n개 이하'이므로 문제없다. 그러니 해가 있다고 하고, 그중 하나를 α로 한다.

$$f(\alpha) \equiv 0 \ (\text{mod } p) \quad \cdots ①$$

$f(x)$를 $(x-\alpha)$로 나누고, 몫을 $g(x)$라고 한다. 나머지는 $f(\alpha)$이다.

$$f(x) = (x-\alpha)g(x) + f(\alpha)$$

이것을 mod p(p는 소수)로 적용한다(반대로 적용하는 것은 불가능하다). ①에 따라 $f(\alpha) \equiv 0$이라는 점에 주의하자!

$$f(x) \equiv (x-\alpha)g(x) \ (\text{mod } p)$$

여기에서 $f(x) \equiv 0$를 풀기 때문에,

$$(x-\alpha)g(x) \equiv 0 \ (\text{mod } p)$$

p가 소수일 때는, $AB \equiv 0$일 때, $A \equiv 0$ 또는 $B \equiv 0$가 된다(소수가 아닐 때는 예를 들어 mod 10에서 $2 \times 5 \equiv 0$인 경우가 있을 수도 있다).

$$\therefore \ x - \alpha \equiv 0 \ \text{ 또는 } \ g(x) \equiv 0$$

$g(x) \equiv 0$에는, 가정에 따라 $n-1$개 이하의 해를 갖는다. 여기에 α를 더해도 고작 n개의 해밖에 갖지 않는다.

따라서 n차 다항식은 n개 이하의 해를 갖는다. 💡

정리해보자.

정리

p를 소수라고 한다.

정수를 계수로 하는 n차 다항식 $f(x)$에 대해서

$$f(x) \equiv 0 \ (\text{mod } p)$$

는 n개 이하의 해를 갖는다.

▷ 준비3 p가 소수일 때, $\text{mod } p$에서

$$x^{p-1} \equiv 1$$

은 몇 개의 해를 가질까? 위의 정리에 의하면 $p-1$개 이하라고 말할 수밖에 없지만, 페르마의 소정리에 의하면 $\{1, \ 2, \ \cdots, \ p-1\}$은 모두 이 해가 된다. 즉 정확히 $p-1$개의 해를 갖는 것이다.

그러면 q를 $p-1$의 약수로 했을 때,

$$x^q \equiv 1 \ (\text{mod } p)$$

는 몇 개의 해를 가질까?

잘 알려진 것처럼 $y^n - 1$은,

$$y^n - 1 = (y-1)(y^{n-1} + y^{n-2} + \cdots + 1)$$

로 인수분해된다. 우변을 전개하면,

$$y^n + y^{n-1} + y^{n-2} + \cdots + y$$
$$-y^{n-1} - y^{n-2} - \cdots - y - 1$$

이 되는 것을 확인할 수 있고,

$$p - 1 = qn$$

의 식을,

$$y = x^q$$

에 대입하면 다음과 같다.

$$x^{qn} - 1 = (x^q - 1)\{(x^q)^{n-1} + (x^q)^{n-2} + \cdots + 1\}$$
$$x^{p-1} - 1 = (x^q - 1)(x^{qn-q} + x^{qn-2q} + \cdots + 1)$$

여기에서,

$$x^{p-1} - 1 \equiv 0$$

는 $p - 1 = qn$개의 해를 갖고, 우변은

$$x^q - 1 \equiv 0 \quad \rightarrow \quad q\text{개 이하}$$
$$x^{qn-q} + x^{qn-2q} + \cdots + 1 \equiv 0 \quad \rightarrow \quad qn - q\text{개 이하}$$

가 되는데 $x^q - 1 \equiv 0$의 해가 q개보다 적다면, 좌우의 해의 수가 맞지 않게 된다. 따라서 이 해는 q개 외에는 있을 수가 없다.

이것도 상자로 정리해두자.

p는 소수, q는 $p - 1$의 약수로 하면,

$$x^q \equiv 1 \ (\mathrm{mod}\ p)$$

는 정확히 q개의 해를 가진다.

이것도 몇 가지 실례를 통해 확인해보자.

$$x^3 \equiv 1$$

은 mod 2, mod 3, mod 5에서 1밖에 해를 가지지 않지만, mod 7에서는

$$1^3 \equiv 1$$
$$2^3 \equiv 8 \equiv 1$$
$$4^3 \equiv 64 \equiv 1$$

이렇게 3개의 해를 가진다. 3은 $7-1$의 약수이다. 더 큰 수는 어떨까? mod 523에서는,

$$1^3 \equiv 1$$
$$60^3 \equiv 216000 \equiv 1$$
$$462^3 \equiv 98611128 \equiv 1$$

이렇게 3개의 해가 있다. 말할 것도 없이 3은 $523-1$의 약수이다.

하나 더, mod 43에서

$$x^7 \equiv 1$$

을 풀어 보자. 해는 1, 4, 11, 16, 21, 35, 41 이렇게 7개이다.

마침내 대가설의 증명!

이제부터가 본론이다.

p는 소수이고, q는 $p-1$의 약수이다. 그리고 $q_1, q_2, q_3, \cdots, q_n, \cdots$을 q의 약수라고 한다.

a의 위수를 q_n이라고 했을 때,

$$\alpha^{q_n} \equiv 1$$

이지만, q_n은 q의 약수이므로,

$$\alpha^q \equiv 1$$

즉 α는

$$x^q \equiv 1$$

의 해이기도 하다. 반대로 $x^q \equiv 1$의 해의 위수는 q의 약수로 한정되어 있으므로, 이 해는 q_1, q_2, $\cdots$를 위수로 하는 원소로 한정된다. 여기에서 $f(x)$는 x를 위수로 하는 원소의 수였던 것을 떠올리면,

$$f(q_1) + f(q_2) + \cdots + f(q)$$

는 $x^q \equiv 1$의 해의 개수를 나타내고 있다. 앞의 정리에 의해, $x^q \equiv 1$의 해는 q개였으므로,

$$q = f(q_1) + f(q_2) + \cdots + f(q)$$

가 된다. 이것과 174쪽의 정리를 비교해보자.

$$q = \phi(q_1) + \phi(q_2) + \cdots + \phi(q)$$

이 두 식에서,

$$f(q_1) + f(q_2) + \cdots + f(q) = \phi(q_1) + \phi(q_2) + \cdots + \phi(q)$$

가 되어

$$f(x) = \phi(x)$$

를 유도할 수 있다. 증명은 수학적 귀납법에 따른다.

① 지수가 1인 원소는 1뿐이므로 $f(1)=1$ 또는 $\phi(1)=1$.

$$\therefore f(1)=\phi(1)$$

② $n-1$ 이하에서 성립한다고 가정한다.

또 n의 n 이외의 약수를 n_1, n_2, $\cdots$이라고 한다.

$$n=f(n_1)+f(n_2)+\cdots+f(n)=\phi(n_1)+\phi(n_2)+\cdots+\phi(n)$$

n_1, n_2, $\cdots$은 n보다 작으므로 가정에 따라,

$$f(n_1)=\phi(n_1)$$
$$f(n_2)=\phi(n_2)$$
$$\vdots$$

따라서,

$$f(n)=\phi(n)$$

정리해두자.

$f(n)=\phi(n)$ → 홀소수 p에 대해서,

n은 $p-1$의 약수이다.

이때 $\bmod p$에서 n을 위수로 하는 원소는 $\phi(n)$개 있다.

특히 소수 p에 대해

$$f(p-1)=\phi(p-1)$$

위수가 $p-1$인 원은 p의 원시근 외에는 성립하지 않는다. 이에 따라 원시근의 존재가 증명될 뿐만 아니라 그 수도 명확해졌다.

소수 p에 대해서 $\phi(p-1)$개의 원시근이 존재한다.

연습 이제 연습문제를 풀어보자.

① 109의 원시근을 구하시오.

다음은 도쿄대학교의 후기 시험에 나온 재미있는 문제이다.

② 자연수 n의 함수 $f(x)$, $g(x)$를

$$f(n) = \langle n을\ 7로\ 나눈\ 나머지 \rangle$$

$$g(n) = 3f\left(\sum_{k=1}^{7} k^n \right)$$

에 의해 정한다.

(1) 모든 자연수 n에 대해 $f(n^7) = f(n)$을 나타내시오.

(2) 당신이 좋아하는 자연수 n을 선택하여 $g(n)$을 구하시오. 그 $g(n)$의 값이 이 문제에 대한 당신의 점수가 될 것이다.

채은 이번에는 증명이 많아서 이해하기가 힘들었어요.

아빠 원시근의 존재 증명은 초등정수론의 고비 중 하나지. 진득하니 앉아서 읽어보렴.

채은 예로 들어준 건 뭐, 납득할 수 있어요…… 그런데 김채은의 대가설은 잘 맞았네요.

아빠 그 기념으로 연습문제를 바로 풀어볼까?

채은 ① 109의 원시근은

$$108 = 2^2 \times 3^3$$

이니까,

$$\phi(108) = 108 \times \left(1 - \frac{1}{2}\right) \times \left(1 - \frac{1}{3}\right) = 108 \times \frac{1}{2} \times \frac{2}{3} = 36$$

이 되고 원시근은 36개요.

계산이 편하도록 작은 수부터 시작할 거예요. 2부터 시작하죠! 2의 거듭제곱은

{2, 4, 8, 16, 32, 64, 19, 38, 76, 43, 86, 63,
17, 34, 68, 27, 54, 108, 107, 105, 101, 93,
77, 45, 90, 71, 33, 66, 23, 46, 92, 75, 41, 82,
55, 1}

이 되고 위수는 36이에요. 여기에 나오지 않은 원소는…… 음. 어

느 게 좋을까. 역시 작은 쪽부터 해서 3! 3의 거듭제곱은,

$$\{\,3,\ 9,\ 27,\ 81,\ 25,\ 75,\ 7,\ 21,\ 63,\ 80,\ 22,\ 66,\ 89,\ 49,\ 38,\ 5,$$
$$15,\ 45,\ 26,\ 78,\ 16,\ 48,\ 35,\ 105,\ 97,\ 73,\ 1\,\}$$

위수는 27. 그러면 $2 \times 3 = 6$의 위수는 27과 36의 최소공배수로 108이니까, 109의 원시근은 6이에요.

아빠 그렇지. 그럼 6 이외의 원시근은?

채은 108과 서로소인 원소는

$$\{\,1,\ 5,\ 7,\ 11,\ 13,\ 17,\ 19,\ 23,\ 25,\ 29,\ 31,\ 35,\ 37,\ 41,\ 43,$$
$$47,\ 49,\ 83,\ 55,\ 59,\ 61,\ 65,\ 67,\ 71,\ 73,\ 77,\ 79,\ 83,\ 85,\ 89,$$
$$91,\ 95,\ 97,\ 101,\ 103,\ 107\,\}$$

이니까 6을 이 리스트에 있는 수만큼 거듭제곱한 것이 원시근이 돼요. 예를 들어,

$$6^5 \equiv 7776 \equiv 37$$

아빠 잘 했구나. 그럼 ②도쿄대학교의 입시 문제는 어때?

채은 우와~! 스스로 시험문제의 점수를 결정하는 거예요? 재미있네요.

아빠 뭐, 그렇게 쓰여 있으니 거짓말을 하지 않겠지.

채은 ⑴은 7로 나눈 나머지니까, mod 7에서 생각하면 돼요. 어라? 이거, 당연하잖아. 페르마의 소정리에 의해,

$$n^6 \equiv 1 \ (\bmod\ 7)$$
$$\therefore \ n^7 \equiv n$$

아빠 실제로 그렇게 쓰면 점수를 줄까? 고등학교 때 페르마의 소정리를 하지는 않지만 배우지 않는 것을 사용하면 안 되는 것도 아니겠지. 어쨌든 ②의 해답을 보고, 정말 페르마의 소정리를 이해하고 있는지를 판단해서 점수를 정하자.

채은 페르마의 소정리를 모른다면 어떻게 해야 해요?

아빠 일반적으로 페르마의 소정리를 증명하라고 하지 않으니까 mod 7에서 일람표를 만들고, 모든 경우를 알아보면 되겠지.

채은 ②는 이상한 기호가 있는데, 이게 뭐에요?

아빠 $\sum$ (시그마)란 전부 더한다는 뜻을 가진 기호야. 즉 $k=1$일 때, $k=2$일 때, …… 이런 식으로 $k=7$일 때까지 더하면 돼.

채은 그럼

$$\sum_{k=1}^{7} k^n = 1^n + 2^n + 3^n + 4^n + 5^n + 6^n + 7^n$$

으로 하면 될까요?

아빠 그렇지.

채은 그러면 이것을 7로 나눈 나머지를 구해서, 3을 곱하면 점수가 되는 건가요? 그런데 어떻게 하죠?

아빠 ①에서 7제곱하면 원래대로 돌아가는 것을 알았으니 자연수 n의 후보로 1, 2, 3, 4, 5, 6만 생각하면 돼. 1^n, 2^n, …을 전부 구해서 더해보는 게 좋지 않을까?

채은 그럼 해볼게요. 거듭제곱 일람표를 만들어볼까요? mod 7에서

n	1	2	3	4	5	6
1	1	1	1	1	1	1
2	2	4	$8 \equiv 1$	2	4	$8 \equiv 1$
3	3	$9 \equiv 2$	6	$18 \equiv 4$	$12 \equiv 5$	$15 \equiv 1$
4	4	$16 \equiv 2$	$8 \equiv 1$	4	$16 \equiv 2$	$8 \equiv 1$
5	5	$25 \equiv 4$	$20 \equiv 6$	$30 \equiv 2$	$10 \equiv 3$	$15 \equiv 1$
6	6	$36 \equiv 1$	6	$36 \equiv 1$	6	$36 \equiv 1$
합계	$21 \equiv 0$	$14 \equiv 0$	$21 \equiv 0$	$14 \equiv 0$	$21 \equiv 0$	6

6 외에 전부 0이 됐어요. 그리고 $g(6)=18$이 가장 크니까, 이렇게 해서 18점이네요.

아빠 그렇구나.

채은 하지만 정답 외에 전부 0점이라는 것은 좀 짓궂은데요. 9점이나 5점 같은 게 있었으면 좋았을 텐데.

6. 고립무원의 오일러

오일러는 페르마가 남긴 가설을 차례차례 증명했고, 페르마가 푹 빠져서 연구하던 소수의 표현에 대해서 탐구하고, 페르마가 가지 못했던 깊은 곳까지 발을 내디뎠다. 르장드르가 '중독이라고 할 수밖에 없는 광기'라고 했을 만큼의 열정이었다.

어떤 소수를 x^2+Ny^2이라는 2차 형식으로 표현할 수 있을까?

페르마는 N이 1, ±2, ±3일 때에 관해서는 거의 정확한 결론을 얻었다. 하지만 N이 커지면 그 분석은 만만치가 않다.

오일러는 방대한 양의 실험 결과를 축적하고, 각각의 법칙을 발견했다. 하지만 그 법칙은 실로 제각각의 양상이어서 전체를 관통할 만한 원리가 발견되지 않았다. 따라서 각각의 법칙의 집적을 오일러는 이유를 모르겠다고 생각했을 것이다.

그래도 그 배후에 뭔가가 있다는 확신에는 흔들림이 없었다. 그리고 나중에 가우스가 '황금정리'라고 표현한 '제곱잉여 상호법칙'이 그 자태를 드러내기 시작했다. 하지만 안타깝게도 오일러는 마지막 한걸음을 내딛지 못했다.

소수의 2차 형식에 의한 표현 연구를 계속하면서 오일러는 거대한 수가 소수인지 아닌지를 판정하는 기준을 몇 가지 발견했다. 이에 기뻐하며 거대한 소수의 판정 기준이 되는 '딱 맞는 수'의 표를 채워나갔다.

하지만 정수론에 관한 한 오일러 또한 페르마와 마찬가지로 고독했다. 예를 들어 오일러의 발견에 대해 다니엘 베르누이는 '어쨌든 간에 소수에 관한 오일러의 아름다운 정리'라고 쓰기는 했지만 그 뒷단락에는 소수 같은 것을 이토록 호화롭게 장식하는 것은 참으로 과분한 일이라고 꽤나 비아냥거리는 속내를 토로했다.

그래도 오일러는 페르마보다 훨씬 나은 상황이었다. 자신의 횃불을 이어받을 젊은 후계자를 발견했기 때문이다.

바로 라그랑주였다.

채은 정수론이라는 게 정말 인기가 없었나 보네요. 왜죠?

아빠 좀 어려운 퍼즐 같은 것이라서 수학자가 진지하게 연구할 정도로 가치가 있다고 생각하지 않았던 것 같아. 당시의 수학자들은 막 발견된 새로운 수학, 미적분학에 빠져 있었거든. 덧셈, 뺄셈, 곱셈, 나눗셈을 내내 하는 정수론보다 $\int$ 니 $\dfrac{dy}{dx}$ 을 사용해서 푸는 미적 분학 쪽이 훨씬 더 근사하다고 생각했었던 것 같아.

채은 수학자들도 근사한 걸 좋아하는구나.

아빠 오일러는 항상 차가운 반응을 보이는 수학자들에게 정수론은 당 신들에게도 결코 시간낭비가 아니라고 항변했다고 하는데, 신통 한 반응을 얻지는 못했어. 당시 오일러가 자타공인하는 수학의 일 인자였던 것은 분명하거든. 그래서 당시의 수학자들은 오일러가 정수론에 열중하는 것을 재능낭비라고까지 생각했던 것 같아.

채은 베르누이는 오일러의 선생님이었던 사람이죠?

아빠 아니, 오일러의 스승은 요한 베르누이이고, 오일러에게 빈정거렸 던 다니엘은 요한의 아들이야. 베르누이 가는 17세기에서 18세 기에 걸쳐 적어도 8명의 뛰어난 수학자를 배출한 수학명가였어. 특히 유명한 사람이 자코브와 요한 형제, 그리고 요한의 아들 다 니엘이지. 다니엘과 오일러는 나이 차이도 많이 나지 않고 요한에 게서 함께 수학을 배운 동료이자, 오일러에게는 형 같은 존재였어. 그래도 오일러가 정수론에 열중하는 것은 이해하지 못했지.

채은 흠, 그래서 지금은 어떤데요?

아빠 지금은 정수론이 진지하게 연구할 가치가 있는 분야라는 걸 부정할 수학자는 없을 거야. 오히려 가장 인기가 높은 분야라고 할 수 있잖을까? 정수론은 수학의 여왕이라고 말한 가우스의 공적이 커. 다카키 데이지高木貞治(1875~1960)라는 수학자가 독일로 유학을 갔던 것이 1900년 전후인데, 쟁쟁한 연구자들이 하나같이 《가우스 정수론》을 들고 다니며 책이 너덜너덜해질 때까지 읽더라는 거야.

채은 과연 '수학왕'이네요.

아빠 얘기가 건너뛰는데, 오일러의 스승이었던 요한 베르누이의 젊은 시절에 재미있는 일화가 있어. 요한은 형 자코브에게서 수학을 배웠는데 형제 사이가 그리 좋지는 않았던 모양이야. 자코브가 바젤 대학의 수학교수였기 때문에 요한이 취직하지 못한 것도 원인 중 하나였다더구나. 경제적으로도 힘들었던 요한이 아르바이트로 로피탈 후작에게 미적분을 강석講釋해. 그때 그 결과에 대해 로피탈이 발표해도 상관하지 않겠다고 계약을 했고, 1696년에 로피탈은 유럽에서 최초의 미적분학 교과서를 발표하지. 거기에는 유명한 로피탈의 정리도 들어 있어. 이건 입시수학을 공부할 때 알아두면 매우 편리한 정리야. 그 정리를 발견한 것은 사실 로피탈이 아니라 요한이었는데, 이런 사정으로 베르누이의 정리가 아니라 로피탈의 정리라고 한단다.

채은 아아! 그럼 요한이 너무 가엽잖아요.

아빠 아까도 말했다시피 요한은 상당히 극단적인 성격의 소유자여서 가엽다는 말로 동정할 만한 사람은 아니었어. 로피탈의 정리에 대해서도 로피탈의 사후에 자신의 업적이라고 소동을 벌였다고 해. 로피탈도 요한의 공적을 가로채려고 한 게 아니라, 그 교과서에 대부분의 것을 요한에게서 배웠다고 감사의 말을 실었을 정도였는데 말이지. 요한은 연구 성과가 누구의 재산인지 둘러싸고 여기저기서 싸움을 일으켰는데, 말년에는 아들 다니엘의 유체역학 연구까지 훔쳤다고 해. 다니엘이 울먹이면서 오일러에게 이제 연구가 싫어졌다는 편지를 썼거든.

채은 자식의 연구까지 훔치다니, 세상에 그런 아버지가 있나요?

아빠 하지만 진상이 밝혀지면서, 요한의 평판은 떨어지게 되지. 요한이 지금까지 발표해온 연구 성과에 대해서도 정말 요한이 발견한 것인지 의심의 눈초리로 보는 사람들이 많아졌거든. 당시 연구의 시작을 둘러싸고 분쟁이 끊이지 않았는데, 오일러는 그런 분쟁에서 항상 초연했어. 아니 오히려 누가 아이디어를 발표했을 때, 자신이 이전에 발견한 것이라고 불평하기보다는 오히려 조언해주었어.

채은 오일러는 훌륭한 사람이네요.

아빠 실로 대범한 태도인데, 그래도 현재 오일러 정리라든지 오일러 공식이라는 것들이 많이 있어. 세어본 적은 없지만, 개인의 이름이 붙어 있는 정리 중에는 오일러의 것이 가장 많지 않을까?

채은 누가 발견했는지 같은 건 아무래도 좋다는 신념으로 연구를 계속한 결과네요. 대단해요.

아빠 세야마 시로^{瀨山士郎}라는 수학자는 오일러와 내시^{John F. Nash}(1928~2015)의 평전을 읽은 후, '두 천재가 살아가는 방법을 읽고, 현대를 살아가는 천재의 비극을 알았다'라고 했지. 현대 미국은 냉혹한 경쟁사회인데, 수학의 세계도 예외는 아니야. 내시의 생애를 세야마는 '미국적 성공스토리의 이면에 있는, 인간 심리의 극한까지 고통을 주고 가혹한 경쟁을 강요하는 약육강식의 세계인 현대라는 이름의 사회가 가져온 비극일 것이다'(웹사이트 '책의 담화실' http://homepage2.nifty.com/seyama.book.html)라고 썼지.

내시는 영화 '뷰티플 마인드'로 널리 알려진 수학자인데, 젊을 때 소위 내시균형을 발견해서 일약 유명해졌어. 그런데 그 후 정신분열증을 앓게 되어 어쩔 수 없이 긴 투병생활을 하지. 노벨상에는 수학 부문이 없지만, 내시균형은 경제학에 응용되어서 노벨경제학상을 수상해. 내시의 발병 원인이 혹독한 경쟁사회를 살아남기 위해서 멋진 결과를 창출해야만 하는 강박관념에 쫓긴 탓이라고 할 수는 없지만, 영향을 끼치기는 했을 거야.

세야마는 또 이렇게 말해. '그리고 오일러의 평전을 읽고 안도했다. 수학이 인간의 행위라는 것을 통감했다. 오일러가 1등 경쟁과는 거리를 두고 많은 수학자들에게 그것을 전달하려는 노력을 아끼지 않았다는 것을 재차 읽으면서 18세기를 살았던 수학 천재의 영광을 배웠다. 수학이 그 시대의 찬란함과 그 속에서 살던 천재들의 업적을 다시금 재현할 수 있을 것인가! 이긴 것이 옳

다는 사회를 나는 도저히 받아들일 수가 없다'

채은 수학의 세계까지 그런 약육강식의 사회가 된 줄은 몰랐어요.

아빠 특히 미국은 전 세계에서 천재라는 사람들이 모여서 치열하게 경쟁하기 때문에 살아남는 것만으로도 대단하다고 할 수 있지.

채은 오일러가 들으면 울겠어요.

아빠 그래서 일단 미국형 경쟁원리를 극복할 필요가 있어.

채은 잠깐만요, 아빠가 무슨 말씀을 하실지 알겠으니까, 오늘은 이제 여기에서 그만 해요.

(게임 스위치 ON. 화려한 오프닝 뮤직이 방안에 울려 퍼진다)

7. 라그랑주

라그랑주는 1736년 토리노에서 태어났다. 토리노는 현재 이탈리아 제4의 도시로, 당시에는 아직 이탈리아가 통일되기 전이어서 샤르데냐 왕국의 땅이었다. 프랑스와 국경을 접해 있어 이탈리아어와 불어가 공용어였다. 라그랑주는 고전을 중심으로 교육 받아서 수학에 관해서는 거의 독학을 했던 것 같다.

라그랑주

1755년 19세의 라그랑주는 토리노 육군공병학교에서 수학과 역학을 가르치는 교사가 된다. 그리고 그 해에 직접 고안한 변분법에 관한 개요를 편지에 적어 오일러에게 보내는데, 오일러에게서 온 답장은 기대 이상으로 열광적이었다.

오일러는 젊은 라그랑주의 재능에 반해 어떻게든 그를 베를린으로 초청하려고 애썼지만, 7년전쟁의 발발 등으로 실현되지 못했다. 그리고 오일러가 페테르부르크로 떠나는 1766년이 되어서야 라그랑주를 초청하는 데 성공한다.

오일러의 뒤를 이을 수 있는 수학자가 라그랑주뿐이라는 것은 누가 봐도 명백했다. 라그랑주는 초청을 쾌히 승낙하고, 베를린으로 향한다. 동시에 고향 토리노에서 친척 여성과 결혼한다.

베를린에서 보낸 20년 동안 라그랑주는 역사적인 몇 가지 업적을 이룬다. 방정식론에 혁명을 일으킨 《방정식의 대수적 해법에 관한 고찰》, 1775년에는 정수론에 관한 연구를 집대성한 《산술연구》를 발표했다. 그의 대표작이 된 《해석역학》도 1782년 46세에 거의 완성했다고 한다.

1783년 라그랑주의 아내가 중병에 걸려 세상을 떠나고, 같은 해 9월에 오일러가 사망한데다가 10월에는 친구였던 프랑스의 수학자 달랑베르도 사망한다. 또 1786년 프리드리히 2세도 사망하여 베를린 아카데미는 그 비호자를 잃게 된다.

이듬해 5월 라그랑주는 베를린을 떠나 파리에 도착하는데, 수학 연구를 그만두려는 생각이었던 것 같다. 이 즈음의 그는 마리 앙트와네트를 상대하며 무기력한 나날을 보냈다고 한다.

그러다 1789년 프랑스혁명이 발발하면서 지인의 집에 은신했던 라그랑주는 그곳에서 젊은 르모니에 양과 사랑에 빠져 결혼한다. 르모니에 양의 사랑과 헌신은 라그랑주에게 다시 의욕을 불러일으킨다. 공포정치 시대에 라부아지에와 콘도르세라는 두 친구를 잃었지만, 그 충격을 견뎌내고 고등사범학교와 이공과대학에서 교편을 잡으며 수학연구에 매진한다.

그리고 1813년 사랑하는 아내에게 마음만을 남기고 조용히 숨을 거둔다.

라그랑주의 업적은 대체로 오일러의 성과를 이어받아 발전시킨 것이었는데, 정수론도 예외는 아니었다. 오일러가 증명하지 못했던 몇 가지 정리를 증명하여 노쇠한 오일러를 몇 차례나 감격시켰다.

페르마-펠 방정식, 즉

$$x^2 + Ny^2 = 1 \quad (N은 정수)$$

의 정수해가 무한하다는 것을 증명하고, 연분수에 의한 완전한 해법을 유도한 것도 라그랑주였다. 또 모든 정수는 단지 4개의 제곱수의 합으로 표현할 수 있다는 것도 증명했다.

하지만 정수론에 있어 라그랑주의 가장 큰 공적은 뭐니뭐니 해도 2차 형식일 것이다. 페르마는 기본적으로,

$$x^2 + ay^2$$

형태로 2차 형식을 추구했다. 오일러는 이것을 확장시켜,

$$ax^2 + by^2$$

형태로 2차 형식에 관해서 깊이 연구했지만 약간의 예외를 제외하고, 더 이상 진전시키지는 못했다. 이를 이어받아 라그랑주는 2차 형식을 체계적으로 연구하기 위해서는,

$$ax^2 + bxy + cy^2$$

형태의 2차 형식을 따라야 한다고 분명하게 인식했다. 이것만으로도 큰 진전이었지만, 연구가 완성되기 위해서는 가우스의 등장을 기다려야만 했다.

채은 페르마에서 오일러 그리고 라그랑주까지 연구하는 2차 형식
의 범위가 넓어진 것은 알겠는데 좀 더 복잡한 2차 형식도 있잖
아요!

아빠 정수를 2차 형식으로 표현하는 것을 연구하는 거니까 이것은,

$$ax^2 + bxy + cy^2 = N \quad (N \text{은 정수})$$

인 방정식의 정수해를 구하는 문제이지. 차수를 2차 이하로 제한
하고, 계수를 무시하면 항은 x^2, xy, y^2, x, y 정수항만 있을
수 있겠지.

채은 $x^2 y$라든지 $x^2 y^2$ 같은 건요?

아빠 차수는 문자가 몇 개나 걸려 있는지를 말하는 거니까 $x^2 y$는 3차,
$x^2 y^2$는 4차야.

채은 그렇군요.

아빠 그렇다면, 좀 더 일반적인 형태는 어떻게 될까?

채은 으으음……, $ax^2 + bxy + cy^2 + dx + ey + f = 0$

아빠 형태를 잘 바꾸면 이것을,

$$ap^2 + bpq + cq^2 = M$$

인 형태로 만들 수 있어.

채은 네? 어떻게 해야 할지 짐작도 안 가는데요.

아빠 가우스는,

$$ax^2 + 2bxy + cy^2 + 2dx + 2ey + f = 0$$

인 식에 대해,

$$p = (b^2 - ac)x + be - cd$$
$$q = (b^2 - ac)y + bd - ae$$

로 바꾸면 정수항을 $-M$으로, 위의 식이 된다고 쓰고 있어. 원래
식의 계수를 $2b$나 $2d$로 한 건 신경 쓰지 않아도 돼. b, d, e가
홀수였다면 전체를 2배로 한 뒤에 바꾸면 된다는 뜻이니까.

채은 하지만 이런 거에 대입하다가는 말도 안 되는 식이 돼요. 정말 그
렇게 깔끔한 식이 될까요?

아빠 의심할 시간에 해보는 게 낫지 않을까?

채은 네네. 감히 위대한 가우스 선생님을 의심하다니, 당치도 않은 일
이죠.

아빠 아마도 그러는 게 신변의 안전을 보장할 수 있을 거다. 계산해봤
는데, 도중에 두서가 없어져서 정말 지긋지긋했어. 정수항은 이
렇게 돼.

$$M = a^2c^2f - a^2ce^2 - 2ab^2cf + ab^2e^2 - ac^2d^2$$
$$+ 2abcde + b^4f - 2b^3de + b^2cd^2$$

채은 으악!

아빠 가우스에게는 별것 아닌 계산이겠지만, 보통사람들은 괴로울 거야. 그리고 애초에 이런 치환이 어디서 떠올랐는지 상상도 가질 않아.

채은 천재 가우스였으니 간파할 수 있었던 거죠.

아빠 가우스나 오일러는 계산에서도 정말 천재였지. 그러나 페르마나 갈루아는 사소한 계산 실수가 잦았어. 페르마는 대정리 발견의 한 발짝 앞에서도 바보 같은 계산 실수를 저지르는 바람에 머리를 싸맨 적이 한두 번이 아니었다는구나.

채은 네? 그래서 대정리는 어떻게 됐어요?

아빠 결국 오일러가 발견하게 되지. 갈루아 이론은 가우스의 방정식론을 발전시킨 것이지만 가우스는 계산을 매우 잘했기 때문에 갈루아처럼 계산 위를 어지럽게 날아다닐 필요도 없었고, 그래서 갈루아 이론의 발견에는 이르지 못했어. 갈루아는 계산이 서툴렀기 때문에 간신히 계산 위를 날려고 노력했지.

채은 하하 사실이면 정말 재미있어요.

아빠 아니, 이건 농담이야. 진심으로 이런 말을 한다면 갈루아의 팬들에게 돌이 날아올지도 몰라. 하지만 갈루아의 논문에 계산 실수가 가끔씩 발견되는 건 사실이야.

채은 그 유명한 제1논문이요?

아빠 갈루아의 제1논문에는 계산이 나오지 않아. 다른 논문이야. 가우스는 그런 실수를 결코 표에 나타내지 않았는데, 갈루아는 그렇지가 않았어. 갈루아의 성격이 나오는 것 같아서 재미있지.

8. 르장드르

오일러와 라그랑주의 정수론 연구를 계
승한 사람은 르장드르$^{Adrien-Marie\ Legendre}$
였다.

1752년 파리에서 태어난 르장드르는
1775년에는 해군사관학교^{兵学校}에서 교직
을 맡고, 1782년에 탄도학에 관한 논문으
로 상을 받는다. 이 소식을 들은 라그랑주
는 프랑스의 라플라스에게 르장드르가 어
떤 청년인지 물었는데, 라플라스는 르장드

르장드르

르를 극찬하는 답장을 보냈다. 후일 이 세 명은 프랑스혁명을 전후로 활
약한 3L이라고 불리게 된다.

1789년에 발생한 프랑스혁명은 르장드르의 인생마저도 희롱했다. 여

러번 실직과 생명의 위협을 당한 것이다.

혁명이 일단락되자 르장드르는 미터법을 확립한 위원회의 위원이 되어 지구의 자오선 길이를 측정하기도 했다.

1792년 40세의 르장드르는 자신의 연령 절반도 안 되는 소녀와 결혼한다. 이 소녀는 상당히 야무진 성격이어서 혁명으로 인해 바닥이 난 르장드르의 가계 상황을 지탱하는 데 일조했다고 한다.

르장드르는 당시의 일류 수학자로서 1833년 파리에서 병사할 때까지 아카데미 위원으로 활약했다.

1826년 낙제를 한 15세의 갈루아의 인생을 바꾼 것은 르장드르의 《기하학원론》이었다. 갈루아는 평범한 학생이 2년에 걸쳐 배우는 이 《기하학원론》을 불과 이틀 만에 읽어냈다고 한다.

르장드르가 평생에 걸쳐 사랑했던 것은 타원함수와 정수론이었다. 타원함수에 관한 열정이 담긴 연구는 젊은 아벨과 야코비를 흥분시켰다.

1829년 야코비는 아벨의 필생의 논문이 파리 아카데미에서 묵살당했다고 항의했고 그 항의에 코시의 서랍 속에서 논문을 꺼낸 사람이 바로 르장드르였다. 하지만 이미 때는 늦어서 아벨은 극빈한 생활 속에서 결핵을 앓다가 사망한 후였다. 르장드르는 그런 아벨과 야코비의 업적을 높이 평가하여 칭찬을 아끼지 않았다.

르장드르가 그때까지의 정수론 연구를 집대성한 《정수론》을 간행한 것은 1798년으로, 증명이 불충분하다고 여긴 정리에 관한 언급뿐만 아니라 엄청난 양의 실험 결과도 표로 첨부했다.

그런데 1801년에 간행된 《가우스 정수론》에는 제곱잉여 상호법칙—이것이야말로 황금정리—에 관한 완벽한 증명이 실려 있어 《정수론》을 대폭 가필하여 1830년에 2권의 두꺼운 책으로 간행한 르장드르의 노력은 빛을 발하지 못했다.

지금부터 르장드르가 고안한 기호를 이용해 제곱잉여 상호법칙을 연구해보자.

먼저 189~192쪽, 197~200쪽의 표를 바탕으로 7, 11, 13, 17, 29라는 소수끼리의 제곱잉여의 관계를 알아보자. 법칙이 보이는가?

mod 29에서 $6^2 \equiv 23^2 \equiv 7$ → $\left(\dfrac{7}{29}\right) = 1$

mod 7에서 $1^2 \equiv 6^2 \equiv 1 \equiv 29$ → $\left(\dfrac{29}{7}\right) = \left(\dfrac{1}{7}\right) = 1$

mod 29에서 $x^2 \equiv 11$이 되는 것은 없다.   → $\left(\dfrac{11}{29}\right) = -1$

mod 11에서 $x^2 \equiv 29 \equiv 7$이 되는 것은 없다. → $\left(\dfrac{29}{11}\right) = \left(\dfrac{7}{11}\right) = -1$

이하, 결과만 나타내면 다음과 같다.

$$\left(\frac{7}{29}\right) = 1 \qquad \left(\frac{29}{7}\right) = \left(\frac{1}{7}\right) = 1$$

$$\left(\frac{11}{29}\right) = -1 \qquad \left(\frac{29}{11}\right) = \left(\frac{7}{11}\right) = -1$$

$$\left(\frac{13}{29}\right) = 1 \qquad \left(\frac{29}{13}\right) = \left(\frac{3}{13}\right) = 1$$

$$\left(\frac{17}{29}\right) = -1 \qquad \left(\frac{29}{17}\right) = \left(\frac{12}{17}\right) = -1$$

$$\left(\frac{7}{17}\right) = -1 \qquad \left(\frac{17}{7}\right) = \left(\frac{3}{7}\right) = -1$$

$$\left(\frac{11}{17}\right) = -1 \qquad \left(\frac{17}{11}\right) = \left(\frac{6}{11}\right) = -1$$

$$\left(\frac{13}{17}\right) = 1 \qquad \left(\frac{17}{13}\right) = \left(\frac{4}{13}\right) = 1$$

$$\left(\frac{7}{13}\right) = -1 \qquad \left(\frac{13}{7}\right) = \left(\frac{6}{7}\right) = -1$$

$$\left(\frac{11}{13}\right) = -1 \qquad \left(\frac{13}{11}\right) = \left(\frac{2}{11}\right) = -1$$

$$\left(\frac{7}{11}\right) = -1 \qquad \left(\frac{11}{7}\right) = \left(\frac{4}{7}\right) = 1$$

채은 위와 아래를 반대로 뒤집어도 결과는 변하지 않나봐요.

아빠 정말 그런지 잘 보렴.

채은 어라? 7과 11의 경우에만 결과가 달라요.

아빠 어떤 경우에 일치하고 어떤 경우에 달라지는지가 중요해.

채은 거기까지는…….

아빠 법칙을 찾을 때의 정석이 있지. $4n+1$형 소수와 $4n+3$형 소수로 분류해볼래?

채은 그럼 mod 4에서 생각해볼게요.
$7 \equiv 3$, $29 \equiv 1$이니까 처음에는 3과 1. 이하 3과1, 1과 1, 1과 1, 3과 1, 3과 1, 1과 1, 3과 1, 3과 3이에요. 즉 양쪽이 $4n+3$형 소수일 때에만 달라지는 것 같아요.

아빠 잠깐 실험해볼까? 3과 7에서는?

채은 mod 7에서 2, 3, 4, 5, 6을 제곱하면 4, 2, 2, 4, 1이 되니까, 3은 되지 않아요. 즉 $\left(\dfrac{3}{7}\right) = -1$. 또 $\left(\dfrac{7}{3}\right) = \left(\dfrac{1}{3}\right) = 1$. 예상대로 뒤집으면 결과가 달라져요.

아빠 그럼 7과 19로 해볼까?

채은 mod 19에서 $8^2 \equiv 64 \equiv 7$, $11^2 \equiv 121 \equiv 7$이니까, $\left(\dfrac{7}{19}\right) = 1$.

또 $\left(\dfrac{19}{7}\right)=\left(\dfrac{5}{7}\right)=-1$. 따라서 예상대로에요.

아빠 이것이 가우스의 황금정리라고 하는 제곱잉여 상호법칙이야.

제곱잉여 상호법칙(가우스의 황금정리) ☆

p, q가 $4n+3$형 소수일 때,

$$\left(\frac{q}{p}\right)=-\left(\frac{p}{q}\right)$$

p, q의 적어도 한쪽이 $4n+1$형 소수일 때,

$$\left(\frac{q}{p}\right)=\left(\frac{p}{q}\right)$$

$\mathrm{mod}\ p$에 관한 제곱잉여가 $\mathrm{mod}\ q$에 관한 제곱잉여에 의해 결정된다는 참으로 불가사의한 법칙이지. 불가사의할 뿐만 아니라 실제로 제곱잉여인지 아닌지를 판정할 때 큰 힘을 발휘해. 예를 들어 5가 $\mathrm{mod}\ 3511$에서 제곱잉여인지 아닌지를 알아볼 때, 모든 수를 제곱해서 확인하거나 오일러의 법칙에 따라 5^{1755}을 구할 필요는 없어. 5는 $4n+1$형 소수라서 뒤집을 수 있으니까,

$$\left(\frac{5}{3511}\right)=\left(\frac{3511}{5}\right)=\left(\frac{1}{5}\right)=1$$

이 돼. 실제로 $265^2\equiv70225\equiv5\ (\mathrm{mod}\ 3511)$에서, 5는 제곱잉여야. 제곱잉여에 관한 법칙을 정리해볼까?

홀소수 p, q, 자연수 a, b에 관해서

a: 제1보조정리 mod 4에서 $p \equiv 1 \quad \rightarrow \quad \left(\dfrac{-1}{p} \right) = 1$

$\qquad\qquad\qquad\qquad\quad p \equiv 3 \quad \rightarrow \quad \left(\dfrac{-1}{p} \right) = -1$

b: 제2보조정리 mod 8에서 $p \equiv 1, 7 \quad \rightarrow \quad \left(\dfrac{2}{p} \right) = 1$

$\qquad\qquad\qquad\qquad\quad p \equiv 3, 5 \quad \rightarrow \quad \left(\dfrac{2}{p} \right) = -1$

c: 상호법칙 mod 4에서 $p \equiv q \equiv 3 \quad \rightarrow \quad \left(\dfrac{q}{p} \right) = - \left(\dfrac{p}{q} \right)$

$\qquad\qquad\qquad\qquad\quad p \equiv 1$ 또는 $q \equiv 1 \quad \rightarrow \quad \left(\dfrac{q}{p} \right) = \left(\dfrac{p}{q} \right)$

d: 오일러의 방법 $\left(\dfrac{a}{p} \right) = a^{\frac{p-1}{2}}$

e: $\left(\dfrac{ab}{p} \right) = \left(\dfrac{a}{p} \right) \left(\dfrac{b}{p} \right)$

연습 그럼 잠시 연습해볼까?

① 365는 mod 2609에서 제곱잉여인가?

② −506은 mod 3989에서 제곱잉여인가?

③ 5가 제곱잉여가 되는 홀소수 p는 무엇인가?

④ −13이 제곱잉여가 되는 홀소수 p는 무엇인가?

채은　어떻게 해요?

아빠　먼저 소인수분해한 후에 법칙 e를 사용하는 거야.

채은　네. $365 = 5 \times 73$이니까.

$$\left(\frac{365}{2609} \right) = \left(\frac{5 \times 73}{2609} \right) = \left(\frac{5}{2609} \right)\left(\frac{73}{2609} \right)$$

다음은 어떻게 해요?

아빠　mod 4에서 $2609 \equiv 1$이니까, 그대로 뒤집으면 돼.

채은　$\left(\dfrac{5}{2609} \right) = \left(\dfrac{2609}{5} \right) = \left(\dfrac{4}{5} \right) = \left(\dfrac{2}{5} \right)\left(\dfrac{2}{5} \right) = 1$

다 왔습니다.

$$\left(\frac{73}{2609} \right) = \left(\frac{2609}{73} \right) = \left(\frac{54}{73} \right) = \left(\frac{2}{73} \right)\left(\frac{3}{73} \right)^3$$

다음은요?

아빠　2에 관해서는 b. 이 값은 1이나 -1이니까 제곱하면 1이 돼. 이제 또 뒤집기만 하면 돼. mod 4에서 $73 \equiv 1$이니까 그대로 뒤집을 수 있지.

채은　mod 8에서 $73 \equiv 1$이니까 $\left(\dfrac{2}{73} \right) = 1$.

또 $\left(\dfrac{3}{73} \right)^3 = \left(\dfrac{3}{73} \right) = \left(\dfrac{73}{3} \right) = \left(\dfrac{1}{3} \right) = 1$이니까, $\left(\dfrac{365}{2609} \right) = 1$이네요.

아빠　실제로 mod 2609에서 $861^2 \equiv 1748^2 \equiv 365$가 돼. 그럼 이번에는 ②를 보자.

채은 $506 = 2 \times 11 \times 23$ 이니까,

$$\left(\frac{-506}{3989}\right) = \left(\frac{-1}{3989}\right) \times \left(\frac{2}{3989}\right) \times \left(\frac{11}{3989}\right) \times \left(\frac{23}{3989}\right)$$

▶ $\left(\dfrac{-1}{3989}\right) = 1$ (mod 4에서 $3989 \equiv 1$이므로)

▶ $\left(\dfrac{2}{3989}\right) = -1$ (mod 8에서 $3989 \equiv 5$이므로)

▶ $\left(\dfrac{11}{3989}\right) = \left(\dfrac{3989}{11}\right)$ (mod 4에서 $3989 \equiv 1$이므로 그대로 뒤집는다)

$\qquad = \left(\dfrac{3989}{11}\right) = \left(\dfrac{7}{11}\right) = -\left(\dfrac{11}{7}\right)$

$\qquad$ (mod 4에서 7도 11도 $\equiv 3$이므로, '$-$'를 붙여서 뒤집는다)

$\qquad = -\left(\dfrac{4}{7}\right) = -\left(\dfrac{2 \times 2}{7}\right) = -\left(\dfrac{2}{7}\right) \times \left(\dfrac{2}{7}\right) = -1$

▶ $\left(\dfrac{23}{3989}\right) = \left(\dfrac{3989}{23}\right)$ (mod 4에서 $3989 \equiv 1$이므로 그대로 뒤집는다)

$\qquad = \left(\dfrac{5}{23}\right) = \left(\dfrac{23}{5}\right) = \left(\dfrac{3}{5}\right) = \left(\dfrac{5}{3}\right) = \left(\dfrac{2}{3}\right)$

$\qquad$ (mod 4에서 $5 \equiv 1$이므로 그대로 뒤집는다)

$\qquad = -1$ (mod 8에서 $3 \equiv 3$이므로)

이렇게 되니까 정리하면

$$\left(\frac{-506}{3989}\right) = 1 \times (-1) \times (-1) \times (-1) = -1$$

후우, 겨우 했어요.

아빠 mod 3989에서 $-506 \equiv 3483$이니까,

$$\left(\frac{-506}{3989} \right) = \left(\frac{3483}{3989} \right)$$

이렇게 한 후 계산해도 되지만 채은이가 했던 것처럼 해도 되지. 어쨌든 mod 3989에서 1^2, 2^2, 3^2, $\cdots 3988^2$으로 해도 $-506 \equiv$ 3484가 되지는 않지.

채은 그럼 ③으로 갈까요? mod 4에서 $5 \equiv 1$이니까 $\left(\dfrac{5}{p} \right) = \left(\dfrac{p}{5} \right)$가 되네요.

mod 5에서 제곱잉여가 되는 건 1, 4니까, p는 mod 5에서 1이나 4인 소수. 즉 $5n+1$이나 $5n+4$형 소수. 구체적으로는 11, 19, 29, …….

아빠 실력이 꽤 늘었구나. ④는 조금 복잡하지.

채은 먼저 $\left(\dfrac{-13}{p} \right) = \left(\dfrac{-1}{p} \right) \left(\dfrac{13}{p} \right)$로 해서,

▶ mod 4에서 $p \equiv 1$일 때   → $\left(\dfrac{-1}{p} \right) = 1$

$p \equiv 3$일 때   → $\left(\dfrac{-1}{p} \right) = -1$

▶ mod 4에서 $13 \equiv 1$이므로, $\left(\dfrac{13}{p} \right) = \left(\dfrac{p}{13} \right)$

또 mod 13에서 $1^2 \equiv 12^2 \equiv 1$, $2^2 \equiv 11^2 \equiv 4$, $3^2 \equiv 10^2 \equiv 9$, $4^2 \equiv 9^2 \equiv 3$, $5^2 \equiv 8^2 \equiv 12$, $6^2 \equiv 7^2 \equiv 10$이므로,

mod 13에서 제곱잉여인 것은 1, 3, 4, 9, 10, 12예요.

이건 어떻게 맞추면 돼요?

아빠 mod 4에서 $p \equiv 1$일 때는 mod 13에서 제곱잉여, mod 4에서 $p \equiv 3$일 때는 mod 13에서 제곱비잉여가 되는 수를 구하면 돼. $4 \times 13 = 52$니까, mod 52에서 생각하면 되겠지. 예를 들어 $52n + 1$은 mod 4에서는 $\equiv 1$, mod 13에서도 $\equiv 1$이니까 이제 됐어.

채은 그렇군요. mod 4에서 $\equiv 1$이 되는 것부터 생각할게요.

mod 52	1	5	9	13	17	21	25	29	33	37	41	45	49
mod 13	1	5	9	0	4	8	12	3	7	11	2	6	10

가 되니까, mod 13에서 1, 3, 4, 9, 10, 12가 되는 건 1, 9, 17, 25, 29, 49예요.

같은 방법으로 mod 4에서 $\equiv 3$일 때는,

mod 52	3	7	11	15	19	23	27	31	35	39	43	47	51
mod 13	3	7	11	2	6	10	1	5	9	0	4	8	12

mod 13에서 2, 5, 6, 7, 8, 11이 되는 건 7, 11, 15, 19, 31, 47이에요.

아빠 즉 $p = 52n + k$라고 하면 $k = 1, 7, 9, 11, 15, 17, 19, 25, 29, 31, 47, 49$가 되는 소수 p라는 뜻이구나.

페르마나 갈루아가 계산 실수를 많이 했다는 이야기는 재미있었다. 나에게도 계산 실수는 절실한 문제이기 때문이다. 페르마에게 내 컴퓨터를 선물한다면 감동해서 울지 않을까?

초등학교 때 자유연구 시간에 아버지의 도움을 받아 페르마의 소정리를 한 적이 있는데, 그때 아버지는 정수 실험 프로그램을 짜는 데 푹 빠져 있었다. 일을 하고 계신 줄 알았건만 자세히 보니 며칠씩이나 그걸 하면서 놀고 계셨던 것이다. 그 바람에 마감이 닥치자 눈물을 쏟았지만. 만약 페르마에게도 컴퓨터가 있었다면, 폐인이 되지 않았을까 생각하니 웃음이 난다.

아버지는 뭔가에 빠지면 끝까지 완주하는 면이 있다. 그래도 마감은 지키신다는 것이 자랑이다. 지난 겨울방학에는 새로 산 겔다 전설 스카이워드소드(닌텐도에서 발매된 게임)를 섣달 그믐날에 클리어까지는 그나마 괜찮았지만, 그게 끝나자 지난번 작품인 트와일라잇 프린세스가 생각나서 잠깐만 해보려고 시작했던 것이 그만 6일 동안이나……. 결국 클리어할 때까지 멈추지 않았다. 덕분에 겨울방학에만 90시간이나 게임을 하게 되어, 아버지는 일이 큰일이었고 나는 숙제가 큰일이었다. 아버지는 아버지대로 내가 하자고 한 게 잘못이라 했는데, 그렇게 말하면서도 웃으시며 게임기를 질질 끌어당기고 계셨다. 분명 절반은 아버지가 잘못하신 건데. 에고, 이제 푸념은 그만 해야지.

이제야 황금정리가 등장했는데 기대를 잔뜩 했던 탓에 확 눈길이 가지는 않는다. 이 황금정리의 어디가 대단하다는 걸까?

그래도 아버지는 한 번 빠지면 멈추지 않는 성격이고 나와는 달리 수학에 빠져 있으니까, 분명 믿고 읽다 보면 지금은 어려워도 끝에 가서는 모두 이해할 수 있을 것이다. 음!

　그런데 이 장까지 페르마의 소정리 증명이 세 번 나오는데, 점점 단순해져서 좋았다. 처음에는 이항정리를 사용한 복잡한 증명. 이렇게 복잡한 생각을 어떻게 했을까 싶었다. 또 이해는 되도, '아 그런가?' 하는 정도의 생각만 들고 감동이 없었다.

　오일러의 증명 방법은 꽤 시원하다는 느낌이 들었다.

　그리고 마지막으로 군을 사용한 증명. p가 소수일 때 $\bmod p$로 생각하면 $1, 2, 3, \cdots, p-1$은 군이 된다. 그래서 적당한 원소 a를 선택해 $a, a2, a3, \cdots, 1$을 생각하면 부분군이 된다. 부분군의 위수는 전체 군의 위수 $p-1$의 약수가 되므로 $ap-1$은 당연히 1이 된다. 이렇게 당연하게 생각되는 걸 보고 조금 흥분했다. 아, 이 증명법을 페르마의 생일 선물로 바치고 싶다!

　이토록 어려운 것을 이렇게 쉽게 이해할 수 있다니, 이 책은 조금이나마 천재 기분을 맛볼 수 있게 해주는 좋은 책이라는 생각이 든다.

CHAPTER 4

가우스

Carl Friedrich Gauss

1777~1855

1. 이상한 계산

　페이지 상 《가우스 정수론》의 반 이상을 차지하는 것이 2차 형식론이다. 《가우스 정수론》은 페르마, 오일러, 라그랑주, 르장드르의 연구를 넘어서 탁월한 발상으로 완벽한 이론을 전개한다. 이 2차 형식론은 수학 연구에서 마땅히 써야 할 견본처럼 느껴진다. 치밀하면서도 깊이 들어가야 할 곳에서는 대담하게 발을 들여놓기 때문이다. 가우스의 2차 형식론을 모두 전개하고 싶지만 여기에서 그 깊이와 방대한 내용을 알리기에는 무리인지라 기본적인 개념만이라도 소개하고자 한다.

　가우스는 2차 형식,

$$ax^2 + 2bxy + cy^2$$

을 간단하게 (a, b, c)라고 썼다. b가 아니라 $2b$가 되는 이유는 단순히 표현상의 문제이므로 신경 쓰지 않아도 된다. 이 x, y를 p, q로 바

꾸어,

$$x = sp + tq \qquad y = up + vq$$

로 식을 치환한다. 이 연립방정식을 행렬로 나타내면 다음과 같다.

$$\begin{cases} x = sp + tq \\ y = up + vq \end{cases} \Leftrightarrow \begin{pmatrix} x \\ y \end{pmatrix} = \begin{pmatrix} s & t \\ u & v \end{pmatrix} \begin{pmatrix} p \\ q \end{pmatrix}$$

사실 가우스는 행렬을 사용하지 않았다. 하지만 행렬을 사용하면 계산이 한눈에 들어오기 때문에 여기에서는 행렬을 사용할 것이다. 행렬이라고 해도 기본적인 것만 할 예정이므로 처음이라고 당황할 필요는 없다.

행렬 $\begin{pmatrix} s & t \\ u & v \end{pmatrix}$에서 옆으로 나란히 쓰여 있는 $(s\ t)(u\ v)$를 '행'이라고 하고, 세로로 나란히 쓰여 있는 $\begin{pmatrix} s \\ u \end{pmatrix} \begin{pmatrix} t \\ v \end{pmatrix}$을 '열'이라고 한다. 그리고 s, t, u, v를 성분이라고 한다.

$(1\ \ 2)$처럼 1행의 행렬을 행벡터, $\begin{pmatrix} 3 \\ 4 \end{pmatrix}$처럼 1열의 행렬을 열벡터라고 한다.

$\begin{pmatrix} 5 & 6 \\ 7 & 8 \end{pmatrix}$은 2행 2열의 정사각행렬이다.

행렬의 곱셈은 '행' × '열'이 기본이다. 각각 해당하는 성분을 곱한 후더하면 다음과 같은 식이 된다.

$$(1\ \ 2) \begin{pmatrix} 3 \\ 4 \end{pmatrix} = 1 \times 3 + 2 \times 4 = 3 + 8 = 11$$

정사각행렬에 열벡터를 곱하면 열벡터가 된다.

$$\begin{pmatrix} 5 & 6 \\ 7 & 8 \end{pmatrix} \begin{pmatrix} 3 \\ 4 \end{pmatrix} = \begin{pmatrix} 5\times3+6\times4 \\ 7\times3+8\times4 \end{pmatrix} = \begin{pmatrix} 15+24 \\ 21+32 \end{pmatrix} = \begin{pmatrix} 39 \\ 53 \end{pmatrix}$$

정사각행렬에 행벡터를 곱할 수는 없다. 성분의 수가 맞지 않기 때문이다.

$$\begin{pmatrix} 5 & 6 \\ 7 & 8 \end{pmatrix} (1 \quad 2) = \begin{pmatrix} 5\times1+6\times? \\ 7\times1+8\times? \end{pmatrix}$$

마찬가지로 열벡터 × 정사각행렬도 불가능하다.

$$\begin{pmatrix} 3 \\ 4 \end{pmatrix} \begin{pmatrix} 5 & 6 \\ 7 & 8 \end{pmatrix} = \begin{pmatrix} 3\times5+?\times7 \\ 4\times5+?\times7 \end{pmatrix}$$

행벡터 × 정사각행렬은 행벡터가 된다.

$$(1 \quad 2) \begin{pmatrix} 5 & 6 \\ 7 & 8 \end{pmatrix} = (1\times5+2\times7 \quad 1\times6+2\times8) = (5+14 \quad 6+16)$$

$$= (19 \quad 22)$$

정사각행렬 × 정사각행렬은 정사각행렬이 된다.

$$\begin{pmatrix} 1 & 2 \\ 3 & 4 \end{pmatrix} \begin{pmatrix} 5 & 6 \\ 7 & 8 \end{pmatrix} = \begin{pmatrix} 1\times5+2\times7 & 1\times6+2\times8 \\ 3\times5+4\times7 & 3\times6+4\times8 \end{pmatrix}$$

$$= \begin{pmatrix} 5+14 & 6+16 \\ 15+28 & 18+32 \end{pmatrix} = \begin{pmatrix} 19 & 22 \\ 43 & 50 \end{pmatrix}$$

행렬이나 벡터가 아닌 일반적인 수를 스칼라라고 한다. 정사각행렬에 스칼라를 곱할 때는 모든 성분을 곱한다.

$$5 \times \begin{pmatrix} 1 & 2 \\ 3 & 4 \end{pmatrix} = \begin{pmatrix} 5\times1 & 5\times2 \\ 5\times3 & 5\times4 \end{pmatrix} = \begin{pmatrix} 5 & 10 \\ 15 & 20 \end{pmatrix}$$

이제 연습해보자.

① $\begin{pmatrix} 7 & 2 \\ -5 & 1 \end{pmatrix} \begin{pmatrix} -2 \\ 3 \end{pmatrix}$

② $\begin{pmatrix} 2 & -1 \\ 3 & -4 \end{pmatrix} \begin{pmatrix} x \\ y \end{pmatrix}$

③ $(-2 \quad 5) \begin{pmatrix} 3 & -1 \\ 2 & 7 \end{pmatrix} \begin{pmatrix} x \\ y \end{pmatrix}$

④ $(x \quad y) \begin{pmatrix} 2 & 3 \\ -2 & 5 \end{pmatrix}$

⑤ $\begin{pmatrix} -5 & -7 \\ 2 & 4 \end{pmatrix} \begin{pmatrix} 3 & 4 \\ 5 & 6 \end{pmatrix}$

⑥ $\begin{pmatrix} 3 & 4 \\ 5 & 6 \end{pmatrix} \begin{pmatrix} -5 & -7 \\ 2 & 4 \end{pmatrix}$

⑦ $\begin{pmatrix} 4 & 5 \\ 6 & 7 \end{pmatrix} \begin{pmatrix} 1 & 0 \\ 0 & 1 \end{pmatrix}$

⑧ $\begin{pmatrix} 1 & 0 \\ 0 & 1 \end{pmatrix} \begin{pmatrix} 4 & 5 \\ 6 & 7 \end{pmatrix}$

⑨ $(x \quad y) \begin{pmatrix} a & b \\ b & c \end{pmatrix} \begin{pmatrix} x \\ y \end{pmatrix}$

채은 행렬은 이상한 계산이네요. 이렇게 해서 한눈에 보인다고요?

아빠 사실 이 원고를 행렬을 사용하지 않고 써 봤어. 그런데 지저분해 져서 엉망인 상태가 되지 뭐니. 가우스는 '쉽게 파악할 수 있도록' 이라고 했지만 그거야 가우스한테나 한눈에 알아볼 수 있는 쉬운 계산이지 평범한 사람들은 힘든 계산일 거야. 하지만 행렬을 사용 하면 쉽게 계산할 수 있지. 이것도 뛰어난 기호 덕분이야.

채은 흐음, 그렇다면 행렬을 공부해볼까요? 연습문제 ①. 일단 곱한 후 에 더하기를 반복하면 되는 거죠?

$$\begin{pmatrix} 7 & 2 \\ -5 & 1 \end{pmatrix} \begin{pmatrix} -2 \\ 3 \end{pmatrix} = \begin{pmatrix} 7 \times (-2) + 2 \times 3 \\ -5 \times (-2) + 1 \times 3 \end{pmatrix}$$

$$= \begin{pmatrix} -14 + 6 \\ 10 + 3 \end{pmatrix} = \begin{pmatrix} -8 \\ 13 \end{pmatrix}$$

아빠 좋아. 계속.

채은 ② $\begin{pmatrix} 2 & -1 \\ 3 & -4 \end{pmatrix} \begin{pmatrix} x \\ y \end{pmatrix} = \begin{pmatrix} 2x - y \\ 3x - 4y \end{pmatrix}$

③ $(-2 \ \ 5) \begin{pmatrix} 3 & -1 \\ 2 & 7 \end{pmatrix} \begin{pmatrix} x \\ y \end{pmatrix}$

$= (-2 \times (-3) + 5 \times 2 \quad 2 \times (-1) + 5 \times 7)$

$= (6 + 10 \quad 2 + 35) = (16 \quad 37)$

④ $(x \quad y) \begin{pmatrix} 2 & 3 \\ -2 & 5 \end{pmatrix} = (2x-2y \quad 3x+5y)$

⑤ $\begin{pmatrix} -5 & -7 \\ 2 & 4 \end{pmatrix} \begin{pmatrix} 3 & 4 \\ 5 & 6 \end{pmatrix}$

$= \begin{pmatrix} -5 \times 3 + (-7) \times 5 & -5 \times 4 + (-7) \times 6 \\ 2 \times 3 + 4 \times 5 & 2 \times 4 + 4 \times 6 \end{pmatrix}$

$= \begin{pmatrix} -15-35 & -20-42 \\ 6+20 & 8+24 \end{pmatrix} = \begin{pmatrix} -50 & -62 \\ 26 & 32 \end{pmatrix}$

⑥은 ⑤의 반대인가요.? 똑같아지지 않나요?

아빠 해보렴.

채은 ⑥ $\begin{pmatrix} 3 & 4 \\ 5 & 6 \end{pmatrix} \begin{pmatrix} -5 & -7 \\ 2 & 4 \end{pmatrix}$

$= \begin{pmatrix} 3 \times (-5) + 4 \times 2 & 3 \times (-7) + 4 \times 4 \\ 5 \times (-5) + 6 \times 2 & 5 \times (-7) + 6 \times 4 \end{pmatrix}$

$= \begin{pmatrix} -15+8 & -21+16 \\ -25+12 & -35+24 \end{pmatrix} = \begin{pmatrix} -7 & -5 \\ -13 & -11 \end{pmatrix}$

어? 결과가 전혀 달라요.

아빠 행렬의 곱셈은 교환법칙이 성립하지 않거든. 그래서 주의해야 해.

채은 그럼 계속 할게요.

⑦ $\begin{pmatrix} 4 & 5 \\ 6 & 7 \end{pmatrix} \begin{pmatrix} 1 & 0 \\ 0 & 1 \end{pmatrix}$

$$= \begin{pmatrix} 4\times1+5\times0 & 4\times0+5\times1 \\ 6\times1+7\times0 & 6\times0+7\times1 \end{pmatrix} = \begin{pmatrix} 4 & 5 \\ 6 & 7 \end{pmatrix}$$

아, 원래대로 됐어요.

아빠 그러면 된 거야.

채은 ⑧ $\begin{pmatrix} 1 & 0 \\ 0 & 1 \end{pmatrix}\begin{pmatrix} 4 & 5 \\ 6 & 7 \end{pmatrix}$

$$= \begin{pmatrix} 1\times4+0\times6 & 1\times5+0\times7 \\ 0\times4+1\times6 & 0\times5+1\times7 \end{pmatrix} = \begin{pmatrix} 4 & 5 \\ 6 & 7 \end{pmatrix}$$

또 원래대로 돌아왔어요.

아빠 이 $\begin{pmatrix} 1 & 0 \\ 0 & 1 \end{pmatrix}$ 은 보통 수의 곱셈에서 '1'과 같은 작용을 하기 때문

에 단위행렬이라고 하지.

채은 흐음. ⑨는 지금까지 했던 것과는 좀 다르네요.

아빠 처음부터 순서대로 하면 돼.

채은 $(x \ y)\begin{pmatrix} a & b \\ b & c \end{pmatrix}\begin{pmatrix} x \\ y \end{pmatrix} = (ax+by \ \ bx+cy)\begin{pmatrix} x \\ y \end{pmatrix}$

$$= ax^2+bxy+bxy+cy^2 = ax^2+2bxy+cy^2$$

이건 제일 처음에 나왔던 거잖아요?

아빠 그렇지. 그래서 지금부터 2차 형식 $ax^2+2bxy+cy^2$은 행렬을

사용해서, $\begin{pmatrix} a & b \\ b & c \end{pmatrix}$ 라고 표현할 거야. 이러면 꽤 편리해.

2. 까다롭지만……

앞에서 단위행렬 $\begin{pmatrix} 1 & 0 \\ 0 & 1 \end{pmatrix}$ 은 일반 숫자의 곱셈의 '1'과 같다고 설명했다. 일반 숫자의 곱셈은, 곱해서 1이 되는 것을 역수라고 한다. 행렬의 경우 곱해서 단위행렬이 되는 것을 역행렬이라고 한다. 조금 복잡한 형태이지만,

$$\begin{pmatrix} s & t \\ u & v \end{pmatrix} \text{의 역행렬은 } \begin{pmatrix} s & t \\ u & v \end{pmatrix}^{-1} = \begin{pmatrix} \dfrac{v}{sv-tu} & \dfrac{-t}{sv-tu} \\ \dfrac{-u}{sv-tu} & \dfrac{s}{sv-tu} \end{pmatrix}$$

또는 $\dfrac{1}{sv-tu}$ 을 앞으로 빼서 $\dfrac{1}{sv-tu} \begin{pmatrix} v & -t \\ -u & s \end{pmatrix}$ 로 써도 마찬가지이다. 이 $sv-tu$ 를 '행렬식'이라고 한다. 행렬식이 0이 되는 경우에는 역행렬이 존재하지 않는다. 또 행렬식이 ±1일 때는 원래의 성분이 정수라

면 역행렬의 성분도 정수가 되는 것을 알 수 있다. 행렬식을 무시하면, 왼쪽 위와 오른쪽 아래의 성분을 바꾸고, 오른쪽 위와 왼쪽 아래의 성분에 -1을 곱하면 역행렬이 된다. 실제로 구해보면 이해가 더 빠를 것이다.

$\begin{pmatrix} 1 & 2 \\ 3 & 4 \end{pmatrix}$ 의 행렬은 $1 \times 4 - 2 \times 3 = 4 - 6 = -2$ 이므로,

$$\begin{pmatrix} 1 & 2 \\ 3 & 4 \end{pmatrix}^{-1} = -\frac{1}{2} \begin{pmatrix} 4 & -2 \\ -3 & 1 \end{pmatrix}$$

원래의 행렬과 곱해보자.

$$\begin{pmatrix} 1 & 2 \\ 3 & 4 \end{pmatrix} \times -\frac{1}{2} \begin{pmatrix} 4 & -2 \\ -3 & 1 \end{pmatrix} = -\frac{1}{2} \begin{pmatrix} 1 & 2 \\ 3 & 4 \end{pmatrix} \begin{pmatrix} 4 & -2 \\ -3 & 1 \end{pmatrix}$$

$$= -\frac{1}{2} \begin{pmatrix} 4-6 & -2+2 \\ 12-12 & -6+4 \end{pmatrix}$$

$$= -\frac{1}{2} \begin{pmatrix} -2 & 0 \\ 0 & -2 \end{pmatrix} = \begin{pmatrix} 1 & 0 \\ 0 & 1 \end{pmatrix}$$

행렬끼리인 경우에는 교환법칙이 성립하지 않지만 스칼라(행렬이나 벡터가 아닌 일반적인 수)는 교환해도 되므로 이처럼 앞으로 내어서 마지막에 처리하는 것이 쉽다. 순서를 바꿔서 곱하면 다음과 같다.

$$-\frac{1}{2} \begin{pmatrix} 4 & -2 \\ -3 & 1 \end{pmatrix} \begin{pmatrix} 1 & 2 \\ 3 & 4 \end{pmatrix} = -\frac{1}{2} \begin{pmatrix} 4-6 & 8-8 \\ -3+3 & -6+4 \end{pmatrix}$$

$$= -\frac{1}{2} \begin{pmatrix} -2 & 0 \\ 0 & -2 \end{pmatrix} = \begin{pmatrix} 1 & 0 \\ 0 & 1 \end{pmatrix}$$

다른 문제를 풀어보자.

$\begin{pmatrix} 4 & 3 \\ 9 & 7 \end{pmatrix}$ 의 행렬식은 $4 \times 7 - 3 \times 9 = 1$ 이므로

$\begin{pmatrix} 4 & 3 \\ 9 & 7 \end{pmatrix}^{-1} = \begin{pmatrix} 7 & -3 \\ -9 & 4 \end{pmatrix}$ 이다.

$\begin{pmatrix} 4 & 3 \\ 9 & 7 \end{pmatrix} \begin{pmatrix} 7 & -3 \\ -9 & 4 \end{pmatrix} = \begin{pmatrix} 28-27 & -12+12 \\ 63-63 & -27+28 \end{pmatrix} = \begin{pmatrix} 1 & 0 \\ 0 & 1 \end{pmatrix}$

$\begin{pmatrix} 7 & -3 \\ -9 & 4 \end{pmatrix} \begin{pmatrix} 4 & 3 \\ 9 & 7 \end{pmatrix} = \begin{pmatrix} 28-27 & -21+21 \\ 36-36 & -27+28 \end{pmatrix} = \begin{pmatrix} 1 & 0 \\ 0 & 1 \end{pmatrix}$

행렬 A의 행렬식을 기호로 $|A|$ 라고 나타낸다. 행렬식에는 다음과 같은 아름다운 관계가 있다.

$$|A||B| = |AB|$$

즉 행렬식을 먼저 구해서 곱하든 행렬의 곱을 한 뒤에 행렬식을 구하든 마찬가지이다. 이것은 계산만 하면 확인할 수 있다.

$A = \begin{pmatrix} a & b \\ c & d \end{pmatrix}$, $B = \begin{pmatrix} p & q \\ r & s \end{pmatrix}$ 라고 하면,

$|A||B| = (ad-bc)(ps-qr) = adps+bcrq-adqr-bcps$

$|AB| = \left| \begin{pmatrix} ap+br & aq+bs \\ cp+dr & cq+ds \end{pmatrix} \right|$

$\quad = (ap+br)(cq+ds) - (cp+dr)(aq+bs)$

$\quad = apcp+apds+brcq+brds-cpaq-cpbs-draq-drbs$

$\quad = adps+bcrq-adqr-bcps$

직접 풀어보면 정확히 일치하는 것을 확인할 수 있다.

x, y를 p, q로 치환할 때는 행렬을 사용해 다음과 같이 나타낸다.

$$\begin{pmatrix} x \\ y \end{pmatrix} = \begin{pmatrix} s & t \\ u & v \end{pmatrix} \begin{pmatrix} p \\ q \end{pmatrix}$$

p, q를 x, y로 치환할 때에는 역행렬을 사용해서 다음과 같이 된다.

$$\begin{pmatrix} p \\ q \end{pmatrix} = \begin{pmatrix} s & t \\ u & v \end{pmatrix}^{-1} \begin{pmatrix} x \\ y \end{pmatrix}$$

행렬식이 1일 때에는 $\begin{pmatrix} p \\ q \end{pmatrix} = \begin{pmatrix} v & -t \\ -u & s \end{pmatrix} \begin{pmatrix} x \\ y \end{pmatrix}$ 이다.

계속해서 문제를 풀어보자.

다음의 역행렬을 구하시오.

① $\begin{pmatrix} 4 & -7 \\ 5 & -6 \end{pmatrix}$ ② $\begin{pmatrix} 2 & 1 \\ 5 & 3 \end{pmatrix}$

$$\begin{pmatrix} s & t \\ u & v \end{pmatrix}^{t} = \begin{pmatrix} s & u \\ t & v \end{pmatrix} \qquad \begin{pmatrix} 1 & 2 \\ 3 & 4 \end{pmatrix}^{t} = \begin{pmatrix} 1 & 3 \\ 2 & 4 \end{pmatrix}$$

행벡터를 전치하면 열벡터가, 열벡터를 전치하면 행벡터가 된다.

$$\begin{pmatrix} x \\ y \end{pmatrix}^{t} = (x \quad y) \qquad (p \quad q)^{t} = \begin{pmatrix} p \\ q \end{pmatrix}$$

그러면 $\begin{pmatrix} x \\ y \end{pmatrix} = \begin{pmatrix} s & t \\ u & v \end{pmatrix} \begin{pmatrix} p \\ q \end{pmatrix}$ 를 전치해보자. 정사각행렬× 행벡터는

불가능하므로 오른쪽 변은 열벡터× 정사각행렬이 된다.

$$\begin{pmatrix} x \\ y \end{pmatrix} = \begin{pmatrix} s & t \\ u & v \end{pmatrix} \begin{pmatrix} p \\ q \end{pmatrix} \rightarrow (x \quad y) = (p \quad q) \begin{pmatrix} s & u \\ t & v \end{pmatrix}$$

의미하는 것은 양쪽 다 $x = sp + tq$, $y = up + vq$이다.

2차 형식 정복의 첫걸음 - 변환

여러분은 바로 이것을 위해 지금까지 준비하고 있었던 것이다.

$ax^2 + 2bxy + cy^2$를 $\begin{pmatrix} x \\ y \end{pmatrix} = \begin{pmatrix} s & t \\ u & v \end{pmatrix} \begin{pmatrix} p \\ q \end{pmatrix}$에서 변환하면 어떻게 될까? x, y의 2차 형식을 p, q의 2차 형식으로 바꾸는 것이다. 직접 계산하려면 $x = sp + tq$, $y = up + vq$를 대입해서 정리하면 되지만 여기에서는 행렬을 사용해 생각해보자.

앞에서 했듯이 행렬을 사용하면 $ax^2 + 2bxy + cy^2 = (x \quad y) \begin{pmatrix} a & b \\ b & c \end{pmatrix} \begin{pmatrix} x \\ y \end{pmatrix}$가 된다. 이 x, y를 p, q로 치환하면 되므로 x, y의 행벡터, 열벡터에

$$(x \quad y) = (p \quad q) \begin{pmatrix} s & u \\ t & v \end{pmatrix} \qquad \begin{pmatrix} x \\ y \end{pmatrix} = \begin{pmatrix} s & t \\ u & v \end{pmatrix} \begin{pmatrix} p \\ q \end{pmatrix}$$

를 대입하면 된다. 확인해보자.

$$(x \quad y) \begin{pmatrix} a & b \\ b & c \end{pmatrix} \begin{pmatrix} x \\ y \end{pmatrix} = (p \quad q) \begin{pmatrix} s & u \\ t & v \end{pmatrix} \begin{pmatrix} a & b \\ b & c \end{pmatrix} \begin{pmatrix} s & t \\ u & v \end{pmatrix} \begin{pmatrix} p \\ q \end{pmatrix}$$

즉 중간의 $\begin{pmatrix} s & u \\ t & v \end{pmatrix} \begin{pmatrix} a & b \\ b & c \end{pmatrix} \begin{pmatrix} s & t \\ u & v \end{pmatrix}$를 계산하면 변환한 식을 알 수 있다. 계산하면 다음과 같다.

$$\begin{pmatrix} s & u \\ t & v \end{pmatrix}\begin{pmatrix} a & b \\ b & c \end{pmatrix}\begin{pmatrix} s & t \\ u & v \end{pmatrix}$$

$$=\begin{pmatrix} as^2+2bsu+cu^2 & ast+b(sv+tu)+cuv \\ ast+b(sv+tu)+cuv & at^2+2btv+cv^2 \end{pmatrix}$$

식이 좀 복잡해졌으니 하나씩 살펴보자. 이 변환을,

$$\begin{pmatrix} a & b \\ b & c \end{pmatrix} \quad \rightarrow \quad \begin{pmatrix} A & B \\ B & C \end{pmatrix}$$

로 하고 A, B, C에 관해 각각 써보자.

$$A=as^2+2bsu+cu^2=(s \quad u)\begin{pmatrix} a & b \\ b & c \end{pmatrix}\begin{pmatrix} s \\ u \end{pmatrix}$$

$$B=ast+b(sv+tu)+cuv=(t \quad v)\begin{pmatrix} a & b \\ b & c \end{pmatrix}\begin{pmatrix} s \\ u \end{pmatrix}$$

$$C=at^2+2btv+cv^2=(t \quad v)\begin{pmatrix} a & b \\ b & c \end{pmatrix}\begin{pmatrix} t \\ v \end{pmatrix}$$

A와 C는 원래의 2차 형식에 (s, u), (t, v)를 대입한 것이 되었다. 또 B는 원래의 2차 형식의 앞부터 행벡터 (t, v), 뒤부터 열벡터 $\begin{pmatrix} s \\ u \end{pmatrix}$를 곱하고 있다. 물론 두말할 필요도 없이 변환하는 행렬의 행렬식이 $\pm$ 1일 때, x, $y \Leftrightarrow p$, q는 정수끼리 치환한다.

가우스는 행렬식이 1일 때를 정식동치, -1일 때를 비정식동치라고 명명하고 이 두 변환을 동치변환이라고 했다. 그리고 동치변환이 가능한 2차 형식의 전체를 한 범주로 간주하고, 그것을 분석했다.

그럼 먼저 변환의 구체적인 계산을 연습해보자.

$3x^2+14xy+17y^2$을 $x=3p-7q$, $y=-2p+5$로 변환한다. 행렬로 나타내면,

$$\begin{pmatrix} 3 & 7 \\ 7 & 17 \end{pmatrix}, \quad \begin{pmatrix} x \\ y \end{pmatrix} = \begin{pmatrix} 3 & -7 \\ -2 & 5 \end{pmatrix} \begin{pmatrix} p \\ q \end{pmatrix}$$

행렬식은 $3\times 5-(-7)\times(-2)=15-14=1$이므로 정식동치의 변환이다. 이제 변환해보자. 왼쪽부터 곱하는 것은 전치행렬인 것에 주의한다.

$$\begin{pmatrix} 3 & -2 \\ -7 & 5 \end{pmatrix} \begin{pmatrix} 3 & 7 \\ 7 & 17 \end{pmatrix} \begin{pmatrix} 3 & -7 \\ -2 & 5 \end{pmatrix}$$

$$= \begin{pmatrix} 9-14 & 21-34 \\ -21+35 & -49+85 \end{pmatrix} \begin{pmatrix} 3 & -7 \\ -2 & 5 \end{pmatrix}$$

$$= \begin{pmatrix} -5 & -13 \\ 14 & 36 \end{pmatrix} \begin{pmatrix} 3 & -7 \\ -2 & 5 \end{pmatrix}$$

$$= \begin{pmatrix} -15+26 & 35-65 \\ 42-72 & -98+180 \end{pmatrix}$$

$$= \begin{pmatrix} 11 & -30 \\ -30 & 82 \end{pmatrix}$$

가 된다. 또 다음과 같이 계산해도 된다.

$$A=3\times 3^2+14\times 3(-2)+17(-2)^2=27-84+68=11$$
$$C=3\times(-7)^2+14\times(-7)\times 5+17\times 5^2=147-490+425=82$$

$$B=(-7 \quad 5)\begin{pmatrix} 3 & 7 \\ 7 & 17 \end{pmatrix}\begin{pmatrix} 3 \\ -2 \end{pmatrix}$$

$$= (-21+35 \quad -49+85)\begin{pmatrix} 3 \\ -2 \end{pmatrix}$$

$$= (14 \ \ 36) \begin{pmatrix} 3 \\ -2 \end{pmatrix} = 42 - 72 = -30$$

어느 쪽으로 하든,

$$3x^2 + 14xy + 17y^2 \quad \rightarrow \quad 11p^2 - 60pq + 82q^2$$

가 된다. 게다가

$$\begin{pmatrix} x \\ y \end{pmatrix} = \begin{pmatrix} 3 & -7 \\ -2 & 5 \end{pmatrix} \begin{pmatrix} p \\ q \end{pmatrix} \quad \rightarrow \quad \begin{pmatrix} p \\ q \end{pmatrix} = \begin{pmatrix} 5 & 7 \\ 2 & 3 \end{pmatrix} \begin{pmatrix} x \\ y \end{pmatrix}$$

이므로 $x = 2$, $y = 3$일 때,

$p = 5 \times 2 + 7 \times 3 = 31$, $q = 2 \times 2 + 3 \times 3 = 13$이다.

따라서

$$3 \times 2^2 + 14 \times 2 \times 3 + 17 \times 3^2 = 12 + 84 + 153 = 249$$

$$11 \times 31^2 - 60 \times 31 \times 13 + 82 \times 13^2$$

$$= 10571 - 24180 + 13858 = 249$$

와 같은 결과가 된다.

연습 **그럼 연습!**

③ $809x^2 + 418xy + 54y^2$를 $x = -q$, $y = p + 4q$로 변환하시오. 또 $x = 1$, $y = 0$일 때 $p = 4$, $q = -1$이다. 이것을 대입하여 값을 확인하시오.

◎◎○○◎◎○◎◎○○◎◎○○◎◎○○

채은 변환계산은 행렬을 사용하면 x나 y가 나오지 않는 건 괜찮은데, 그래도 꽤 귀찮아요. 이 정도라면 식에 직접 대입하는 게 낫지 않아요? 행렬의 고마움을 모르겠어요.

아빠 이 정도라면 직접 해도 별 차이점을 모를 수 있어. 하지만 뒤로 가면 행렬의 고마움을 실감할 수 있을 거야. 이제 막 시작한 거니까. 어쨌든 역행렬을 구해보렴.

채은 먼저 ①은 $\begin{pmatrix} 4 & -7 \\ 5 & -6 \end{pmatrix}$의 역행렬이죠?

행렬식은 $4 \times (-6) - (-7) \times 5 = -24 + 35 = 11$. 그러니까 왼쪽 위와 오른쪽 아래를 바꾸고 나머지는 -1을 곱하니까, 역행렬은 $\dfrac{1}{11}\begin{pmatrix} -6 & 7 \\ -5 & 4 \end{pmatrix}$에요.

아빠 맞았어. 간단하지.

채은 이 정도쯤이야 뭐. 거뜬하게 풀죠. ②는 $\begin{pmatrix} 2 & 1 \\ 5 & 3 \end{pmatrix}$의 역행렬이네요.

행렬식은 $2 \times 3 - 1 \times 5 = 6 - 5 = 1$. 럭키! 역행렬은 $\begin{pmatrix} 3 & -1 \\ -5 & 2 \end{pmatrix}$.

아빠 좋아. 그럼 변환에 도전해보자.

채은 또 큰 수예요? 조금은 신경 써서 계산 좀 편하게 해주세요.

아빠 나중을 생각해서 낸 문제인데 계산도 편해. 해보면 알아.

채은 먼저 행렬로 표현하면,

$$\begin{pmatrix} 809 & 209 \\ 209 & 54 \end{pmatrix}, \qquad \begin{pmatrix} x \\ y \end{pmatrix} = \begin{pmatrix} 0 & -1 \\ 1 & 4 \end{pmatrix}\begin{pmatrix} p \\ q \end{pmatrix}$$

$\begin{pmatrix} 0 & -1 \\ 1 & 4 \end{pmatrix}$ 의 행렬은 $\begin{pmatrix} 0 & -1 \\ 1 & 4 \end{pmatrix}^t = \begin{pmatrix} 0 & 1 \\ -1 & 4 \end{pmatrix}$

그럼 변환할게요.

$$\begin{pmatrix} 0 & 1 \\ -1 & 4 \end{pmatrix}\begin{pmatrix} 809 & 209 \\ 209 & 54 \end{pmatrix}\begin{pmatrix} 0 & -1 \\ 1 & 4 \end{pmatrix}$$

$$= \begin{pmatrix} 209 & 54 \\ -809+836 & -209+216 \end{pmatrix}\begin{pmatrix} 0 & -1 \\ 1 & 4 \end{pmatrix}$$

$$= \begin{pmatrix} 209 & 54 \\ 27 & 7 \end{pmatrix}\begin{pmatrix} 0 & -1 \\ 1 & 4 \end{pmatrix}$$

$$= \begin{pmatrix} 54 & -209+216 \\ 7 & -27+28 \end{pmatrix}$$

$$= \begin{pmatrix} 54 & 7 \\ 7 & 1 \end{pmatrix}$$

0이 있으면 매우 편해요. 잠깐만요, 또 다른 방법으로는 $A=54$를 0.1초 만에 구할 수 있네요. B와 C를 구하는 수고는 비슷한 건가? 결국

$$809x^2 + 418xy + 54y^2 \quad \rightarrow \quad 54p^2 + 14pq + q^2$$

$x=1$, $y=0$일 때,

$$809 \times 1^2 + 418 \times 1 \times 0 + 54 \times 0^2 = 809$$

$p=4$, $q=-1$일 때,

$$54 \times 4^2 + 14 \times 4 \times (-1) + (-1)^2 = 864 - 56 + 1 = 809$$

정확히 일치. 제 계산 실력도 꽤 괜찮죠?

아빠 처음치고는 잘했어. 칭찬해주마.

채은 에이~! 아빠 너무 짜다!

3. 변환해도 변하지 않는 것

가우스는 동치변환으로 변화하지 않는 양에 주목해서 판별식 D라고 명명했다. 2차 형식,

$$ax^2 + 2bxy + cy^2$$

의 판별식은,

$$D = b^2 - ac$$

이다. 2차 형식을 행렬로 나타내면 $\begin{pmatrix} a & b \\ b & c \end{pmatrix}$ 가 되므로 판별식은 이 행렬식에 -1을 곱한 것이다. 즉 이 행렬을 A라고 하면,

$$D = - |A|$$

가 된다. 그렇지만 동치변환으로 판별식이 변하지 않는지 직접 확인해보자. 앞 절에서 두 개의 동치변환을 했다.

$$3x^2 + 14xy + 17y^2$$
$$\rightarrow \quad 11p^2 - 60pq + 82q^2$$

각각의 판별식은 다음과 같이 일치한다.

$$7^2 - 3 \times 17 = 49 - 51 = -2$$
$$(-30)^2 - 11 \times 82 = 900 - 902 = -2$$

$$809x^2 + 418xy + 54y^2$$
$$\rightarrow \quad 54p^2 + 14pq + q^2$$

의 경우에는,

$$209^2 - 809 \times 54 = 43681 - 43686 = -5$$
$$7^2 - 54 \times 1 = 49 - 54 = -5$$

로 일치한다.

그럼 이제 동치변환에 의해 판별식이 변화하지 않는다는 것을 증명해 보자.

🔖증명 2차 형식 A를 행렬 S에서 변환하는 것으로 가정하자. 동치변환 이므로 $|S| = \pm 1$이다. 변환한 2차 형식의 판별식을 D'라고 한다. $|S^t| = |S|$에 주의! 또 $|S|$나 $|A|$는 행렬이 아닌 수 이므로 계산하는 순서를 바꾸어도 된다.

$$D' = -|S^t AS| = -|S^t||A||S|$$
$$= -|S||A||S| = -|S|^2|A| = -|A| = D$$

판별식에 주목한 점이 과연 가우스이다. 수학뿐만 아니라 물리, 화학, 생물 등에서도 전체가 변할 때 혼자만 변하지 않는 것을 찾는 것이 수수께끼를 푸는 열쇠인 경우가 많다. 꼭 기억해두자.

동치변환으로 판별식은 변하지 않는다.

2차 형식의 x, y에 어떤 수를 대입해서 M이 되었을 때, 그 2차 형식을 M의 표현이라고 한다. 그리고 $(x, y)=1$일 때, 즉 x와 y가 서로 소일 때, M의 원시표현이라고 한다. 가우스는 M의 원시표현에 관하여 판별식에 주목하면서 그 동치변환을 계속 연구했다.

여기에서 가우스는 M이 원시표현되었을 때 그 판별식 D는 mod M에서 제곱잉여라고 선언한다.

구체적인 예를 들어 설명해보자.

앞 절에서 $x=2$, $y=3$일 때 $3x^2+14xy+17y^2=249$인 것을 확인했다. 이때 판별식은,

$$D=7^2-3\times17=49-51=-2$$

가 된다. 따라서 이 경우 가우스는 $\left(\dfrac{-2}{249}\right)=1$이라고 주장하는 것이다.

실제로 mod 249에서,

$$74^2\equiv92^2\equiv157^2\equiv175^2\equiv-2$$

가 된다. 그럼 이 주장이 맞는지 증명해보자.

증명 $M = ax^2 + 2bxy + cy^2$에서 $(x,\ y) = 1$이다. x와 y는 서로소이 므로,

$$px - qy = 1$$

이 되는 p, q가 존재한다. 그런데 원래의 식을 $\begin{pmatrix} x & q \\ y & p \end{pmatrix}$로 변환 하면 행렬식이 1이므로 이것은 정식동치변환이다. 따라서 판별식 은 변하지 않는다.

이 변환을 $\begin{pmatrix} a & b \\ b & c \end{pmatrix} \rightarrow \begin{pmatrix} A & B \\ B & C \end{pmatrix}$로 한다.

즉,

$$\begin{pmatrix} x & y \\ q & p \end{pmatrix} \begin{pmatrix} a & b \\ b & c \end{pmatrix} \begin{pmatrix} x & q \\ y & p \end{pmatrix} = \begin{pmatrix} A & B \\ B & C \end{pmatrix}$$

이때 187쪽에서 했듯이,

$$A = (x \quad y) \begin{pmatrix} a & b \\ b & c \end{pmatrix} \begin{pmatrix} x \\ y \end{pmatrix} = ax^2 + 2bxy + cy^2 = M$$

이 된다. 또,

$$D = \left| \begin{pmatrix} a & b \\ b & c \end{pmatrix} \right| = \left| \begin{pmatrix} M & B \\ B & C \end{pmatrix} \right| = B^2 - MC$$

따라서 $\bmod M$에서 $D \equiv B^2$이 되고, D는 제곱잉여이다. 🔎

마찬가지로 272쪽의 식에 의해,

$$B = (q \quad p) \begin{pmatrix} a & b \\ b & c \end{pmatrix} \begin{pmatrix} x \\ y \end{pmatrix}$$

가 된다. 이것이 D의 제곱근이다.

이것도 정리해두자.

M을 2차 형식 $ax^2+2bxy+cy^2$에의 원시표현이라 한다. 즉,

$$M=ax^2+2bxy+cy^2 \qquad (x, y)=1$$

이때 판별식 D는 mod M의 제곱잉여이다.

$px-qy=1$이 되는 p, q를 구하여,

$$B=(q \quad p)\begin{pmatrix} a & b \\ b & c \end{pmatrix}\begin{pmatrix} x \\ y \end{pmatrix}$$

를 계산하면, 이것이 mod M에서 D의 제곱근이 된다.

연습 연습 삼아 두 문제 정도 풀어서 이 사실을 확인해보자.

① $47x^2-118xy+69y^2$은 $x=8$, $y=3$일 때 797이다. 그렇다면 판별식은 mod 797에서 제곱잉여인가?

② 위의 2차 형식에서 $x=16$, $y=19$일 때 1069가 된다. 판별식은 mod 1069에서 제곱잉여인가?

797과 1069는 소수이다.

◉◎○◉◉◎○◉◉◎○○◉◉◎○

채은 계산이 갑자기 어려워졌어요. 겨우 따라가고 있네요.

아빠 어렵기는 해도 계산만 복잡할 뿐이지 천천히 하다 보면 어떻게든 될 거야. 새로운 개념이 나와 그것을 파악하는 게 어려웠던 《열세 살 딸에게 가르치는 갈루아 이론》에 비하면 여기의 어려움은 공략 가능한 수준이야.

채은 그럴지도 모르겠어요. 그리고 왜 이렇게 까다로운 계산을 하는 건지 모르는 것도 문제예요.

아빠 그러면 여기에서 가우스가 무엇을 하려는 건지 정리해볼까? 페르마, 오일러, 라그랑주가 해온 2차 형식론은 어떤 소수가 $x^2 + y^2$, $x^2 + 2y^2$, …로 나타낼 수 있는지를 설정한 거였어. 몇 가지 예를 들면,

> ▶ $4n + 1$형 소수는 $x^2 + y^2$라고 표현할 수 있다.
>
> (페르마의 두 제곱수 정리)
>
> ▶ $8n + 1$, $8n + 3$형 소수는 $x^2 + 2y^2$으로 표현할 수 있다.
>
> ▶ $3n + 1$ 형 소수는 $x^2 + 3y^2$으로 표현할 수 있다.

라는 식이야. 앞에서 썼던 것처럼 라그랑주는 이 2차 형식을,

$$ax^2 + 2bxy + cy^2$$

인 형태로까지 확장시켰는데, 그 방향성은 변하지 않아. 가우스는 이것을 반대로 했던 거야. 즉 $x^2 + y^2$, $x^2 + 2y^2$, …로 나타낼 수

있는 수가 어떤 수일지 고민하고 그것을 분류하고 정리하려 했어. 만약 그럴 수 있다면 소수의 2차 형식에 의한 표현은 모두 한 번에 해결되거든. 웅대한 구상이지. 구체적으로는 정식동치변환에서 행렬식이 변화하지 않는 것에 주목해서 모든 2차 형식을 정식동치변환에 따라 가장 간단한 것으로 변환시키려는 방침이야.

채은 앞에서 했던 역발상이네요.

아빠 그럼 연습해볼까?

채은 문제 ① $47x^2 - 118xy + 69y^2$는 $x=8$, $y=3$일 때 797이다. 판별식은 mod 797에서 제곱잉여인가? 말이군요. 먼저 판별식은,

$$D = 59^2 - 47 \times 69 = 3481 - 3243 = 238$$

이므로 mod 797에서 238이 제곱잉여인지 아닌지를 알아보면 돼요. mod 4에서 797≡1이니까 2 외에는 그대로 뒤집을 수 있어요.

$$\left(\frac{238}{797}\right) = \left(\frac{2}{797}\right)\left(\frac{7}{797}\right)\left(\frac{17}{797}\right)$$

$$= \left(\frac{2}{797}\right)\left(\frac{797}{7}\right)\left(\frac{797}{17}\right)$$

mod 8에서 797≡5니까, $\left(\dfrac{2}{797}\right) = -1$

$$\left(\frac{797}{7}\right) = \left(\frac{6}{7}\right) = \left(\frac{-1}{7}\right) = -1$$

(mod 4에서 7≡3이니까, −1은 제곱비잉여)

$$\left(\frac{797}{17}\right) = \left(\frac{15}{17}\right) = \left(\frac{3}{17}\right)\left(\frac{5}{17}\right)$$

$$= \left(\frac{17}{3}\right)\left(\frac{17}{5}\right) = \left(\frac{2}{3}\right)\left(\frac{2}{5}\right)$$

$$= -1 \times (-1) = 1$$

(mod 4에서 17≡1이니까 뒤집을 수 있다. mod 8에서 3≡3,
5≡5이므로 2는 mod 3, mod 5에서 제곱비잉여)

이므로 주어진 식 = $(-1) \times (-1) \times 1 = 1$ 고맙게도 제곱잉여가 됐어요.

아빠 238의 제곱근도 구해볼까?

채은 음, 먼저 $x=8$, $y=3$이니까 278쪽의 상자를 참고하면 돼요! 먼저 $8p-3q=1$이 되는 p, q를 구해볼게요. mod 3으로 적용하면,

$$8p \equiv 1 \quad \rightarrow \quad 2p \equiv 1$$

양변에 2를 곱해서,

$$4p \equiv 2 \quad \rightarrow \quad p \equiv 2$$

가 되므로,

$$p = 2 + 3n$$

원래의 식에 대입해서,

$$8(2+3n)-3q=1 \quad \rightarrow \quad 16+24n-3q=1 \quad \rightarrow$$
$$3q=15+24n \quad \rightarrow \quad q=5+8n$$

따라서 $p=2$, $q=5$라고 할 때 238의 제곱근은,

$B = (q \quad p)\begin{pmatrix} a & b \\ b & c \end{pmatrix}\begin{pmatrix} x \\ y \end{pmatrix}$ 에서 계산하면 되니까,

$$(5 \quad 2)\begin{pmatrix} 47 & -59 \\ -59 & 69 \end{pmatrix}\begin{pmatrix} 8 \\ 3 \end{pmatrix} = (235-118 \quad -295-138)\begin{pmatrix} 8 \\ 3 \end{pmatrix}$$

$$= (177-157)\begin{pmatrix} 8 \\ 3 \end{pmatrix} = 936-471 = 465$$

아빠 실제로 mod 797에서 $465^2 \equiv 216225 \equiv 238$이 되었어.

채은 $8p - 3q = 1$의 해는 없잖아요. 다른 p, q를 사용하면 어떻게 돼요?

아빠 해보렴.

채은 그럼 $n = 100$으로 해서 $p = 302$, $q = 805$로 해볼게요.

$$(805 \quad 302)\begin{pmatrix} 47 & -59 \\ -59 & 69 \end{pmatrix}\begin{pmatrix} 8 \\ 3 \end{pmatrix}$$

$$= (37835-17818 \quad -47495+20838)\begin{pmatrix} 8 \\ 3 \end{pmatrix}$$

$$= (20017 \quad -26657)\begin{pmatrix} 8 \\ 3 \end{pmatrix}$$

$$= 160136-79971$$

$$= 80165$$

전혀 다른 값이 됐어요.

아빠 mod 797에서 생각하면?

채은 아, 제대로 465가 돼요.

아빠 $8p - 3q = 1$을 만족하는 p, q라면 무엇을 대입해도 결과는 같아지지. 문자를 사용해 일반적으로 나타낼 수도 있지만 그렇게까지 할 필요는 없을 것 같아. 그럼 ②.

채은 $x=16$, $y=19$일 때 1069가 돼요. 판별식은 mod 1069에서 제곱잉여인가? 라는 문제에요. 판별식은 238이었어요. 제곱근을 구하는 게 빠르겠어요. 먼저 $16p-19q=1$을 풀어요.

mod 19에서,

$$16p-19q=1 \quad \rightarrow \quad 16p\equiv1 \quad \cdots①$$
$$16^2\equiv256^2\equiv9 \quad 16^4\equiv9^2\equiv81\equiv5$$
$$16^8\equiv5^2\equiv25\equiv6$$
$$16^{16}\equiv6^2\equiv36\equiv17$$

을 계산해두고, 페르마의 소정리에 의해 $16^{18}\equiv1$이니까,

$$16^{-1}\equiv16^{17}\equiv16^{16}\times16^1\equiv17\times16\equiv272\equiv6$$

①의 양변에 6을 곱해서

$$6\times16p\equiv6\times1 \quad \rightarrow \quad p\equiv6$$

이것은 $p=6+19n$이므로 원래의 식에 대입하면,

$$16\times(6+19n)-19q=1$$
$$96+304n-19q=1$$
$$-19q=-95-304n$$
$$q=5+16n$$

가장 간단한 것은 $n=0$일 때이니까, $p=6$, $q=5$예요. 제곱근을 계산하면,

$$(5 \quad 6)\begin{pmatrix} 47 & -59 \\ -59 & 69 \end{pmatrix}\begin{pmatrix} 16 \\ 19 \end{pmatrix}$$

$$= (235 - 354 \ -295 + 414) \begin{pmatrix} 16 \\ 19 \end{pmatrix}$$

$$= (-119 \quad 119) \begin{pmatrix} 16 \\ 19 \end{pmatrix} = -1904 + 2261 = 357$$

mod 1069에서 $357^2 \equiv 127449 \equiv 238.$

확실히 238은 mod 1069에서 제곱잉여예요.

아빠 잘했구나.

4. 이웃에게

여기까지 동치변환에서는 판별식이 변화하지 않는 것과, 어떤 수 M이 원시표현되었을 때 그 판별식은 $\mod M$에서 제곱잉여임을 확인했다.

이런 경우 가우스는 $ax^2 + 2bxy + cy^2$에 관해서 $\mod c$에서 $b + b_1 \equiv 0$으로 해서,

$$\begin{pmatrix} 0 & -1 \\ 1 & \dfrac{b+b_1}{c} \end{pmatrix}$$

에 의한 변환을 생각했다. 물론 $\dfrac{b+b_1}{c}$은 정수이다.

행렬식은,

$$0 \times \frac{b+b_1}{c} - 1 \times (-1) = 1$$

이므로 이것은 정식동치변환이다. 변환하면 어떻게 되는지 계산해보자.

$ax^2+2bxy+cy^2$의 판별식을 D라고 하면 $D=b^2-ac$.

$$\begin{pmatrix} 0 & 1 \\ -1 & \dfrac{b+b_1}{c} \end{pmatrix} \begin{pmatrix} a & b \\ b & c \end{pmatrix} \begin{pmatrix} 0 & -1 \\ 1 & \dfrac{b+b_1}{c} \end{pmatrix}$$

$$=\begin{pmatrix} b & c \\ -a+\dfrac{b(b+b_1)}{c} & b_1 \end{pmatrix} \begin{pmatrix} 0 & -1 \\ 1 & \dfrac{b+b_1}{c} \end{pmatrix}$$

$$=\begin{pmatrix} c & b_1 \\ b_1 & a-\dfrac{b(b+b_1)}{c}+\dfrac{b_1(b+b_1)}{c} \end{pmatrix}$$

$$=\begin{pmatrix} c & b_1 \\ b_1 & a-\dfrac{ac-b^2+b_1^2}{c} \end{pmatrix}$$

$$=\begin{pmatrix} c & b_1 \\ b_1 & \dfrac{b_1^2-D}{c} \end{pmatrix}$$

가우스는 이것을 인접형식이라고 이름 지었다. 즉 이웃!이다. 2차 형식을 보다 간단한 2차 형식으로 변환하는 것이다. 어떤 것인지 구체적으로 확인해보자.

$61x^2+58xy+14y^2$의 이웃을 구할 때, 가우스 식으로 쓰면 (61, 29, 14)이다.

mod 14에서 $b_1 \equiv -b \equiv -29 \equiv 1$, $\dfrac{b+b_1}{c}=\dfrac{29-1}{14}=2$

변환행렬은 $\begin{pmatrix} 0 & -1 \\ 1 & \dfrac{b+b_1}{c} \end{pmatrix}$ 이었으므로, $\begin{pmatrix} 0 & -1 \\ 1 & 2 \end{pmatrix}$ 가 된다.

그럼 변환해보자.

$$\begin{pmatrix} 0 & -1 \\ 1 & 2 \end{pmatrix}\begin{pmatrix} 61 & 29 \\ 29 & 14 \end{pmatrix}\begin{pmatrix} 0 & -1 \\ 1 & 2 \end{pmatrix} = \begin{pmatrix} 29 & 14 \\ -3 & -1 \end{pmatrix}\begin{pmatrix} 0 & -1 \\ 1 & 2 \end{pmatrix}$$

$$= \begin{pmatrix} 14 & -1 \\ -1 & 1 \end{pmatrix}$$

즉 $61x^2 + 58xy + 14y^2$의 이웃은 $14x^2 - 2xy + y^2$인 것이다.

인접형식은 c가 a가 된다. 따라서,

$$ax^2 + 2bxy + cy^2 \;\rightarrow\; (a,\ b,\ c)$$

라고 쓰는 가우스의 방식에 따르면 판별식 D가 음수일 때의 다음과 같은 특수한 인접형식을 생각할 수 있다.

$$(a_0,\ b_0,\ a_1) \;\rightarrow\; (a_1,\ b_1,\ a_2) \;\rightarrow\; (a_2,\ b_2,\ a_3) \;\rightarrow\; \cdots$$

$$D < 0 \text{이니까 } b_0^2 - a_0 a_1 < 0 \;\rightarrow\; 0 \leq b_0^2 < a_0 a_1$$

이와 같이 되므로 a_0과 a_1은 같은 부호이다. 마찬가지로 $a_0,\ a_1,\ a_2,$ $a_3,\ \cdots$은 모두 같은 부호이다. 그래서 모두 양수라고 가정하자.

여기에서 $b_1 \equiv -b_0 \pmod{a_1}$ 단 $|b_1| \leq \dfrac{a_1}{2}$ 으로 한다.

구체적으로 살펴보면,

▶ $304x^2 + 434xy + 155y^2$에 관해 생각한다. 이것은 (304, 217, 155)이다.

mod 155에서 $b_1 \equiv -217 \equiv -62$이므로 $\dfrac{217-62}{155} = \dfrac{155}{155} = 1$

따라서 변환행렬은 $\begin{pmatrix} 0 & -1 \\ 1 & 1 \end{pmatrix}$

변환하면,

$$\begin{pmatrix} 0 & 1 \\ -1 & 1 \end{pmatrix} \begin{pmatrix} 304 & 217 \\ 217 & 155 \end{pmatrix} \begin{pmatrix} 0 & -1 \\ 1 & 1 \end{pmatrix} = \begin{pmatrix} 217 & 155 \\ -87 & -62 \end{pmatrix} \begin{pmatrix} 0 & -1 \\ 1 & 1 \end{pmatrix}$$

$$= \begin{pmatrix} 155 & -62 \\ -62 & 25 \end{pmatrix}$$

혹은 $a_1 = 155$, $b_1 = -62$,

$$D = 217^2 - 304 \times 155 = 47089 - 47120 = -31 \text{에서}$$

mod 155에서 $b1 \equiv -217 \equiv -62$이므로 $\dfrac{217-62}{155} = \dfrac{155}{155} = 1$

$$a_2 = \frac{b_1^2 - D}{a_1} = \frac{(-62)^2 - (-31)}{155} = \frac{3844 + 31}{155} = \frac{3875}{155} = 25$$

라고 구해도 된다. 즉,

$$155x^2 - 124xy + 25y^2 \text{ 또는 } (155, -62, 25) \text{가 된다.}$$

▶ 이번에는 mod 25에서 $b_2 \equiv 62 \equiv 12$, $\dfrac{-62+12}{25} = -2$이므로,

변환행렬은 $\begin{pmatrix} 0 & -1 \\ 1 & -2 \end{pmatrix}$

변환하면,

$$\begin{pmatrix} 0 & 1 \\ -1 & -2 \end{pmatrix}\begin{pmatrix} 155 & -62 \\ -62 & 25 \end{pmatrix}\begin{pmatrix} 0 & -1 \\ 1 & -2 \end{pmatrix}$$

$$=\begin{pmatrix} -62 & 25 \\ -31 & 12 \end{pmatrix}\begin{pmatrix} 0 & -1 \\ 1 & -2 \end{pmatrix}$$

$$=\begin{pmatrix} 25 & 12 \\ 12 & 7 \end{pmatrix}$$

또는 $a_3 = \dfrac{b_2^2 - D}{a_2} = \dfrac{12^2 - (-31)}{25} = \dfrac{175}{25} = 7$ 로 구해도 된다.

▶ mod 7에서 $b_3 \equiv -12 \equiv 2$, $\dfrac{12+2}{7} = 2$이므로 변환행렬은

$$\begin{pmatrix} 0 & -1 \\ 1 & 2 \end{pmatrix}$$

변환하면,

$$\begin{pmatrix} 0 & 1 \\ -1 & 2 \end{pmatrix}\begin{pmatrix} 25 & 12 \\ 12 & 7 \end{pmatrix}\begin{pmatrix} 0 & -1 \\ 1 & 2 \end{pmatrix}$$

$$=\begin{pmatrix} 12 & 7 \\ -1 & 2 \end{pmatrix}\begin{pmatrix} 0 & -1 \\ 1 & 2 \end{pmatrix}$$

$$=\begin{pmatrix} 7 & 5 \\ 2 & 5 \end{pmatrix}$$

또는 $a_4 = \dfrac{b_3^2 - D}{a_3} = \dfrac{2^2 - (-31)}{7} = \dfrac{35}{7} = 5$

▶ mod 5에서 $b_4 \equiv -2$, $\dfrac{2-2}{5} = 0$이므로 변환행렬은 $\begin{pmatrix} 0 & -1 \\ 1 & 0 \end{pmatrix}$

변환하면,

$$\begin{pmatrix} 0 & 1 \\ -1 & 0 \end{pmatrix}\begin{pmatrix} 7 & 2 \\ 2 & 5 \end{pmatrix}\begin{pmatrix} 0 & -1 \\ 1 & 0 \end{pmatrix} = \begin{pmatrix} 2 & 5 \\ -7 & -2 \end{pmatrix}\begin{pmatrix} 0 & -1 \\ 1 & 0 \end{pmatrix}$$

$$= \begin{pmatrix} 5 & -2 \\ -2 & 7 \end{pmatrix}$$

또는

$$a_5 = \frac{b_4^2 - D}{a_4} = \frac{(-2)^2 - (-31)}{5} = \frac{35}{5} = 7$$

정리하면,

$$(304,\ 217,\ 155) \ \rightarrow \ (155,\ -62,\ 25) \ \rightarrow$$
$$(25,\ 12,\ 7) \ \rightarrow \ (7,\ 2,\ 5) \rightarrow \ (5,\ -2,\ 7)$$

이 이상 계속하더라도 다음과 같이 반복된다.

$$(5,\ -2,7) \ \rightarrow \ (7,2,5) \ \rightarrow \ (5,\ -2,7)$$
$$\rightarrow \ (7,2,5) \ \rightarrow \ \cdots$$

이것들은 모두 인접형식이므로 정식동치이다. 또 처음부터 마지막, 즉 $(304,\ 217,\ 155) \ \rightarrow \ (5,\ -2,\ 7)$은,

$$\begin{pmatrix} 0 & -1 \\ 1 & 1 \end{pmatrix}\begin{pmatrix} 0 & -1 \\ 1 & -2 \end{pmatrix}\begin{pmatrix} 0 & -1 \\ 1 & 2 \end{pmatrix}\begin{pmatrix} 0 & -1 \\ 1 & 0 \end{pmatrix}$$

$$= \begin{pmatrix} -1 & 2 \\ 1 & -3 \end{pmatrix}\begin{pmatrix} 0 & -1 \\ 1 & 2 \end{pmatrix}\begin{pmatrix} 0 & -1 \\ 1 & 0 \end{pmatrix}$$

$$= \begin{pmatrix} 2 & 5 \\ -3 & -7 \end{pmatrix}\begin{pmatrix} 0 & -1 \\ 1 & 0 \end{pmatrix}$$

$$= \begin{pmatrix} 5 & -2 \\ -7 & 3 \end{pmatrix}$$

에 따라 변환된다. 이는 다음과 같다.

$$\begin{pmatrix} 5 & -7 \\ -2 & 3 \end{pmatrix} \begin{pmatrix} 304 & 217 \\ 217 & 155 \end{pmatrix} \begin{pmatrix} 5 & -2 \\ -7 & 3 \end{pmatrix}$$

$$= \begin{pmatrix} 1520-1519 & 1085-1085 \\ -608+651 & -434+465 \end{pmatrix} \begin{pmatrix} 5 & -2 \\ -7 & 3 \end{pmatrix}$$

$$= \begin{pmatrix} 1 & 0 \\ 43 & 31 \end{pmatrix} \begin{pmatrix} 5 & -2 \\ -7 & 3 \end{pmatrix} = \begin{pmatrix} 5 & -2 \\ -2 & 7 \end{pmatrix}$$

이 변환의 a는 $304 \rightarrow 155 \rightarrow 25 \rightarrow 7 \rightarrow 5$로 감소하고, $5 \rightarrow 7$로 차례대로 증가하는 곳에서 변환이 멈춘다. 실제로 변환에 의해 a가 감소한다고 해도 $a > 0$이므로 언젠가는 $a_n \leq a_{n+1}$이 될 것이다. 이때의,

$$(a_n, \ b_n, \ a_{n+1})$$

에 관해 생각해보자.

① $(a_n, \ b_n, \ a_{n+1})$은 $(a_0, \ b_0, \ a_1)$의 이웃의, 이웃의… 이웃이므로 $(a_0, \ b_0, \ a_1)$의 정식동치이다.

② $|b_n| \leq \dfrac{a_n}{2}$ 으로 정해졌으므로 $a_n \geq 2|b_n|$

③ $a_{n+1} = \dfrac{b_n^2 - D}{a_n}$ 이므로, $a_n a_{n+1} = b_n^2 - D$

여기에서, $-\dfrac{a_n}{2} < b_n \leq \dfrac{a_n}{2}$ 이므로 $b_n^2 \leq \dfrac{a_n^2}{4}$

그리고 $a_{n+1} \geq a_n$이므로 $a_n a_{n+1} \geq a_n^2$을 이용해서 a_n의 범위를 축

소하자.

먼저 $\dfrac{a_n^2}{4} \geq b_n^2$의 양변에서 D를 뺀다.

$$\frac{a_n^2}{4} - D \geq b_n^2 - D = a_n a_{n+1}$$

그런데 $a_n \geq a_{n+1}$이므로 분명 $a_n a_{n+1} \geq a_n^2$, 즉 $\dfrac{a_n^2}{4} - D \geq a_n^2$이
된다.

다시 식을 바꾸면,

$$\frac{a_n^2}{4} - D \geq a_n^2 \ \rightarrow \ a_n^2 - 4D \geq 4a_n^2$$

$$\rightarrow \ -4D \geq 3a_n^2 \ \rightarrow \frac{-4D}{3} \geq a_n^2$$

즉 $\sqrt{\dfrac{-4D}{3}}$ 가 된다. ②의 조건과 맞추면 다음과 같다.

$$2|b_n| \leq a_n \leq \sqrt{\frac{-4D}{3}} \ \text{(D가 음수인 것에 주의)}$$

정리하면 이 변환을 계속하면 형식 (A, B, C)는 판별식을 D로 해서,

$$A \leq C \quad \text{또는} \quad 2|B| \leq A \leq \sqrt{\frac{-4D}{3}}$$

가 된다. 이 형태를 기약형식이라고 한다.

가우스는 이 변환을 해서 동일한 기약형식으로 분류했다.

정리해보자.

2차 형식 $(a_0,\ b_0,\ a_1)$을 기약형식으로 변환한다.

$(a_{n-1},\ b_{n-1},\ a_n) \rightarrow (a_n,\ b_n,\ a_{n+1})$으로 하면,

$b_n \equiv -b_{n-1} \ (\mathrm{mod}\ a_n)$

$a_{n+1} = \dfrac{b_n^2 - D}{a_n}$ 단 $|b_n| \le \dfrac{a_n}{2}$

변환행렬은 $\begin{pmatrix} 0 & -1 \\ 1 & h_n \end{pmatrix}$ 단 $h_n = \dfrac{b_n + b_{n-1}}{a_n}$

$a_{n+1} \ge a_n$이 된 시점에서 스탑!

연습 이제 배운 것을 연습해보자.

$3989x^2 + 962xy + 58y^2$을 기약형식으로 하시오.

채은 굉장히 귀찮은 걸 하는 거네요. 도대체 왜 기약형식 같은 걸 구하는 거죠?

아빠 분류를 생각할 때의 약분 같은 것이라고 생각하면 돼. 다양한 2차 형식을 기약형식으로 분류하는 거지. 그럼 연습문제를 풀어보렴.

채은 가우스 스타일로 쓰면, (3989, 481, 58)이에요.

판별식 $D = 481^2 - 3989 \times 58 = -1$

mod 58에서 $b_1 \equiv -481 \equiv 41 \equiv -17$

$$a_2 = \frac{(-17)^2 - (-1)}{58} = \frac{289 + 1}{58} = \frac{290}{58} = 5$$

따라서 변환하면, (58, -17, 5)

아빠 변환행렬은?

채은 $h_1 = \dfrac{481 - 17}{58} = \dfrac{464}{58} = 8$이니까, $\begin{pmatrix} 0 & -1 \\ 1 & 8 \end{pmatrix}$

아빠 좋아. 계속~!

채은 mod 5에서 $b_2 \equiv -(-17) \equiv 17 \equiv 2$

$$a_3 = \frac{2^2 - (-1)}{5} = \frac{4 + 1}{5} = \frac{5}{5} = 1$$

이므로 변환하면, (5, 2, 1)

$$h_2 = \frac{-17+2}{5} = \frac{-15}{5} = -3$$ 이므로 변환행렬은 $\begin{pmatrix} 0 & -1 \\ 1 & -3 \end{pmatrix}$

아빠 이제 단숨에 가보자.

채은 mod 1에서 $b_3 \equiv -2 \equiv 0$

$$a_4 = \frac{0^2 - (-1)}{1} = 1$$

$a_3 = a_4$가 됐으니 이것으로 끝이네요. 변환한 식은 $(1, 0, 1)$

$h_3 = \frac{2+0}{1} = 2$이므로 변환행렬은 $\begin{pmatrix} 0 & -1 \\ 1 & 2 \end{pmatrix}$

매우 단순한 형태가 됐어요.

아빠 정리하면,

$(3989,\ 481,\ 58) \to (58,\ -17,\ 5) \to (5,\ 2,\ 1) \to (1,\ 0,\ 1)$이 되는구나. 그럼 $(3989,\ 481,\ 58) \to (1,\ 0,\ 1)$로 변환하는 행렬은?

채은 $\begin{pmatrix} 0 & -1 \\ 1 & 8 \end{pmatrix} \begin{pmatrix} 0 & -1 \\ 1 & -3 \end{pmatrix} \begin{pmatrix} 0 & -1 \\ 1 & 2 \end{pmatrix} = \begin{pmatrix} -1 & 3 \\ 8 & -25 \end{pmatrix} \begin{pmatrix} 0 & -1 \\ 1 & 2 \end{pmatrix}$

$$= \begin{pmatrix} 3 & 7 \\ -25 & -58 \end{pmatrix}$$

아빠 이 행렬과 원래의 2차 형식은 깊은 관계에 있지만, 그것에 관해서는 나중에 공부하기로 하자. 이제 곧, 무엇을 하려는 건지 확실히 보일 거야.

5. 마지막 고비를 넘어서

지금은 음수의 판별식을 가진 2차 형식에 관해서 생각하고 있는데, 판별식 D가 주어졌을 때 그 기약형식을 정할 수 있을까?

이를 확인하기 위해 $D=-11$일 때를 생각해보자.

$$a \leq \sqrt{\frac{-4D}{3}} \ \text{이므로,} \ \frac{a}{2} \leq \frac{1}{2}\sqrt{\frac{-4D}{3}} = \sqrt{\frac{-D}{3}}$$

또 $|b| \leq \dfrac{a}{2}$ 이므로, $|b| \leq \sqrt{\dfrac{-D}{3}}$

$D=-11$을 대입하면, $|b| \leq \sqrt{\dfrac{11}{3}}$ 이 된다.

$\sqrt{\dfrac{11}{3}} \fallingdotseq 1.91$이므로 이 부등식을 만족하는 b는 0, ± 1뿐이다.

▶ $b=0$일 때 $D=b^2-ac \ \rightarrow \ ac=b^2-D=0+11=11$

$0 < a \leq c$에서 이것을 만족하는 것은 $a=1$, $c=11$뿐이므로,

$$(1,\ 0,\ 11)$$

▶ $b=1$일 때 $ac=1+11=12$,　$|\,2b\,|=2 \leq a \leq c$이므로,

　　　$a=2,\ c=6$과 $a=3\ c=4$

　　　$\rightarrow\ (2,\ 1,\ 6),\ (3,\ 1,\ 4)$

▶ $b=-1$일 때 $ac=1+11=12$,　$2 \leq a \leq c$이므로

　　　$(2,\ -1,\ 6),\ (3,\ -1,\ 4)$

따라서

　　　$(1,\ 0,\ 11),\ (2,\ 1,\ 6),\ (3,\ 1,\ 4),\ (2,\ -1,\ 6),\ (3,\ -1,\ 4)$

이렇게 5가지가 가능한데, 이 중 $(2,\ 1,\ 6)$과 $(2,\ -1,\ 6)$은 $\begin{pmatrix} 1 & -1 \\ 0 & 1 \end{pmatrix}$

에 의해 변환할 수 있다.

$$\begin{pmatrix} 1 & 0 \\ -1 & 1 \end{pmatrix} \begin{pmatrix} 2 & 1 \\ 1 & 6 \end{pmatrix} \begin{pmatrix} 1 & -1 \\ 0 & 1 \end{pmatrix} = \begin{pmatrix} 2 & 1 \\ -1 & 5 \end{pmatrix} \begin{pmatrix} 1 & -1 \\ 0 & 1 \end{pmatrix}$$

$$= \begin{pmatrix} 2 & -1 \\ -1 & 6 \end{pmatrix}$$

즉 정식동치이므로 대표적으로 하나를 들면 된다.

따라서 $D=-11$이 되는 2차 형식은 다음 네 가지로 한정된다.

　　　$(1,\ 0,\ 11),\ (2,\ 1,\ 6),\ (3,\ 1,\ 4),\ (3,\ -1,\ 4)$

그러면 연습문제로 $D=-1,\ -2,\ -3$이 되는 2차 형식을 결정해보자.

채은 뭘 하려는 건지 전혀 모르겠어요.

아빠 좀 더 참아보렴. 앞에서도 썼던 것처럼 가우스는 페르마에서 오일
러, 라그랑주, 르장드르에 이르는 소수의 표현문제를 단숨에 해결
하려는 야망을 품고 2차 형식론을 시작한 거니까.

채은 어쨌든 $D = -1$일 때부터 생각해볼게요.

$|b| \leq \sqrt{\dfrac{1}{3}} = 0.333\cdots$이니까 $b = 0$.

$ac = b^2 - D = 0 + 1 = 1$, $0 \leq a \leq c$이니까 결국 $(1,\ 0,\ 1)$뿐이
에요.

아빠 그렇지. 그럼 $D = -2$일 때.

채은 $|b| \leq \sqrt{\dfrac{2}{3}}$ 이니까 역시 $b = 0$.

$ac = b^2 - D = 0 + 2 = 2$, $0 \leq a \leq c$이니까 $(1,\ 0,\ 2)$뿐이에요.

아빠 훌륭해. 다음은 $D = -3$.

채은 왠지 바보 취급 당하고 있는 것 같아요.

$|b| \leq \sqrt{\dfrac{3}{3}}$ 즉 $|b| \leq 1$이니까 $b = 0, \pm1$.

$b = 0$일 때,

$$ac = b^2 - D = 0 + 3 = 3,\ 0 \leq 0 \leq a \leq c\ \rightarrow\ (1,\ 0,\ 3)$$

$b=1$일 때,

$$ac=b^2-D=1+3=4, \ 2 \leq a \leq c \ \rightarrow \ (2, \ 1, \ 2)$$

$b=-1$일 때,

$$ac=b^2-D=1+3=4, \ 2 \leq a \leq c \ \rightarrow \ (2, \ -1, \ 2)$$

이렇게 세 개가 나왔어요.

아빠 단 이 경우에도 $(2, \ 1, \ 2)$와 $(2, \ -1, \ 2)$는 정식동치이니까 하나만 대표로 남겨두면 돼.

채은 어떻게 정식동치인지 알 수 있어요?

아빠 $(a, \ b, \ c)$와 $(a, \ -b, \ c)$처럼 b의 부호만 다른 형식을 '반대형식'이라고 하는데, 판별식이 같은 기약형식이 정식동치가 되는 건 반대형식에서 $a=2b$일 경우와 $a=c$일 경우뿐이야. 실제로,

$$\begin{pmatrix} 1 & 0 \\ -1 & 1 \end{pmatrix} \begin{pmatrix} 2b & b \\ b & c \end{pmatrix} \begin{pmatrix} 1 & -1 \\ 0 & 1 \end{pmatrix}$$

$$= \begin{pmatrix} 2b & b \\ -b & -b+c \end{pmatrix} \begin{pmatrix} 1 & -1 \\ 0 & 1 \end{pmatrix} = \begin{pmatrix} 2b & -b \\ -b & c \end{pmatrix}$$

$$\begin{pmatrix} 0 & 1 \\ -1 & 0 \end{pmatrix} \begin{pmatrix} a & b \\ b & a \end{pmatrix} \begin{pmatrix} 0 & -1 \\ 1 & 0 \end{pmatrix}$$

$$= \begin{pmatrix} b & a \\ -a & -b \end{pmatrix} \begin{pmatrix} 0 & -1 \\ 1 & 0 \end{pmatrix} = \begin{pmatrix} a & -b \\ -b & a \end{pmatrix}$$

가 되어 정식동치이지. 여기에 한정되는 것도 계산을 진행하면 증명할 수 있지만 계산이 좀 까다롭고 중요한 것도 아니니 증명은 생략할게.

6. 2차 형식 정복의 시작!

가우스는 다음과 같은 일람표를 작성했다.

1	$(1, 0, 1)$
2	$(1, 0, 2)$
3	$(1, 0, 3), (2, 1, 2)$
4	$(1, 0, 4), (2, 0, 2)$
5	$(1, 0, 5), (2, 1, 3)$
6	$(1, 0, 6), (2, 0, 3)$
7	$(1, 0, 7), (2, 1, 4)$
8	$(1, 0, 8), (2, 0, 4), (3, 1, 3)$
9	$(1, 0, 9), (2, 1, 5), (3, 0, 3)$
10	$(1, 0, 10), (2, 0, 5)$
11	$(1, 0, 11), (2, 1, 6), (3, 1, 4), (3, -1, 4)$
12	$(1, 0, 12), (2, 0, 6), (3, 0, 4), (4, 2, 4)$

표의 왼쪽은 판별식의 절댓값이다. 표의 오른쪽은 그 판별식을 가지는 2차 형식의 기약형식이다.

298~299쪽에서 (3989, 481, 58)을 기약형식으로 변환했다. 이 판별식은,

$$D = 481^2 - 3989 \times 58 = 231361 - 231362 = -1$$

이므로 표의 1번 위에 있듯이 (1, 0, 1)이 된 것은 필연적이다.

다시 이 변환을 제대로 표현해보자.

$$\begin{pmatrix} 0 & -1 \\ 1 & 8 \end{pmatrix} \begin{pmatrix} 0 & -1 \\ 1 & -3 \end{pmatrix} \begin{pmatrix} 0 & -1 \\ 1 & 2 \end{pmatrix} = \begin{pmatrix} -1 & 3 \\ 8 & -25 \end{pmatrix} \begin{pmatrix} 0 & -1 \\ 1 & 2 \end{pmatrix}$$

$$= \begin{pmatrix} 3 & 7 \\ -25 & -58 \end{pmatrix}$$

(3989, 481, 58) → (1, 0, 1)로 변환하는 행렬은 $\begin{pmatrix} 3 & 7 \\ -25 & -58 \end{pmatrix}$ 이었다. 즉 $3989x^2 + 962xy + 58y^2$을,

$$\begin{pmatrix} x \\ y \end{pmatrix} = \begin{pmatrix} 3 & 7 \\ -25 & -58 \end{pmatrix} \begin{pmatrix} p \\ q \end{pmatrix}$$

에서 변환하면, $p^2 + q^2$가 되는 것이다.

변환한 역행렬을 생각해보자.

$$\begin{pmatrix} p \\ q \end{pmatrix} = \begin{pmatrix} -58 & -7 \\ 25 & 3 \end{pmatrix} \begin{pmatrix} x \\ y \end{pmatrix}$$

여기에서 $x = 1$, $y = 0$이라고 하면, $p = -58$, $q = 25$이다.

$$3989x^2 + 962xy + 58y^2 = 3989$$
$$p^2 + q^2 = (-58)^2 + 25^2 = 3989$$

이것은 3989가 두 제곱근의 합으로 나타낼 수 있음을 나타낸다.

일반적으로 생각해보자.

💡증명 mod M에서 -1을 제곱잉여라고 가정하자. 즉,

$$N^2 = -1 \ (\text{mod} \ M)$$

이 되는 N이 존재한다.

이때 2차 형식 $\left(M, \ N, \ \dfrac{N^2+1}{M} \right)$을 생각해보자.

판별식은 $D = N^2 - M \times \dfrac{N^2+1}{M} = N^2 - N^2 - 1 = -1$이므로 이 2차 형식은 (1, 0, 1), 즉 $p^2 + q^2$와 정식동치이다. 변환행렬의 역행렬이,

$$\begin{pmatrix} p \\ q \end{pmatrix} = \begin{pmatrix} a & b \\ c & d \end{pmatrix} \begin{pmatrix} x \\ y \end{pmatrix}$$

라면 $x=1$, $y=0$일 때 $p=a$, $q=c$이므로,

$$p^2 + q^2 = a^2 + c^2 = M$$

이 되고 M은 두 제곱수의 합으로 나타낼 수 있다. 💡

이것은 125~129쪽에서 했던 페르마의 두 제곱수 정리의 다른 증명이다.

실험을 하나 해보자. mod 4에서 $2801 \equiv 1$이므로 mod 2801에서 -1

은 제곱잉여이다. 실제로,

$$1258^2 \equiv 1582564 \equiv 2800 \equiv -1$$

여기서 $M = 2801$, $N = 1258$이라고 하자.

그러면 $\dfrac{N^2+1}{M} = \dfrac{1258^2+1}{2801} = \dfrac{1582565}{2801} = 565.$

$(2801, 1258, 565)$를 기약형식까지 변환한다.

1) mod 565에서 $b_1 \equiv -1258 \equiv -128$

$$a_2 = \frac{(-128)^2 - (-1)}{565} = \frac{16384+1}{565} = \frac{16385}{565} = 29$$

$$\rightarrow \ (565, \ -128, \ 29)$$

$$h_1 = \frac{1258-128}{565} = \frac{1130}{565} = 2$$

2) mod 29에서 $b_2 \equiv 128 \equiv 12$

$$a_3 = \frac{(12)^2 - (-1)}{29} = \frac{144+1}{29} = \frac{145}{29} = 5 \ \rightarrow \ (29, \ 12, \ 5)$$

$$h_2 = \frac{-128+12}{29} = \frac{-116}{29} = -4$$

3) mod 5에서 $b_3 \equiv -12 \equiv -2$

$$a_4 = \frac{(-2)^2 - (-1)}{5} = \frac{4+1}{5} = \frac{5}{5} = 1 \ \rightarrow \ (5, \ -2, \ 1)$$

$$h_3 = \frac{12-2}{5} = \frac{10}{5} = 2$$

4) mod 1에서 $b_4 \equiv 0$

$$a_5 = \frac{(0)^2 - (-1)}{1} = 1 \;\rightarrow\; (1,\, 0,\, 1)$$

$$h_4 = \frac{-2+0}{1} = -2$$

변환행렬은,

$$\begin{pmatrix} 0 & -1 \\ 1 & 2 \end{pmatrix} \begin{pmatrix} 0 & -1 \\ 1 & -4 \end{pmatrix} \begin{pmatrix} 0 & -1 \\ 1 & 2 \end{pmatrix} \begin{pmatrix} 0 & -1 \\ 1 & -2 \end{pmatrix}$$

$$= \begin{pmatrix} -1 & 4 \\ 2 & -9 \end{pmatrix} \begin{pmatrix} 0 & -1 \\ 1 & 2 \end{pmatrix} \begin{pmatrix} 0 & -1 \\ 1 & -2 \end{pmatrix}$$

$$= \begin{pmatrix} 4 & 9 \\ -9 & -20 \end{pmatrix} \begin{pmatrix} 0 & -1 \\ 1 & -2 \end{pmatrix}$$

$$= \begin{pmatrix} 9 & -22 \\ -20 & 49 \end{pmatrix}$$

$$즉 \begin{pmatrix} x \\ y \end{pmatrix} = \begin{pmatrix} 9 & -22 \\ -20 & 49 \end{pmatrix} \begin{pmatrix} p \\ q \end{pmatrix}$$

$$\begin{pmatrix} p \\ q \end{pmatrix} = \begin{pmatrix} 49 & 22 \\ 20 & 9 \end{pmatrix} \begin{pmatrix} x \\ y \end{pmatrix}$$

따라서 $2801 = 49^2 + 20^2$.

마찬가지로 mod M에서 -2가 제곱잉여라면 $N^2 \equiv -2$로 해서,

2차 형식 $\left(M,\, N,\, \dfrac{N^2 + 2}{M} \right)$를 기약형식으로 변환하면,

$$M = p^2 + 2q^2$$

으로 바꿀 수 있다.

mod M에서 -3이 제곱잉여라면 $N^2 \equiv -3$으로 해서

2차 형식 $\left(M, \ N, \ \dfrac{N^2 + 3}{M} \right)$을 기약형식으로 변환하면,

$$M = p^2 + 3q^2 \quad \text{또는} \quad M = 2p^2 + 2pq + 2q^2$$

으로 나타낼 수 있다. 후자는 짝수이므로 M이 소수라면 반드시 전자가 된다.

이하 동일. 이로써 소수의 표현 문제는 전망이 꽤 좋아졌다.

연습 두 문제만 더 연습해보자.

① mod 5077에서 $1818^2 \equiv -3$이다. 5077을 $p^2 + 3q^2$의 형태로 나타내시오.

② mod 8443에서 $1219^2 \equiv -7$이다. 8443을 $p^2 + 7q^2$의 형태로 나타내시오.

채은 지금까지 했던 복잡한 계산은 모두 이것을 위해서였나요?

아빠 그래. 이 일람표에 의해서 페르마나 오일러가 발견한 정리를 논리 정연하게 설명할 수가 있거든. 먼저 연습문제를 풀어볼까?

채은 ① $\dfrac{1818^2+3}{5077} = \dfrac{3305127}{5077}$ 이니까 출발점은 $(5077,\ 1818,\ 651)$

이 되네요.

1) mod 651에서 $b_1 \equiv -1818 \equiv 135$

$$a_2 = \frac{135^2+3}{651} = \frac{18228}{651} = 28 \ \rightarrow \ (\,651,\ 135,\ 28)$$

$$h_1 = \frac{1818+135}{651} = \frac{1953}{651} = 3$$

2) mod 28에서 $b_2 \equiv -135 \equiv 5$

$$a_3 = \frac{5^2+3}{28} = \frac{28}{28} = 1 \ \rightarrow \ (28,\ 5,\ 1)$$

$$h_2 = \frac{135+5}{28} = \frac{140}{28} = 5$$

3) mod 1에서 $b_3 \equiv 0$

$$a_4 = \frac{0^2+3}{1} = 3 \ \rightarrow \ (1,\ 0,\ 3)$$

$$h_3 = \frac{5+0}{1} = 5$$

변환행렬은,

$$\begin{pmatrix} 0 & -1 \\ 1 & 3 \end{pmatrix} \begin{pmatrix} 0 & -1 \\ 1 & 5 \end{pmatrix} \begin{pmatrix} 0 & -1 \\ 1 & 5 \end{pmatrix}$$

$$= \begin{pmatrix} -1 & -5 \\ 3 & 14 \end{pmatrix} \begin{pmatrix} 0 & -1 \\ 1 & 5 \end{pmatrix} \begin{pmatrix} -5 & -24 \\ 14 & 67 \end{pmatrix}$$

$$즉 \begin{pmatrix} x \\ y \end{pmatrix} = \begin{pmatrix} -5 & -24 \\ 14 & 67 \end{pmatrix} \begin{pmatrix} p \\ q \end{pmatrix}$$

$$\begin{pmatrix} p \\ q \end{pmatrix} = \begin{pmatrix} 67 & 24 \\ -14 & -5 \end{pmatrix} \begin{pmatrix} x \\ y \end{pmatrix}$$

따라서 $67^2 + 3 \times (-14)^2 = 5077$.

아빠 음, 완벽하구나.

채은 ② $\dfrac{1219^2 + 7}{8433} = \dfrac{1485968}{8443} = 176$ 출발점은 $(8443, 1219, 176)$!

1) mod 176에서 $b_1 \equiv -1219 \equiv 13$

$$a_2 = \frac{13^2 + 7}{176} = \frac{176}{176} = 1 \ \rightarrow \ (176, 13, 1)$$

$$h_1 = \frac{1219 + 13}{176} = \frac{1232}{176} = 7$$

2) mod 1에서 $b_2 \equiv 0$

$$a_3 = \frac{0^2 + 7}{1} = 7 \ \rightarrow \ (1, 0, 7)$$

$$h_2 = \frac{13 + 0}{1} = 13$$

변환행렬은,

$$\begin{pmatrix} 0 & -1 \\ 1 & 7 \end{pmatrix} \begin{pmatrix} 0 & -1 \\ 1 & 13 \end{pmatrix} = \begin{pmatrix} -1 & -13 \\ 7 & 90 \end{pmatrix}$$

$$\text{즉} \begin{pmatrix} x \\ y \end{pmatrix} = \begin{pmatrix} -1 & -13 \\ 7 & 90 \end{pmatrix} \begin{pmatrix} p \\ q \end{pmatrix}$$

$$\begin{pmatrix} p \\ q \end{pmatrix} = \begin{pmatrix} 90 & 13 \\ -7 & -1 \end{pmatrix} \begin{pmatrix} x \\ y \end{pmatrix}$$

따라서 $90^2 + 7 \times (-7)^2 = 8443$.

큰 수가 점점 작아지니까 기분이 좋네요.

아빠 가우스는 드높이 선언했지.

$4n+1$형 소수는 x^2+y^2으로 표현할 수 있다. 페르마는 극히 아름다운 자태의 이 정리를 알고 있었지만 증명한 사람은 오일러였어. $8n+1$형, $8n+3$형 소수는 x^2+2y^2으로 표현할 수 있다. 페르마는 이 정리를 알고 있었지만 증명한 사람은 라그랑주였지.

$3n+1$형 소수는 x^2+3y^2로 표현할 수 있다. 이 정리를 증명한 사람은 오일러였어.

같은 방법으로 하면 누구나 이런 각각의 정리를 유도할 수 있을 거야.

채은 잠깐만요. $3n+1$형 소수에 관해서, -3이 제곱잉여라고 한 것 같은데, 그런 증명은 안 했다고요.

아빠 일일이 파고들면 곤란해. 뭐 이건 간단하게 증명할 수 있으니 여기에서 해볼까? $\bmod p$에서 위수가 3인 원소를 a라고 하자. 즉,

$$a \not\equiv 1 \qquad a^2 \not\equiv 1 \qquad a^3 \equiv 1 \ (\bmod \ p)$$

채은 위수가 3인 원소가 있다고 할 수 있나요?

아빠 $p = 3n + 1$이니까 $p - 1 = 3n$이지. 앞에서 했던 것처럼 $p - 1$의 약수 q를 위수로 하는 원소는 $\phi(q)$만 존재해. 따라서 위수 3인 원소로 $\phi(3) = 2$이고, 2개 존재하지.

채은 음. 기억나요.

아빠 $\bmod \ p$에서 $a^3 \equiv 1$에 따라 $a^3 - 1 \equiv 0$.

$$(a^2 + a + 1)(a - 1) \equiv 0 \qquad a - 1 \not\equiv 0$이므로,$$
$$a^2 + a + 1 \equiv 0$$
$$\therefore \ 4(a^2 + a + 1) \equiv 0$$
$$4a^2 + 4a + 4 \equiv 0$$
$$4a^2 + 4a + 1 \equiv -3$$
$$(2a + 1)^2 \equiv -3$$

-3은 제곱잉여라고 말할 수 있다.

채은 뭐예요, 이게? 증명이! 너무 기교적이잖아요……. 4를 곱해야 할 필연성 같은 건 어디에도 없는걸요. 이런 증명은 전혀 생각 안 나요.

아빠 조금 복잡해지지만, 물론 원칙에 따라서 제곱잉여 상호법칙을 이용해 증명할 수도 있지.

$$\left(\frac{-3}{p} \right) = \left(\frac{-1}{p} \right)\left(\frac{3}{p} \right)$$

따라서 먼저 $4n+1$형 소수와 $4n+3$형 소수로 나눌 수 있어.

▶ $4n+1$형일 때는 $\left(\dfrac{-1}{p}\right)=1$, $\left(\dfrac{3}{p}\right)=\left(\dfrac{p}{3}\right)$이므로,

$$\left(\dfrac{-3}{p}\right)=\left(\dfrac{-1}{p}\right)\left(\dfrac{3}{p}\right)=\left(\dfrac{p}{3}\right)$$

▶ $4n+3$형일 때는 $\left(\dfrac{-1}{p}\right)=-1$, $\left(\dfrac{3}{p}\right)=-\left(\dfrac{p}{3}\right)$이므로,

결국 소거되어 같은 결과가 되지. 즉 $\left(\dfrac{-3}{p}\right)=\left(\dfrac{p}{3}\right)$

mod 3에서 $1^2\equiv1$, $2^2\equiv4\equiv1$이니까 p는 mod 3에서 $\equiv1$. 따라서 $3n+1$형 소수가 되는 거야.

채은 이 증명이 좀 더 이해하기 쉬워요. 어쨌든 이렇게 해서 오일러나 라그랑주가 고생해서 발견한 소수를 2차 형식으로 표현하는 정리가 단숨에 해결된 거네요. 이것으로 소수의 2차 형식에 의한 표현 문제는 모두 해결된 건가요?

아빠 당치도 않아. 애초에 판별식이 음수일 때밖에 검토하지 않았잖니.

채은 그런가요? 판별식이 양수일 때는 어떻게 돼요?

아빠 이것이 또 만만치 않아. 지긋지긋할 정도로 계산이 길어지지. 판별식이 양수인 경우 귀찮은 문제가 발생하는 것에 관해서는 나중에 한 번 더 다룰게. 그리고 가우스의 목표는 이런 각각의 정리에 있는 것이 아니었어. 2차 형식을 추구함으로써 제곱잉여 상호법칙을 증명하려는 거지. 그리고 가우스의 성과를 발전시켜 쿠머가 홀수차의 고차잉여의 법칙을 증명하지.

채은 아, 쿠머$^{\text{Ernst Eduard Kummer}}$는 기억나요. 구구단을 제대로 외우지 못해서 7×9를 못했던 사람이잖아요?

아빠 그런 건 잘도 기억하는구나. 2차 형식에 관해서는 아직 배울 게 많지만, 그 전모를 소개하다가는 한 권으로는 모자랄 지경이니 2차 형식론은 이쯤에서 끝내기로 하자.

7. 새로운 모험으로

가우스는 정수를 더욱 깊이 연구하기 위해서는 정수의 범위를 넓힐 필요가 있다고 생각했다. 그래서 일반 정수의 세계에 허수단위 i를 추가한 세계로 모험을 떠난 것이다. 이것이 대수적 정수론의 시작이다.

이 정수를 현재 가우스 정수라고 한다. 물론 가우스가 그렇게 부른 것은 아니다. 이것에 대응하여 보통 정수를 유리정수라고 한다.

가우스 정수란 a, b를 유리정수로 하여 다음과 같이 나타낼 수 있는 정수로, 복소수라고도 한다.

$$a+bi$$

가우스 전까지는 이 정수의 세계에 발을 들여 놓은 사람이 없었던 만큼 가우스는 한 걸음씩 신중하게 걸음을 옮겨야 했다. 유리정수의 세계에서 상식이었던 것이라고 해서 복소수 세계에서도 반드시 상식이라고는 할 수 없기 때문이다.

먼저 복소수의 덧셈, 뺄셈, 곱셈이 복소수가 되는 것은 바로 확인할 수 있다. 하지만 복소수÷복소수가 복소수가 되는 것은 아니다. 이것도 유리정수÷유리정수가 반드시 유리정수가 된다고만은 할 수 없는 것과 비슷하다.

유리정수를 연구하는 데 있어 가장 기본적인 정리는 소인수분해의 일의성一意性 즉 어떤 정의로 정해진 것이 하나밖에 없는 성질 또는 어떤 조건을 채우는 것이 오직 하나밖에 없는 성질(예를 들면 두 수 a, b의 합은 오직 $a+b$이며, 일차방정식의 근은 오직 하나밖에 없다)이었다. 복소수에 관해서 알아보기 전에 유리정수의 세계에서 소인수분해의 일의성에 관한 증명을 살펴보자.

증명 합동수 A가 두 가지 방법으로 소인수분해되었다고 가정한다. 즉,

$$A=a^l b^m c^n \cdots = p^x q^y r^z \cdots$$

여기에서 p, q, r, $\cdots$은 a, b, c, $\cdots$ 중 어떤 것을 나눌 수 있다. 만약 p가 a, b, c, $\cdots$ 중 어떤 것도 나눌 수 없다면, 그 곱인 A도 나눌 수 없기 때문이다.

p, q, r, $\cdots$과 a, b, c, $\cdots$는 모두 소수이기 때문에 예를 들어 a를 p로 나눌 수 있을 때에는 $a=p$가 된다.

따라서 p, q, r, $\cdots$은 a, b, c, $\cdots$ 중 어떤 것과 일치한다. 마찬가지로 a, b, c, $\cdots$도 p, q, r, $\cdots$ 중 어떤 것에 일치한다. 즉 a, b, c, $\cdots$와 p, q, r, $\cdots$은 같은 소수이다.

지금 $a=p$로 하고 $l<x$라고 하자. A를 a^l로 나누면 $a^l b^m c^n \cdots$

에서는 a가 사라지고, $p^x q^y r^z \cdots$에는 p^{x-1}이 남게 된다. 그러면 한쪽에는 p가 없고 다른 한쪽에는 p가 있게 되어 이것은 앞에서 증명한 것에 어긋나서 성립하지 않는다. 💡

그런데 이 증명에는 정수 a, b, c, $\cdots$의 곱 $abc\cdots$와 소수 p에 관해서 $abc\cdots$가 p로 나누어떨어질 수 있다면 a, b, c, $\cdots$ 중 적어도 하나가 p로 나누어떨어질 수 있다는 성질을 이용하고 있다. 따라서 이것도 증명해야 한다. 증명해보자.

🧠증명 정수 a, b와 소수 p에 관해서 ab가 p로 나누떨어질 수 있다면 a나 b가 p로 나누어떨어질 수 있다는 것을 증명한다.
ab가 p로 나누어떨어질 수 있으므로,

$$ab = pq \quad (q\text{는 정수})$$

이다. a가 p로 나누어떨어질 수 있을 때 정리는 성립한다. 그런데 a는 p로 나누어떨어질 수 없다고 한다. p는 소수이므로 a가 p로 나누어떨어지지 못할 때 a와 p의 최대공약수는 1이 된다. 적당한 정수 m, n을 대입하면,

$$ma + np = 1$$

이 된다. 양변에 b를 곱하면,

$$mab + npb = b \qquad ab = pq\text{를 대입한다.}$$
$$mpq + npb = b$$
$$p(mq + nb) = b$$

따라서 b는 p로 나눌 수 있다.

이제 남은 것은 수학적 귀납법을 사용하는 것뿐이다.

정수 a_0, a_1, a_2, $\cdots$, a_n과 소수 p에 대해서, $A=a_0a_1a_2\cdots a_n$이 p로 나누어떨어지면 a_0, a_1, a_2, $\cdots$, a_n 중 적어도 하나는 p로 나누어떨어질 수 있다고 한다.

다음으로 $a_0a_1a_2\cdots a_na_{n+1}$이 p로 나누어떨어질 수 있다. 즉,

$$a_0a_1a_2\cdots a_na_{n+1}=Aa_{n+1}=pq \quad \cdots ①$$

라고 한다. $a_0a_1a_2\cdots a_n$이 p로 나누어떨어질 수 있다면 a_0, a_1, a_2, $\cdots$, a_n 중 적어도 하나는 p로 나누어떨어질 수 있으므로 정리는 그대로 성립한다. 그런데 $A=a_0a_1a_2\cdots a_n$이 p로 나누어떨어질 수 없다고 가정하자. p는 소수이므로 p와 다른 수와의 최대공약수는 1이나 p인데, A가 p로 나누어떨어질 수 없으므로 A와의 최대공약수는 1이 된다. 적당한 정수 m, n을 대입하면,

$$mA+np=1$$

이 된다. 양변에 a_{n+1}을 곱하면,

$$mAa_{n+1}+npa_{n+1}=a_{n+1} \quad \text{①의 } Aa_{n+1}=pq\text{를 대입한다.}$$
$$mpq+npa_{n+1}=a_{n+1}$$
$$p(mq+na_{n+1})=a_{n+1}$$

따라서 a_{n+1}은 p로 나누어떨어질 수 있다. 🔅

이 증명에서 사용한 것은

$(a, b)=1$일 때 $ax+by=1$이 되는 정수 x, y가 존재한다.

라는 정리이다(32쪽). 이 정리는 유클리드 호제법에서 유도했다. 유클리드 호제법이 성립하는 것은 p를 b로 나눴을 때 몫 q와 나머지 r이 정해진다는 나눗셈의 원리가 성립하기 때문이다.

즉 '나눗셈의 원리'가 근본인 것이다.

그렇다면 복소수에서 나눗셈의 원리가 성립할까? 지금 상태로는 성립한다고 할 수 없다. 원래 나머지는,

$$0 \leq r < b$$

가 되어야 하는데 복소수는 수직선 위에 나열할 수 없기 때문에 대소 관계를 결정할 수 없다. 일단은 이 부분부터 복소수의 세계를 탐구할 필요가 있을 것 같다.

채은 전부 당연한 거잖아요. 일일이 증명할 필요가 있나요?

아빠 새로운 세계에 발을 디딜 때는 그때까지 상식이라고 생각했던 것도 의심할 필요가 있어. 소인수분해의 일의성에 관해서 재미있는 일화가 있지. 1847년 3월 1일, 프랑스아카데미의 회합에서 라메Gabriel Lamé가 이제 곧 페르마의 정리의 증명이 완성된다는 폭탄 발언을 해. 그러자 그 자리에 있던 코시Augustin - Louis Cauchy도 자신 역시 같은 방법으로 증명을 생각하던 참이었다고 했지. 그래서 페르마의 정리를 증명하는 데 1등을 다투며 큰 소동이 벌어져. 두 사람 모두 중간까지의 증명을 프랑스아카데미 금고에 넣어두도록 요구받았지. 증명했다는 증거를 남기기 위해서였어. 수학자들 사이에서는 이제 곧 페르마의 대정리가 증명된다는 소식으로 떠들썩했겠지.

채은 어? 페르마의 정리가 증명된 건 20세기 말이잖아요.

아빠 그렇지. 이 소동은 의외의 결말로 마무리돼. 5월 24일, 리우빌이 쿠머의 편지를 발표해. '코시와 라메는 1의 거듭제곱을 포함하는 세계에서 소인수분해의 일의성을 전제로 하고 있지만 그 세계에서 소인수분해는 일의성이 아니야. 따라서 코시와 라메의 방법으로는 페르마의 정리를 증명하는 건 무리'라고. 이렇게 코시와 라메가 크게 굴욕을 당했다는 이야기야.

채은 기대했던 사람들도 실망이 컸겠네요.

아빠 코시와 라메 같은 대수학자들도 이런 실수를 저지른다는 게 재미있지. 이 사건은 당연하게 생각되는 것도 한 번쯤 의심해볼 필요가 있다는 교훈을 남겼어.

8. 고대의 항등식이 튀어나오다

복소수의 대소관계로 넘어가려 하는데 어떻게 해야 할까?

가로축을 실수축, 세로축을 허수축으로 한 복소평면(가우스평면이라고도 한다)에서 본다면 복소수는 그 복소평면 위의 점의 좌표가 된다.

그래프 1에는 $3+2i$와 $-4-i$을 표시했다. 그럼 이 정수들의 대소관계를 어떤 방법으로 결정할 수 있을까?

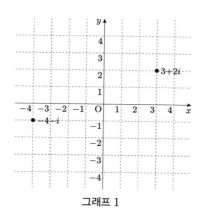

그래프 1

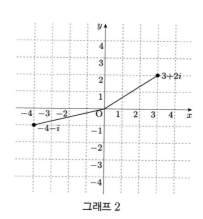

그래프 2

가장 단순하게 생각한다면 그래프 2와 같이 각각의 점과 원점의 거리를 크기로 하면 될 것이다. 그대로 하면 거리는 무리수가 되므로 거리의 제곱을 유리정수의 크기와 동일한 개념으로 도입한다. 즉 노름^{norm}이다.

$3+2i$의 노름을 $N(3+2i)$으로 나타낸다. 즉,

$$N(3+2i)=3^2+2^2=9+4=13$$
$$N(-4-i)=(-4)^2+(-1)^2=16+1=17$$

이라는 것이다.

$3+2i$와 $-4-i$를 곱하면,

$$(3+2i)(-4-i)=-12-3i-8i+2=-10-11i$$

이것의 노름을 계산하면,

$$N(-10-11i)=(-10)^2+(-11)^2=100+121=221$$

또 원래의 노름의 곱셈을 계산하면,

$$13\times17=221$$

즉 노름에는 노름을 계산한 뒤에 곱하든 원래의 숫자를 곱한 뒤에 노름을 계산하든 똑같다는 멋진 관계가 있다.

증명은 실제로 계산해서 확인하면 된다.

🔍증명　　$P=a+bi$　　$Q=c+di$

라고 하고 각각의 노름을 계산해서 곱한다.

$$N(P)N(Q)=(a^2+b^2)(c^2+d^2)$$

또 먼저 곱셈을 구한 뒤에 노름을 구해보자.

$$PQ = (a+bi)(c+di) = ac - bd + (ad+bc)i$$
$$N(PQ) = (ac-bd)^2 + (ad+bc)^2$$
$$= a^2c^2 - 2abcd + b^2d^2 + a^2d^2 + 2abcd + b^2c^2$$
$$= a^2(c^2+d^2) + b^2(c^2+d^2)$$
$$= (a^2+b^2)(c^2+d^2)$$

정확히 일치했다. 아마도 이 항등식은 전에 본 적이 있을 것이다. 한 번 더 써보자.

$$(ac-bd)^2 + (ad+bc)^2 = (a^2+b^2)(c^2+d^2)$$

이것은 브라마굽타의 항등식 그 자체이다. 이런 곳에서 브라마굽타의 항등식이 얼굴을 내밀다니 조금 놀랍다.

소인수분해를 알아보기 전에 한 가지 더 해결해야 할 문제가 있다.

유리정수를 소인수분해할 때 1이나 −1은 무시했던 것을 떠올려보자. 만약 1이나 −1을 무시하지 않는다면, 예를 들어 6을 소인수분해 했을 때,

$$6 = 2 \times 3 = 1 \times 2 \times 3 = -1 \times (-1) \times 2 \times 3$$
$$= 1 \times 1 \times (-1) \times (-1) \times 2 \times 3 = \cdots$$

이 되어 소인수분해의 일의성은 훅 날아가 버린다.

유리정수의 세계에서 1과 −1은 1의 약수이다. 1의 약수를 단수單數라고 한다.

그럼 복소수의 세계에서 단수는 무엇일까? 일단 곱해서 1이 되는 것이 단수이므로 A, B를 복소수의 단수라고 하면,

$$AB = 1$$

이 된다. 노름을 계산하면,

$$N(AB) = N(1) = 1이므로,$$

$$N(A)N(B) = N(AB) = 1$$

노름은 항상 0 이상의 유리정수이므로,

$$N(A) = N(B) = 1$$

즉 단수란 노름이 1인 수이다. 그럼 이제 구체적으로,

$$A = x + yi$$

에서 복소수의 단수를 구해보자.

$$N(A) = 1$$
$$x^2 + y^2 = 1$$

따라서 $x = \pm 1$, $y = 0$ 또는 $x = 0$, $y = \pm 1$이 된다. 즉,

$$1 + 0i, \quad -1 + 0i, \quad 0 + 1i, \quad 0 - 1i = \pm 1, \quad \pm i$$

가 복소수의 단수이다.

유리정수의 단수는,

$$-1, \ (-1)^2 = 1$$

이렇게 -1의 거듭제곱으로 나타낼 수 있듯이 복소수의 단수는,

$$i, \quad i^2 = -1, \quad i^3 = -i, \quad i^4 = 1$$

와 i의 거듭제곱으로 나타낼 수 있다.

이를 정리하면 다음과 같다.

복소수 $A = x + yi$의 노름은,

$$N(A) = x^2 + y^2$$

복소수 A, B에 관해서,

$$N(A)N(B) = N(AB)$$

복소수의 단수
$$1, \ -1, \ i, \ -i$$

⊜◎○◎⊗◎○⊜◎○◎⊘⊗◎○⊜◎○

아빠 유리정수의 세계에서 소인수분해할 때에는 2와 −2를 기본적으로 같은 것으로 간주해. 마찬가지로 복소수의 세계에서도 단수를 곱하기만 한 것은 같다고 간주해야 하는데, 익숙해지기 전까지는 당황스러울 거야.

채은 −1이나 i를 곱하기만 하는 거니까 괜찮아요.

아빠 예를 들어 $3+2i$와 $-2+3i$이 단수를 곱하기만 한 것이라고 바로 알 수 있겠니?

채은 아, 이거 그래요……? 글쎄 $3+2i$에 i를 곱했다는 거네요. 좀 속은 것 같아요.

아빠 단수를 곱해서 생기는 네 가지 수를 복소평면 위에 어떻게 나타낼 수 있는지 생각해보자. $3+2i$에 i를 차례차례 곱하면?

채은 $-2+3i$, $-3-2i$, $2-3i$

아빠 그림으로 그리면 오른쪽의 그래프처럼 돼.

채은 정사각형이 됐네요. 항상 저렇게 되나요?

아빠 $a+bi$는 가로축이 a, 세로축이 b인 점이야, i를 곱하면 어떻게 되지?

채은 가로축이 $-b$, 세로축이 a가 되죠.

아빠 즉 i를 곱한다는 것은 원점을 중심으로 $90°$ 회전시킨다는 뜻이 돼. 따라서 이 네 점은 반드시 정사각형이 되지.

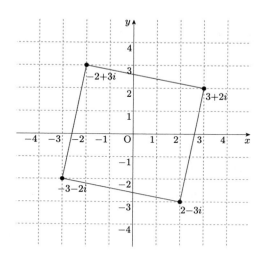

채은 흥미롭네요.

아빠 이 네 수를 동반수라고 해. 동반수 중 하나는 반드시 제1사분면에 있으니 표준형이라고 하고 점이 x축, y축 상에 있을 때는 보통의 유리정수의 경우와 마찬가지로 x축의 양수 부분에 있는 것을 표준형으로 해. 유리정수의 소인수분해도 기본적으로 양의 정수에 관해서 생각하지만, 복소수의 소인수분해도 원칙적으로 표준형에서 생각하면 이해하기 쉬워.

채은 동반수나 표준형이란 새로운 단어가 많이 나오네요.

아빠 또 한 가지, 켤레복소수라는 것도 중요해. 복소수 $A = a + bi$에 대해서, $a - bi$를 켤레복소수라고 하고 $\overline{A}$로 나타내. 켤레복소수에 관해서는 예를 들어,

$$\overline{A+B}=\overline{A}+\overline{B}$$

$$\overline{A\times B}=\overline{A}\times\overline{B}$$

등을 말할 수 있는데 굳이 증명할 것까지는 없을 거야.

채은 정말 그렇게 되네요. $A=a+bi$, $B=c+di$로 해서

$$\overline{A+B}=\overline{a+bi+c+di}$$

$$=\overline{a+c+(b+d)i}=a+c-(b+d)i$$

$$\overline{A+B}=\overline{a+bi}+\overline{c+di}$$

$$=a-bi+c-di=a+c-(b+d)i$$

가 되고 OK. 곱셈은

$$\overline{A\times B}=\overline{(a+bi)(c+di)}$$

$$=\overline{ac-bd+(ad+bc)i}$$

$$=ac-bd-(ad+bc)i$$

$$\overline{A\times B}=\overline{(a+bi)}\times\overline{(c+di)}$$

$$=(a-bi)(c-di)$$

$$=ac-bd-(ad+bc)i$$

음, 확실히 그렇게 돼요.

아빠 A의 노름을 켤레복소수를 사용하여 나타내면,

$$N(A)=A\overline{A}$$

이 되는 것도 괜찮지.

채은 아 잠깐만요. $A = a + bi$라고 하면 $\overline{A} = a - bi$이므로

$$A\overline{A} = (a+bi)(a-bi) = a^2 + b^2 = N(A)$$

그렇게는 되는데. 새로운 것이 이렇게 잔뜩 나오면 도저히 따라갈 수가 없어요.

아빠 단수에 관해 복소수와는 다른 세계를 살펴볼 거야. 2차 형식론을 했을 때 판별식이 양수일 때는 복잡한 문제가 생긴다고 했지. 예를 들어 판별식을 2로 가정할까? 그러면 이 2차 형식으로 표현할 수 있는 소수 M에서 2는 제곱잉여가 돼. 즉

$$x^2 \equiv 2 \ (\mathrm{mod} \ M)$$

의 해가 있어. 그것은 곧 k를 정수로 해서,

$$x^2 - 2 = Mk$$

로 나타낼 수 있는 거지. 여기서 브라마굽타의 항등식의 확장판을 잘 사용하기만 하면,

$$M = a^2 - 2b^2$$

이라고 표현할 수 있어. 이것을 소인수분해하면,

$$M = \left(a + \sqrt{2}\,b \right)\left(a - \sqrt{2}\,b \right)$$

가 되지. 따라서 이것은 정수에 무리수 $\sqrt{2}$ 를 더한 세계를 생각하는 것이 돼. 그럼 이 세계에서 단수는 무엇일까? $a^2 - 2b^2 = 1$이라고 하면,

$$\left(a + \sqrt{2}\,b \right)\left(a - \sqrt{2}\,b \right) = 1$$

가 되니까 이 방정식을 만족하는 a, b가 있다면,

$$\left(a+\sqrt{2}\,b \right) \quad 와 \quad \left(a-\sqrt{2}\,b \right)$$

가 단수가 돼. 임의의 값을 대입해 a와 b의 후보를 찾는 것은 어렵지 않을 거야.

채은 음 $a=3$, $b=2$를 대입하죠.

$$3^2 - 2 \times 2^2 = 9 - 8 = 1$$

가 되니까요.

아빠 그렇구나. 그럼 이것을 소인수분해한 식에 대입해볼까?

$$\left(3+2\sqrt{2} \right)\left(3-2\sqrt{2} \right) = 1$$

이 식의 양변에 제곱을 해보자.

$$\left(3+2\sqrt{2} \right)^2 \left(3-2\sqrt{2} \right)^2 = 1^2$$
$$\left(17+12\sqrt{2} \right)\left(17-12\sqrt{2} \right) = 1$$

이 되니까 $\left(17+12\sqrt{2} \right)$와 $\left(17-12\sqrt{2} \right)$도 단수가 되겠지. 또 당연히 17과 12는 원래의 방정식의 해이기도 해. 즉

$$17^2 - 2 \times 12^2 = 289 - 288 = 1$$

채은 재미있어요. 3제곱해도 성립하네요.

$$\left(3+2\sqrt{2} \right)^3 \left(3-2\sqrt{2} \right)^3 = 1^3$$
$$\left(99+70\sqrt{2} \right)\left(99-70\sqrt{2} \right) = 1$$

이 되니까,

$$99^2 - 2 \times 70^2 = 9801 - 9800 = 1$$

아빠 똑같이 하면,

$$577^2 - 2 \times 408^2 = 332929 - 332928 = 1$$
$$3363^2 - 2 \times 2378^2 = 11309769 - 11309768 = 1$$
$$19601^2 - 2 \times 13860^2 = 384199201 - 384199200 = 1$$

이렇게 얼마든지 구할 수 있지. 이것은 무엇을 의미할까?

채은 단수가 무한하게 존재한다는 것인가요?

아빠 그렇지. 이것은 꽤 복잡한 상황이야. 그래서 이쪽 세계의 모험이 만만치 않은 거지. 지금은 판별식이 2일 때를 했지만 일반적으로 제곱수가 아닌 자연수 N에 대해서,

$$x^2 - Ny^2 = 1$$

은 $x=1$, $y=0$ 이외에 정수해를 갖는 것이 증명되었어. 하나의 해를 구할 수 있다면 좀 전과 마찬가지로 무한하게 해를 만들어 낼 수 있거든. 즉 단수가 무한하게 존재한다는 뜻이야.

채은 i를 포함한 복소수가 단순하고, $\sqrt{2}$를 포함하는 세계 쪽이 복잡하다는 것은 꽤 의외네요.

아빠 $\sqrt{2}\,i$를 더한 세계라면 단수는 ±1뿐이야. 더 어려운 것은 대학에 가서 연구해보렴.

9. 억지로 나눗셈을 도입

유리정수의 세계에서 소수는 1, -1과 자기 자신 외에는 나눌 수 없는 수였다. 예를 들어 7의 경우 1, -1, 7, -7 이외의 수로 나눌 수 없기 때문에 7은 소수였다.

복소수의 세계에서도 소수를 마찬가지로 정의한다. 즉 단수와 그 수 외에는 나눌 수 없는 수를 소수라고 한다. 복소수의 세계에서 A가 소수라면 A를 나누는 것은,

$$1, -1, i, -i, A, -A, Ai, -Ai$$

뿐이라는 뜻이다. 여기부터 복소수의 소수를 가우스 소수라고 하자. 중요한 것이니 한 번 더 반복한다.

A가 복소수의 세계에서 소수(가우스 소수)

⇔ A를 나눌 수 있는 것은

$1, -1, i, -i, A, -A, Ai, -Ai$뿐이다.

복소수 X를 합성수라고 하자. 즉 $X=AB$로 나타낼 수 있다. A, B는 단수가 아니라고 가정한다. 노름을 생각하면,

$$N(X)=N(AB)+N(A)N(B)$$

A, B는 단수가 아니므로 $N(A)$, $N(B)$도 단수가 아니다. 따라서 $N(X)$는 합성수가 된다. 즉

$$X가 \ 합성수 \ \rightarrow \ N(X)가 \ 합성수$$

서로 대응하면,

$$N(X)가 \ 합성수 \ \rightarrow \ X가 \ 합성수$$

즉

$$N(X)가 \ 소수 \ \rightarrow \ X가 \ 소수$$

가 된다. 이것은 정의를 편리하게 만든다. 단 반대의 경우는 성립하지 않는다. X가 소수라 해도 $N(X)$는 소수라고 할 수 없는 것이다.

이 정리를 이용해 복소수의 세계에서 소수−가우스 소수−를 살펴보자.

가우스 소수를 탐색하다

▷ 먼저 2는 어떨까? $N(2) = 2^2 + 0^2 = 4$이므로 노름이 2인 수로 나타낼 가능성이 있다. 그 수를 $x + yi$라고 하면,

$$x^2 + y^2 = 2$$

이다. 이 해는 다음과 같다.

$$x = 1, \ y = 1 과$$
$$x = 1, \ y = -1 과$$
$$x = -1, \ y = 1 과$$
$$x = -1, \ y = -1$$

이렇게 네 가지이므로,

$$1 + i, \ 1 - i, \ -1 + i, \ -1 - i$$

가 소인수일 가능성이 있다. 이번에는 나눗셈을 해보자.

$$\frac{2}{1+i} = \frac{2(1-i)}{(1+i)(1-i)} = \frac{2(1-i)}{2} = 1 - i$$

$$\frac{2}{1-i} = \frac{2(1+i)}{(1-i)(1+i)} = \frac{2(1+i)}{2} = 1 + i$$

$$\frac{2}{-1+i} = \frac{2(-1-i)}{(-1+i)(-1-i)} = \frac{2(-1-i)}{2} = -1 - i$$

$$\frac{2}{-1-i} = \frac{2(-1+i)}{(-1-i)(-1+i)} = \frac{2(-1+i)}{2} = -1 + i$$

모두 나누어졌다. 결국,

$$2 = (1+i)(1-i) = (-1+i)(-1-i)$$

로 인수분해할 수 있으므로 2는 소수가 아니다.

$1+i$, $1-i$, $-1+i$, $-1-i$의 노름은 모두 $1^2+1^2=2$로 유리정수이므로, 이것들은 복소수의 세계에서도 소수이다. 2는 두 가지로 소인수분해할 수 있는 것처럼 보이지만 사실은,

$$(1+i)\times i=-1+i$$
$$(1+i)\times i^2=-1-i$$
$$(1+i)\times i^3=1-i$$

이 되어 이 네 수는 동반이다. 단수와 표준형을 사용하여 소인수분해하면,

$$2=-i\,(1+i)^2$$

이 된다.

▷ 이번에는 3이 복소수의 세계에서 소수인지 알아보자.

$$N\,(3)=3^2+0^2=9$$

이므로 소인수가 있다고 가정하면 노름은 3이다. 즉 $P=x+yi$라면

$$N\,(P)=x^2+y^2=3$$

이 된다. 정수해가 있다고 가정하면 짝수와 홀수이다. 앞에서 했듯이 mod 4에서는,

$$홀수^2\equiv1$$
$$짝수^2\equiv0$$

이므로,

$$홀수^2 + 짝수^2 \equiv 1$$

이 되고 3이 되는 일은 없다. 즉 노름이 3인 복소수는 존재하지 않는다. 따라서 3은 복소수의 세계에서도 소수이다.

이 논제는 $4n+3$형 유리소수에 관해서 완전히 똑같이 전개할 수 있다. 따라서 $4n+3$형 유리소수는 복소수의 세계에서도 소수이다.

▷ 그렇다면 $P = 4n+1$형 소수는 어떨까? 노름은 P^2이 되므로 소인수가 있다고 가정하면 P가 노름이 된다. $4n+1$형 소수는 두 제곱수의 합으로 나타낼 수 있으므로,

$$P = a^2 + b^2$$

으로 하면,

$$\pm a \pm bi, \ \pm b \pm ai$$

가 P의 소인수가 된다. 이 8개의 복소수의 노름은 P가 되고, 유리소수이므로 이 8개의 복소수는 가우스 소수이다.

노름이 P인 가우스 소수가 8개나 있는 것은 귀찮게 느껴질지도 모르지만,

$$a + bi$$
$$(a+bi) \times i = -b + ai$$
$$(a+bi) \times i^2 = (a+bi) \times (-1) = -a - bi$$
$$(a+bi) \times i^3 = (a+bi) \times (-i) = b - ai$$

이므로,

$$a+bi, .-a-bi, \ b-ai, \ -b+ai$$

이 4개는 동반이다. 마찬가지로,

$$a-bi, \ -a+bi, \ b+ai, \ -b-ai$$

이 4개도 동반이다. $a \geq 0$, $b \geq 0$이면 노름이 P인 가우스 소수의 표준형은 다음과 같이 2개가 된다.

$$a+bi, \ b+ai$$

이제까지 설명한 것을 정리하면 다음과 같다.

① 복소수의 세계에서 2는 소수가 아니지만, $1+i$는 소수이다.
② $4n+3$형 유리소수는 복소수의 세계에서도 소수이다.
③ $4n+1$형 유리소수는 복소수의 세계에서 소수가 아니지만, a^2+b^2으로 표현했을 때 $a \geq 0$, $b \geq 0$이면, $a+bi$, $b+ai$는 가우스 소수의 표준형이고, 그 노름은 $4n+1$형 유리소수이다.

사실 복소수의 세계의 소수는 이것이 전부인데, 그것을 증명하기 위해서는 조금 준비가 필요하니 나중의 즐거움으로 남겨두자.

소인수분해!

▷ 195를 소인수분해해보자. 먼저 유리소수의 범위에서 소인수분해를 한다.

$$195 = 3 \times 5 \times 13$$

▶ 3은 복소수의 세계에서도 소수이다.

▶ $5 = (1+2i)(1-2i)$

$1-2i$는 표준형이 아니므로 표준형으로 고친다. i를 곱하면 표준형이 되므로 $1 = i^4 = i^3 \times i$을 곱한다.

$$1-2i = i^3 \times i \times (1-2i) = -i(2+i)$$

▶ $13 = (2+3i)(2-3i)$

마찬가지로 $2-3i$를 표준형으로 고친다.

$$2-3i = i^3 \times i \times (2-3i) = -i(3+2i)$$

이므로,

$$195 = 3 \times (-i) \times (-i)(1+2i)(2+i)(2+3i)(3+2i)$$
$$= -3(1+2i)(2+i)(2+3i)(3+2i)$$

▷ $5+14i$를 소인수분해해보자.

$$N(5+14i) + 5^2 + 14^2 = 25 + 196 = 221 = 13 \times 17$$

▶ 노름이 13인 소수는 $2+3i$과 $3+2i$

▶ 노름이 17인 소수는 $1+4i$과 $4+i$

이제 나누어보자.

$$\frac{5+14i}{2+3i} = \frac{(5+14i)(2-3i)}{(2+3i)(2-3i)} = \frac{52+13i}{4+9} = 4+i \qquad \text{나누어떨어진다.}$$

$$\frac{5+14i}{3+2i} = \frac{(5+14i)(3-2i)}{(3+2i)(3-2i)} = \frac{43+32i}{9+4} = \frac{43}{13} + \frac{32}{13}i$$

나누어떨어지지 않는다.

따라서,

$$5+14i = (2+3i)(4+i)$$

다음은 나눗셈이다!

이번에는 가우스 소수의 세계에서 하는 나눗셈이다. 유리정수의 세계에서는 p를 x로 나눌 때에,

$$p = qx + r \qquad (0 \le r < x)$$

가 되는 q, r은 단 하나뿐이라는 것이 나눗셈의 원리이다. 마찬가지로 생각하여 복소수의 세계에서 P를 X로 나누었을 경우,

$$P = QX + R \qquad 0 \le N(R) < N(X)$$

가 되는 Q, R이 단 하나만 정해지면 된다.

$5+8i$를 $3+2i$로 나누어보자.

$$\frac{5+8i}{3+2i} = \frac{(5+8i)(3-2i)}{(3+2i)(3-2i)} = \frac{31+14i}{9+4} = \frac{31}{13} + \frac{14}{13}i$$

여기에서 $\dfrac{31}{13} \fallingdotseq 2.38$, $\dfrac{14}{13} \fallingdotseq 1.08$이므로 이 지점을 그래프로 나타내면 다음과 같다.

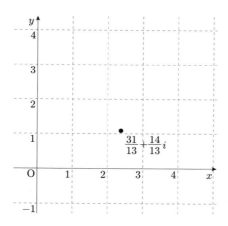

복소수는 이 그래프의 점의 좌표이다. 그래서 이 점을 둘러싸는 최소의 사각형의 정점에 해당하는 복소수에 주목할 것이다.

$$2+i,\ 2+2i,\ 3+i,\ 3+2i$$

이 네 점 중 문제의 점에 가장 가까운 것은 $2+i$이다. 따라서 이것을 몫으로 한다. 그렇게 하면 나머지는,

$$R=P-QX=5+8i-(2+i)(3+2i)=5+8i-(4+7i)=1+i$$

로 구할 수 있다.

$$N(X)=N(3+2i)=3^2+2^2=9+4=13$$
$$N(R)=N(1+i)=1^2+1^2=1+1=2$$

가 되어 $N(X)>N(R)$이 되어 풀렸다. 즉

$$5+8i=(2+i)(3+2i)+1+i$$

이다. 이것을 일반적인 식으로 나타낼 수 있을까?

복소수 P를 X로 나눈다.

$$\frac{P}{X}=a+bi\text{로 나타낼 수 있다. } a,\ b\text{는 유리수이다.}$$

$$m\leq a\leq m+1,\ n\leq b\leq n+1$$

일 때 4개의 점,

$$m+ni,\ m+1+ni,\ m+(n+1)i,\ m+1+(n+1)i$$

중에 $a+bi$에 가장 가까운 점을 Q라고 한다(오른쪽 그래프). 등거리의 점이 있다고 가정하면 위쪽, 오른쪽(반대여도 된다)을 갖도록 정한다.

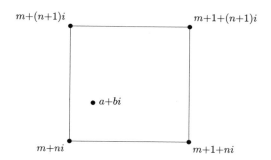

$$m+(n+1)i \qquad\qquad m+1+(n+1)i$$

$$\bullet\ a+bi$$

$$m+ni \qquad\qquad m+1+ni$$

정사각형의 대각선 길이는 $\sqrt{2}$ 이므로 Q와 $a+bi$의 거리는 $\dfrac{\sqrt{2}}{2}$ 이다. 노름은 그 제곱이므로,

$$N\left(\frac{P}{X}-Q\right) \leq \frac{1}{2}$$

양변에 $N(X)$를 곱하고

$$N\left(\frac{P}{X}-Q\right)N(X) \leq \frac{1}{2}N(X)$$

$N(A)N(B)=N(AB)$이므로

$$N(P-QX) \leq \frac{1}{2}N(X)$$

$$N(R) \leq \frac{1}{2}N(X)$$

이므로 목적인 $N(R) \leq N(X)$보다 강한 결과가 나왔다.

연습 좀 더 확실하게 이해할 수 있도록 연습문제를 풀어보자.

$967+241i$를 $31+73i$로 나누고, 몫과 나머지를 구하시오.

채은 복소수의 소인수분해라든지 나눗셈이라든지 계산이 꽤나 귀찮네요. 전자계산기로 탁탁 계산할 수도 없고요.

아빠 새로운 세계에 발을 디뎠으니 익숙해질 때까지는 귀찮다고 느껴지겠지만 이 세계의 아름다움을 맛보게 되면 그런 불만은 사라질 거야. 아무튼 연습문제를 풀어볼까?

채은 $(967+241i) \div (31+73i)$를 하는 거죠.

$$\frac{967+241i}{31+73i} = \frac{(967+241i)(31-73i)}{(31+73i)(31-73i)} = \frac{47570-63120i}{961+5329}$$

$$= \frac{47570}{6290} - \frac{63120}{6290}i = \frac{4757}{629} - \frac{6312}{629}i$$

$$\frac{4757}{629} \fallingdotseq 7.56 \qquad \frac{6312}{629} \fallingdotseq 10.03$$

7.56은 7과 8 사이에 있고 8에 가깝다.

10.03은 10과 11 사이에 있고 10에 가깝다.

따라서 몫은 $8-10i$이고 나머지는,

$$967+241i-(8-10i)(31+73i)$$
$$=967+241i-(978+274i)$$
$$=-11-33i$$

가 되므로,

$$967 + 241i = (8 - 10i)(31 + 73i) - 11 - 33i$$

아빠 그렇지. 만약을 위해 나누는 수와 나머지의 노름을 계산해보는 건 어떨까?

채은 아! 귀찮아!

$$N(31 + 73i) = 31^2 + 73^2 = 961 + 5329 = 6290$$
$$N(-11 - 33i) = 11^2 + 33^2 = 121 + 1089 = 1210$$

분명히 나머지의 노름이 더 작아요.

10. 복소수의 세계에서 살펴보는 페르마의 정리

복소수의 세계도 나눗셈의 원리는 성립한다. 이것만 성립한다면 유리정수의 세계에서 할 수 있는 것은 복소수의 세계에서도 거의 가능하다. 나눗셈의 원리는 어디든 갈 수 있는 전능한 입장권 같은 것이다.

나눗셈의 원리가 성립하므로 복소수의 세계에도 유클리드 호제법이 성립한다.

유리정수의 경우 서로소란 1, -1 이외의 공통인수를 갖지 않는 것을 의미한다. 복소수 역시 1, -1, i, $-i$ 이외의 공통인수를 갖지 않을 때 서로소라고 한다.

유클리드 호제법이 성립하므로 다음 정리가 성립한다.

복소수 A, B가 서로소일 때,
$AX + BY = 1$이 되는 복소수 X, Y가 존재한다.

성립하는지 확인해보자.

$$A = 3 + 2i$$
$$B = 5 + 8i$$

로 했을 때

$N(A) = 3^2 + 2^2 = 9 + 4 = 13$이고, $4n + 1$형 소수이므로 A는 소수이다.

$N(B) = 5^2 + 8^2 = 25 + 64 = 89$이고 이것도 $4n + 1$형 소수이므로 B는 소수이다.

▷ $B \div A$를 실행한다. 343쪽의 결과를 그대로 쓴다.

$$5 + 8i = (2 + i)(3 + 2i) + 1 + i$$
$$\rightarrow \ 1 + i = B - (2 + i)A \quad \cdots ①$$

▷ $(3 + 2i) \div (1 + i)$를 실행한다.

$$\frac{3 + 2i}{1 + i} = \frac{5}{2} - \frac{1}{2}i$$

$\dfrac{5}{2}$는 2와 3의 사이 $\rightarrow$ 3

$-\dfrac{1}{2}$는 0와 1의 사이 $\rightarrow$ 0

몫은 3, 나머지는 $3 + 2i - 3(1 + i) = -i$

$$\therefore \ 3+2i = 3(1+i)-i \quad \rightarrow \quad -i = A-3(1+i) \quad \cdots ②$$

i는 단수이므로 호제법은 이것으로 끝. ①을 ②에 대입한다.

$$-i = A - 3\{B-(2+i)A\} = (7+3i)A - 3B$$

좌변을 1로 만들기 위해서 양변에 i를 곱한다.

$$1 = (-3+7i)A - 3iB$$
$$1 = (-3+7i) \times (3+2i) - 3i \times (5+8i)$$

나눗셈의 원리가 성립하고 유클리드 호제법도 사용할 수 있다면, 7절에서 했던 소인수분해의 일의성에 대한 증명은 이대로 성립한다.

⟨증명⟩ 먼저 복소수 A, B와 가우스 소수 P에 대해서 AB가 P로 나누어진다면, A나 B를 P로 나눌 수 있음을 증명한다.

AB가 P로 나누어지므로,

$$AB = PQ \quad (Q는 \ 복소수)$$

로 한다.

A가 P를 나눌 때에 정리는 성립한다. 그래서 A가 P로 나눠지지 않는다고 한다. P는 가우스 소수이므로 A가 P로 나누어지지 않을 때, A와 P의 최대공약수는 1이 된다. 그래서 적당한 복소수 M, N을 선택하면

$$MA + NP = 1$$

이 된다. 양변에 B를 곱하면,

$$MAB + NPB = B$$

$AB = PQ$를 대입한다.

$$MPQ + NPB = B$$

$$P(MQ + NB) = B$$

따라서 B는 P로 나누어떨어진다. 💡

수학적 귀납법 부분도 완전히 똑같으므로 생략하기로 한다. 소인수분해의 일의성에 대해서도 마찬가지이다. 즉 유리정수의 세계를 분석하기 위한 무기는 복소수의 세계에도 거의 사용된다.

복소수의 세계에는 다음 세 가지 소수가 있다는 것을 이미 제시했다.

① 2는 소수가 아니지만 $1+i$은 가우스 소수이다.

② $4n+3$형 유리소수는 가우스 소수이다.

③ $4n+1$형 유리소수는 가우스 소수가 아니지만 a^2+b^2이라고 표현했을 때 $a \geq 0$, $b \geq 0$이면 $a+bi$, $b+ai$는 노름이 $4n+1$형 유리소수인 가우스 소수의 표준형이다.

여기서 그 외의 가우스 소수가 존재하지 않음을 증명해보자.

💗증명 X를 가우스 소수라고 한다. $N(X)$는 유리정수이므로 유리소수로 소인수분해할 수 있다.

$$N(X) = X\overline{X}$$

이므로 X는 그 $N(X)$의 소인수인 유리소수 중 어떤 것을 나눈다 (앞에서는 준비 부족으로 이 부분을 언급하지 못했다).

① X가 2를 나누는 경우, $X = 1+i$ 또는 그 동반수이다.

② X가 $4n+1$형 소수를 나누는 경우, X는 노름이 $4n+1$형 소

수인 가우스 소수 또는 그 동반수이다.

③ X가 $4n+3$형 소수를 나누는 경우, $4n+3$형 유리소수는 가우스 소수이기도 하므로 X 또한 $4n+3$형 유리소수 또는 그 동반수이다. 💡

즉 유리소수가 아닌 가우스 소수는 노름이 2이거나 $4n+1$형 유리소수로 한정되는 것이다. 그렇다면 가우스 소수는 어떤 모습일까? 이제부터 노름이 100 이하인 표준형을 통해 살펴볼 것이다.

$$\text{노름}2 \quad \rightarrow \quad 1+i$$
$$\text{노름}5 \quad \rightarrow \quad 1+2i, \ 2+i$$
$$\text{노름}13 \quad \rightarrow \quad 2+3i, \ 3+2i$$
$$\text{노름}17 \quad \rightarrow \quad 1+4i, \ 4+i$$
$$\text{노름}29 \quad \rightarrow \quad 2+5i, \ 5+2i$$
$$\text{노름}37 \quad \rightarrow \quad 1+6i, \ 6+i$$
$$\text{노름}41 \quad \rightarrow \quad 4+5i, \ 5+4i$$
$$\text{노름}53 \quad \rightarrow \quad 2+7i, \ 7+2i$$
$$\text{노름}61 \quad \rightarrow \quad 5+6i, \ 6+5i$$
$$\text{노름}73 \quad \rightarrow \quad 3+8i, \ 8+3i$$
$$\text{노름}89 \quad \rightarrow \quad 5+8i, \ 8+5i$$
$$\text{노름}97 \quad \rightarrow \quad 4+9i, \ 9+4i$$

채은 유리정수의 무기를 사용할 수 있다니 합동식도 괜찮아요?

아빠 물론 유리정수의 합동에 대해서 나머지가 동일한 것이라고 정의
했지만 복소수의 경우에는 이 정의대로 하면 조금 복잡해져. 따라
서 같은 것이지만 유리정수의 경우에도 2개의 정수 a, b에 대해
서 $a-b$가 p로 나눠질 때,

$$a \equiv b \pmod{p}$$

로 정의하는 쪽이 더 멋지지. 이렇게 하면 복소수일 때도 그대로
사용할 수 있어.

채은 페르마의 소정리는 어떻게 해요?

아빠 이것도 그대로 사용할 수 있어.

소수 p에 대해 $\bmod{\ p}$일 때 $a^{p-1} \equiv 1$이라는 것이 페르마의 소
정리였어. 이 '$p-1$'은 군 $(\mathbb{Z}/p\mathbb{Z})^{\times}$의 위수야. 따라서 복소수의
세계에서도 $\bmod{\ P}$일 때, 그 군의 위수를 알아볼 필요가 있어.
위수가 n이라면 복소수의 세계도 페르마의 소정리에 의해 $A^{n} \equiv$
1이 돼. 순서대로 설명해줄까?

P를 유리소수가 아닌 가우스 소수라고 가정할게. $\bmod{\ P}$에서 그
대표를 생각해야 하는데, 사실 모든 복소수 A에 대해서 어떤 유
리정수 t가 존재해서,

$$A \equiv t \pmod{P}$$

로 할 수 있어.

채은 아, 복소수가 유리정수와 합동이 됐어요. 만약 그렇게 된다면 엄청나게 의외네요.

아빠 $P=a+bi$라고 가정하자. a와 b는 유리정수이고 서로소겠지?

채은 유리정수인 건 좋은데, 서로소라고 할 수 있나요?

아빠 $N(P)=a^2+b^2$에서 이것은 2나 $4n+1$형 소수일 거야. a, b에 공통인수, 예를 들어 C가 있다고 가정하고 $a=a'c$, $b=b'c$로 하면,

$$a^2+b^2=(a'c)^2+(b'c)^2=c^2(a'^2+b'^2)$$

가 되고, 노름이 소수가 아니게 돼. 따라서 a와 b는 서로소가 되지.

채은 그렇네요.

아빠 $A=x+yi$, t를 유리정수로 하고,

$$A\equiv t \ (\mathrm{mod} \ P)$$

로 해보자. 이러한 t를 구하는 것이 목적이야. 제시된 정수는 x, y와 a, b니까 t를 x, y, a, b로 나타낼 수 있으면 돼.
그런데 $\mathrm{mod} \ P$에서 $A\equiv t$라는 건 Q를 복소수로 해서,

$$A-t\equiv PQ$$

라는 거지. $Q=v+wi$라고 하고 대입해서 정리해볼까?

채은 왠지 힘든 계산이 될 것 같아요.

아빠 가우스의 2차 형식론을 했을 때에 비하면 식은 죽 먹기지.

채은 그렇다면 다행이지만…….

$$x + yi - t = (a + bi)(v + wi)$$
$$x - t + yi = av - bw + (aw + bv)i$$

아빠 실수 부분과 허수 부분으로 나누면,

채은
$$x - t = av - bw \quad \cdots ①$$
$$y = aw + bv \quad \cdots ②$$

아빠 이 식에서 v, w를 소거하면 돼.

채은 식이 두 개니까 소거할 수 있는 문자는 하나예요.

아빠 a와 b는 서로소였으니까 적당한 m, n을 고르면,

$$1 = am + bn$$

으로 나타낼 수 있겠지. 이것을 이용하는 거야. n, m은 a, b에
서 구할 수 있으니 제시된 정수라고 생각해도 돼. 즉 소거하지 않
아도 되는 거지. 구체적으로 말하면 양변에 y를 곱해서,

$$y = aym + byn$$

②식이 성립하면 되니까 $w = ym$, $v = yn$처럼 v, w를 정하면 돼.
그리고 이것을 ①식에 대입해.

$$x - t = ayn - bym \quad \rightarrow \quad t = x - ayn + bym$$

즉 정리하면,

▶ $P = a + bi$일 때 a, b에서,

$$am + bn = 1$$

이 되는 m, n을 구하는 거지.

▶ $w = ym$, $v = yn$으로 하면 ①, ②가 성립하여 감사할 따름이야.
  t를 구하는 것이 목적이므로 w, v를 구할 필요는 없어.

반대로,

$$am + bn = 1$$
$$t = x - ayn + bym$$

이라고 하자. 이때

$$
\begin{aligned}
x + yi - t &= x + yi - (x - ayn + bym) \\
&= x + yi - x + ayn - bym \\
&= y(i + an - bm)
\end{aligned}
$$

여기에서 $am + bn = 1 \rightarrow ami + bni = i$를 대입

$$
\begin{aligned}
&= y(ami + bni + an - bm) \\
&= y\{a(n + mi) + b(-m + ni)\} \\
&= y\{a(n + mi) + ib(n + mi)\} \\
&= y(a + bi)(n + mi) \\
&\equiv 0 \pmod{P}
\end{aligned}
$$

이 되는 거야.

채은 흐음. 잠깐 실제로 해봐요.

아빠 그럼 $P = 9 + 4i$라고 하마. 적당한 복소수를 말해보렴.

채은 $1234 + 5678i$

아빠 먼저 $9m+4n=1$을 풀어볼까? 간단하지.

채은 누워서 떡먹기죠. mod 9로 적용해서.

$$4n \equiv 1 \ (\bmod\ 9)$$

양변에 7을 곱해요.

$$7 \times 4n \equiv 7 \times 1$$

$$n \equiv 7 \quad \rightarrow \quad n = 7 + 9k \qquad \text{원래의 식에 대입해서}$$

$$9m + 4(7+9k) = 1$$

$$9m + 28 + 36k = 1$$

$$9m = -27 - 36k$$

$$m = -3 - 4k$$

아빠 그럼 $k=0$일 때를 임의로 대입하여 취해서 $m=-3$, $n=7$로 하면,

$$t = x - ayn + bym$$

$$= 1234 - 9 \times 5678 \times 7 + 4 \times 5678 \times (-3)$$

$$= -424616$$

채은 엄청나게 큰 수가 됐어요.

아빠 $P\overline{P} = 9^2 + 4^2 = 81 + 16 = 97$이니까, 97을 더하거나 빼거나 해도 합동관계는 변하지 않아.

채은 그런가요? $-424616 = -4378 \times 97 + 50$이니까,

$$-424616 \equiv 50$$

$$\rightarrow \quad 1234 + 5678i \equiv 50 \ (\bmod\ 9+4i)$$

하지만 정말 그렇게 될까요?

아빠 $1234+5678i-50$이 $9+4i$로 나눠지면 좋겠는데. 해보렴.

채은 도저히 나누어질 것 같지 않은데……. 해볼게요.

$$\frac{1234+5678i-50}{9+4i}=\frac{(1184+5678i)(9-4i)}{(9+4i)(9-4i)}$$

$$=\frac{1184\times9+5678\times4+(-1184\times4+5678\times9)i}{81+16}$$

$$=\frac{33368+46366i}{97}$$

$$=344+478i$$

아빠 모든 복소수는 mod $9+4i$에서 $0, 1, 2, \cdots, 96$ 중 어느 것과 합동이 돼. 따라서 mod $9+4i$의 대표계로서 $0, 1, 2, \cdots, 96$을 선택할 수 있지.

채은 $0, 1, 2, \cdots, 96$ 중에서 합동이 되는 것은 없을까요?

아빠 $0, 1, 2, \cdots, 96$ 중에서 합동인 수를 a, b라고 하면 $(a>b)$, $9+4i=P$로 해서,

$$a-b\equiv0\ (\mathrm{mod}\ P)$$

가 되니까, Q를 복소수로 해서,

$$a-b=PQ$$

가 돼. 양변에 켤레복소수를 씌우면, $\overline{a}=a$, $\overline{b}=b$니까,

$$\overline{a-b}=\overline{PQ}\ \rightarrow\ a-b=\overline{P}\times\overline{Q}$$

가 되고, $a-b$는 P도 소인수로 포함하지. 즉,

$$a-b=P\overline{P}R=97R \quad (R\text{은 복소수})$$

노름을 구하면,

$$N(a-b)=N(97R)$$
$$\rightarrow \ (a-b)^2=97^2N(R)$$
$$\rightarrow \ a-b \geq 97$$

이 되어 모순이 돼.

따라서 0, 1, 2, …, 96 중에 합동인 수는 존재하지 않아.

즉 P가 유리소수가 아닌 가우스 소수일 때, mod P의 잉여환은 유리정수인 mod $N(P)$의 잉여환과 완전히 똑같은 구조인 거지. 기약잉여류군에 대해서도 마찬가지로 말할 수 있어.

채은 아아, $N(9+4i)=81+16=97$이니까 mod $9+4i$의 기약잉여류군이 mod 97의 그것과 같다면 페르마의 소정리에 따라,

$$A^{96}\equiv 1 \ (\bmod \ 9+4i)$$

라고도 할 수 있네요.

아빠 $A\not\equiv 0(\bmod \ 9+4i)$. 즉 A가 $9+4i$로 나눠지지 않는다면 그렇게 돼.

채은 하지만 예를 들어 정말로,

$$(2+3i)^{96}\equiv 1 \ (\bmod \ 9+4i)$$

라는 식으로 될까요?

아빠 $(2+3i)^{96}$

$$= 29314842462061134320768462165009871178282\,1 \\ 630536701121 \\ + 29536673769338472568445613399191775453201\,7 \\ 4999220192\,0\,i$$

인데, $9+4i$ 로 나누어볼까?

채은 아, 전 사양할게요.

아빠 그렇게 힘들지 않아. $9+4i$ 로 나누는 것은 힘들지만, 먼저 97로 나누어보면 돼.

채은 그런가요? 먼저 mod 97에서 생각하는 거네요.

29314842462061134320768462165009871178282163053670
1121 ≡ 1

29536673769338472568445613399191775453201749992201
920 ≡ 0

와~ 풀렸어요.

복소수의 세계에서도 페르마의 소정리를 사용할 수 있다니, 감격스러워요!

11. 다시 두 제곱수의 정리

4로 나누면 1이 남는 소수는 두 제곱수의 합으로 나타낼 수 있다. 사실 이것은 복소수의 세계에서 흘러나온 가우스 소수들의 노래였다. 가우스 소수들은 '우리의 참모습을 봐 주세요'라고 호소했다.

처음 이 노래를 들은 것이 누구인지는 알 수 없지만 기록상으로 디오판토스가 귀를 기울였던 것은 틀림없다. 하지만 디오판토스는 이 노래에 뭔가 신비로운 비밀이 있을 것이라고 생각했을 뿐 그 이상 나아가지 못했다.

그리고 천 년이 훌쩍 흘러 다시 이 노래를 알아본 이는 페르마였다. 페르마는 주의 깊게 귀를 기울이고, 여기서 두 제곱수 정리를 발견하고 증명한다. 그리고 고독 속에서 끊임없이 연구하여 소수의 2차 형식에 의한 표현인 페르마의 소정리 등의 멋진 성과를 거둔다.

그 후 페르마의 횃불을 이어받은 것은 오일러였다. 오일러는 페르마가 증명하지 못했던 수들의 정리를 증명하고, 더 안쪽으로 성큼 내디뎠다. 오일러에게는 가우스 소수의 노래가 확실하게 들렸을 것이다.

오일러 역시 고독 속에서 연구했지만 페르마와 달리 살아가는 동안 후계자를 찾을 수 있었다. 그가 바로 라그랑주였다.

라그랑주, 르장드르의 연구 덕분에 소수의 2차 형식에 의한 표현은 확실하게 학문의 계보를 잇는 정리로 완성되었다. 그리고 가우스 소수의 노래는 제곱잉여 상호법칙으로 결실을 맺었다.

17세 때 가우스 소수의 노래를 들은 가우스는 그 아름다운 선율에 감동하여 평생을 수학 연구에 바치기로 결심했다. 그는 '4로 나누면 1이 남는 소수는 두 제곱수의 합으로 나타낼 수 있다'라는 정리에 대해 몇 번씩이나 '참으로 아름답다'라든지 '아름답고 기품이 넘친다' 등의 찬사를 바쳤다.

가우스는 선인들의 연구를 바탕으로 소수를 2차 형식으로 표현하는 문제에 관해서 완벽한 정리를 발견하고 증명했다.

그리고 마침내 가우스 소수의 노래를 유도해내는 방법으로 유리정수의 세계를 도출해내고 대수적 정수의 세계로 여행을 떠난다. 가우스 소수의 노래는 대수적 정수의 세계로 가는 열쇠였던 것이다. 그곳에서 가우스 소수의 노래는 오케스트라의 반주와 함께 울려 퍼지는 힘찬 합창이었다. 가우스는 그 합창에 감동하여 마침내 황금정리-제곱잉여 상호법칙-를 증명한다. 그것도 평생에 걸쳐 일곱 가지나 되는 증명을 발견한 것이다.

가우스가 활짝 열어젖힌 문 너머를 들여다본 사람들은 그 아름다움에 감동하여 차례차례 모험을 떠났다. 쿠머, 데데킨트, 힐베르트, 다카키 데이지高木貞治 등의 용사들은 대수적 정수의 세계를 구석구석 탐험하고, 마침내 고차잉여의 상호법칙을 발견하게 된다.

물론 그렇다고 해서 모두 다 증명된 것은 아니다. 지금도 수많은 수수께끼가 젊은 용사들의 방문을 기다리고 있다.

복소수의 세계에서 '4로 나누면 1이 남는 소수는 두 제곱수의 합으로 나타낼 수 있다'라는 정리를 살펴보자.

🗝증명 p를 $4n+1$형 유리소수라고 가정하면 $(-1)^{(p-1)/2}=(-1)^{2n}=1$ 이 된다. 따라서 -1은 제곱잉여가 된다. 이것은

$$x^2 \equiv -1 \ (\mathrm{mod} \ p)$$

이 되는 x가 존재한다는 뜻이다. 즉 q를 정수로 해서,

$$x^2+1=pq \quad \rightarrow \quad (x+i)(x-i)=pq$$

p가 가우스 소수라면 p는 $x+i$ 나 $x-i$를 나눈다. 하지만

$$\frac{x \pm i}{p} = \frac{x}{p} \pm \frac{1}{p} i$$

에서 $\dfrac{1}{p}$ 은 명백히 정수가 아니다. 즉 p는 $x+i$도 $x-i$도 나누지 않는다. 따라서 p는 유리소수이기는 하지만 가우스 소수는 아니다.

$$N(p)=p^2$$

이므로 p의 노름인 소인수는 p이다. 즉 유리소수 p의 소인수를 $a+bi$라고 하면,

$$N(a+bi)=a^2+b^2=p$$

가 된다. 또 $a+bi$의 노름은 p이고, 이것은 유리소수이므로 $a+bi$는 가우스 소수이다. 💡

복소수의 세계로 가면, $4n+1$형 소수 p를 a^2+b^2로 나타내는 것은 극히 당연하다는 사실을 이해할 수 있다. 그리고 유리소수가 아닌 가우스 소수는, 노름이 2나 $4n+1$형 소수뿐이라는 사실도 꽤 함축성이 깊다.

채은 '4로 나누면 1이 남는 소수는 두 제곱수의 합으로 나타낼 수 있다'라는 말만 들었을 때는 별로 대단할 것 같지 않았던 정리가 새로운 세계로 향하는 열쇠라니 꽤 로맨틱하네요.

아빠 페르마의 두 제곱수 정리에 대해서는, 최초로 페르마의 무한강하법을 사용해서 증명한 거지. 128쪽이야.

채은 구체적인 숫자를 사용해서 해본 것뿐이지 정확히 증명한 게 아니잖아요.

아빠 문자를 사용해서 정확히 하더라도 어째서 $4n+1$형 소수가 제곱수의 합으로 나타낼 수 있는지 그 이유에 관해서 납득할 수는 없어. 정수론의 초등적인 증명 중에는 이렇게 기교적인 증명이 많아. 그리고 다음은 가우스의 2차 형식론에 의한 증명이야. 302쪽 전후에 그 정리 부분이 있단다.

채은 하지만 두 제곱수 정리 자체를 증명한 게 아니라 다양한 2차 형식을 연구하는 도중에 겸사겸사 그것도 증명됐다는 느낌이에요.

아빠 하하하. 그래? 마지막에는 복소수의 세계에서의 증명이야. 이 증명이라면 $4n+1$형 소수를 제곱수의 합으로 나타낼 수 있다는 것도 납득이 갈 거야.

채은 음. 페르마의 두 제곱수 정리는 유리정수에 관한 정리인데, 유리정수의 세계를 날아가 더 넓은 세계에서 증명해보니 이해가 되는 것도 재미있어요.

아빠 이 책은 《천재 수학자 가우스가 들려주는 수학》이라는 제목인데, 결국 가우스의 황금정리-제곱잉여 상호법칙-에 관한 증명에는 접근하지 않았어. 가우스에 의한 초등적 증명도 있으니 이번 단계에서 그 증명을 이해할 수 없는 건 아니지만, 꽤 난해한데다 기교적인 증명이니까 힘들게 그것을 이해해봤자 어째서 제곱잉여 상호법칙이 성립하는지 납득할 수는 없지. 그래서 생략했단다. 제곱잉여 상호법칙에 대해서는 대학에 가서 본체론 등을 공부하고, 대수적 정수의 세계로 간 뒤에 연구하는 게 나아. 그렇게 하면 mod p에서 q가 제곱잉여인지 여부를 알아볼 때, 어째서 관계가 없어 보이는 mod q가 관계있는지 하는 신기한 사실에 대해서도 당연하게 느껴질 테니까.

채은 지금은 페르마의 소정리가 당연하게 느껴지는 단계에서 만족하라는 거네요.

아빠 가토 카즈야^{加藤 和也}라는 재미있는 수학자가 있어. 동경대에 입학했을 당시에는 성적이 좋지 않았어. 동경대에서는 3학년이 되면 진로를 결정하는데, 성적부진 때문에 바라던 천문학과에는 가지 못하고 항공학과에 갔다고 해. 그런데 자기가 비행기를 설계하면 끔찍한 일이 일어날 것 같다며 다시 수학과로 전공을 바꾼 거야. 그리고 그의 재능이 꽃을 피웠지. 지금은 세계적으로 유명한 정수론의 대가가 됐거든. 가토 교수에 관해서는 다양한 기행이 전해지고 있는데, 대학원에서 박사논문을 쓸 때 너무 집중한 나머지 정신이 들고 보니 기차조지의 번화가를 걷고 있었다는 거야. 그런데 경찰이 와서 양쪽 팔을 잡고 경찰서에 끌고 가기에 항의했더니 경찰이 '꼴 좀 보시오'하더래. 그제야 자기 모습을 봤는데, 거의 알몸이었다더구나.

채은 네? 기치조지의 대로를 알몸으로 걸었다고요? 뭐라고 할지, 그렇게까지 집중할 수 있다니 대단하네요. 아빠는 그런 경험이 있나요?

아빠 너무 집중해서는 아니고. 술에 취해서……, 아니다, 아니야…….

채은 취해서 알몸으로 거리를 걸어다녔군요. 아빠라면 그럴 것도 같아요. 항상 곤드레만드레가 될 때까지 마시니까요. 솔직하게 자백하세요.

아빠 에헴! 이 가토 교수의 말투가, 장기 명인 가토 히후미加藤一二三 구단이랑 똑같아. 알아듣기가 힘들 정도로 말이 빨라서, 마치 혀가 머리 회전을 쫓아가지 못해서 당황하는 것처럼 들리거든.

채은 또 딴 데로 말을 돌리시네요!

아빠 가토 교수는 강의 초반에 '소수의 노래' 부분을 '내 강의를 정리하면 이런 내용'이라고 미리 알려준다고 해. 학생들을 배려하는 거지. 본인 말로는 '연구 내용도 그대로이고, 그게 전부다!'라는데.

채은 어떤 노래인데요?

아빠 1) 소수의 노래는 덩덕쿵
      덩덕쿵덩더덕쿵
      귀를 기울이면 들려옵니다.

재미있는 노래가 들려옵니다.

2) 소수의 노래는 쿵덕쿵

쿵덕쿵쿵더덕쿵

소리를 모아 노래합니다.

소수 나라의 사랑 노래.

가토 카즈야《소수의 노래가 들린다(푸네우마사, 2012년)》

이렇게 6절까지 계속돼.

채은 뭐예요. 그게. 완전히 의미 불명이잖아요.

아빠 제타함수라고, 소수와 깊은 연관이 있는 함수가 있는데, 그 제타함수를 연구하면 자연스럽게 이 노래가 입에서 흘러나오게 된대. 그뿐만이 아니야. 너무 신기해서 자연스럽게 '제타웃음'이라는 미소가 떠오른다는 거야.

채은 점점 더 모르겠어요.

아빠 덩덕쿵은 기계음 같은 건지도 몰라. 소수가 제타함수의 모습이 되어 나타나는 건, 은혜 갚은 학과 같다는 게 가토 교수의 지론이지. 스페인에서 4년에 1번 열리는 국제수학자회의에서 1시간의 특별강연을 했는데, 그때 스크린에 비친 것은 수식이 아니라 은혜 갚은 학의 삽화였다는구나. 은혜 갚은 학을 설명하면서 제타함수는 그 학처럼 함수의 세계에서 대수의 세계로 가서 아름다운 공식을 만들어냈다는 해설로 박수갈채를 받았어.

채은 그래서 덩덕쿵? 그럼 쿵덕쿵쿵더덕쿵은 뭔데요?

아빠 학생들 사이에서는 그걸 이해한다면 가토를 뛰어넘을 수 있다는 말이 돌고 있다지. 하지만 귀를 기울이면 들려오는 소수의 노래, 라는 건 꽤 의미심장하다고 봐. 은혜 갚은 학을 바탕으로 한 기노시타 준지木下順二의 《유즈루夕鶴》에서는 다들 바보라고 손가락질하는 요효만이 츠으-사람의 모습이 된 학의 이름-와 말을 할 수 있었어. 그러던 어느 날 요효가 '돈'에 대해서 이야기하자 츠으는 울부짖어. '모르겠어요. 당신이 하는 말을 전혀 못 알아듣겠어요. 다른 사람들과 똑같아. 입이 움직이는 모습만 보이고 목소리만 들려. 하지만 무슨 말을 하는 건지 모르겠어……. 아아, 당신은, 당신이, 결국 당신도 그 사람들의 말을, 내가 모르는 세계의 말을 하기 시작했군요…….' 《기노시타 준지 작품집1(미래사, 1962년)》. 소수의 노래를 듣기 위해서는 순수한 마음으로 귀를 기울여야 한다는 뜻이지.

채은 소수의 노래가 뭔지 조금은 알 것도 같아요. 하지만 제타웃음이라는 걸 상상하니까 좀 기분이 그래요,

아빠 흥이 나면 회의 중에 제타춤도 춘다던데.

채은 재미있겠다.

아빠 동경대에서 일반인들을 위한 강연을 했을 때 강의노트가 공개된 적이 있는데 꽤 재미있었어. 전부 손으로 썼는데 처음에는 2부터 1999까지 소수만 계속 적혀 있었어. '마음을 차분히 '소수베끼기'를'.

채은 '소수베끼기'를 하면 깨달음을 얻을 수 있을까요?

아빠 $5=2^2+1^2$, $13=3^2+2^2$, … 이렇게 소수의 제곱수로 나타내는 것

이 연달아 술술 쓰여 있는 곳에는 '4로 나누면 1이 남는 소수는 x^2+y^2라고 쓸 수 있는 듯'이라는 글자가 쓰여 있고, x^2+y^2의 앞에는 '신기하게도'라는 말이 나중에 삽입한 듯 되어 있었어. 표어처럼 이런 말도 쓰여 있었지. '자연계의 신비는 수의 세계에 응축되어 있고, 수의 신비는 소수 세계에 응축되어 있다'

채은　역시 소수를 좋아하는군요.

아빠　주목할 점은 소수의 노래 '소수나라의 사랑노래'라는 점이야. 이것은 가우스의 황금정리, 즉 제곱잉여 상호법칙이지. 소수가 사랑의 노래를 나눈다는 거야.

채은　흐음. 그럼 저도 소수의 노래에 귀를 기울여 봐야겠어요. 쿵덕쿵 쿵더덕쿵.

가우스의 2차 형식은 어려웠다. 지금도 행렬에서 왜 저렇게 이상한 계산을 하는 것인지 이해가 가지 않는다. 그 계산을 하면 잘 진행되는 것은 분명하지만…….

가우스가 계산하지 않은 부분을 생각해보았다.

$D=-13$일 때 기약형식은 $(1, 0, 13)$이나
$(2, 1, 7)$이 된다.

따라서 -13이 제곱잉여인 소수 p (255쪽의 ④해답에 의하면 $52n+k$라고 하면 $k=1$, 7, 9, 11, 15, 17, 19, 25, 29, 31, 47, 49 라는 형태의 소수)는,

$$x^2+13y^2 \quad 이나 \quad 2x^2+2xy+7y^2$$

으로 표현할 수 있다.

▶ 예를 들어 5669. mod 52에서 $5669 \equiv 1$. mod 5669에서,
$3098^2 \equiv -13$

$$\frac{3098^2+13}{5669}=1693$$

$(5669, 3098, 1693)$의 기약형식을 구하면,

$(5669, 3098, 1693) \rightarrow (1693, 288, 49) \rightarrow$

$(49, 6, 1) \rightarrow (1, 0, 13)$

h는 2, 6, 6이므로,

$$\begin{pmatrix} 0 & -1 \\ 1 & 2 \end{pmatrix}\begin{pmatrix} 0 & -1 \\ 1 & 6 \end{pmatrix}\begin{pmatrix} 0 & -1 \\ 1 & 6 \end{pmatrix} = \begin{pmatrix} -6 & -35 \\ 11 & 64 \end{pmatrix}$$

이 역행렬은 $\begin{pmatrix} 64 & 35 \\ -11 & -6 \end{pmatrix}$

따라서 $64^2 + 13 \times (-11)^2 = 5669$

▶ 또 예를 들어 80347. mod 52에서 $80347 \equiv 7$. mod 80347
에서 $21376^2 \equiv -13$

$$\frac{21376^2 + 13}{80347} = 5687$$

$(80347,\ 21376,\ 5687) \rightarrow (5687,\ 1372,\ 331)$

$\rightarrow (331,\ -48,\ 7) \rightarrow (7,\ -1,\ 2) \rightarrow (2,\ 1,\ 7)$

h는 4, 4, −7, 0으로,

$$\begin{pmatrix} 0 & -1 \\ 1 & 4 \end{pmatrix}\begin{pmatrix} 0 & -1 \\ 1 & 4 \end{pmatrix}\begin{pmatrix} 0 & -1 \\ 1 & -7 \end{pmatrix}\begin{pmatrix} 0 & -1 \\ 1 & 0 \end{pmatrix} =$$

$$\begin{pmatrix} 29 & 4 \\ -109 & -15 \end{pmatrix}$$

이 역행렬은 $\begin{pmatrix} -15 & -4 \\ 109 & 29 \end{pmatrix}$ 이므로,

$2 \times (-15)^2 + 2 \times (-15) \times 109 + 7 \times 109^2 = 80347$

이것을 김채은의 정리라고 이름 붙이자!

페르마나 오일러에게 김채은의 정리를 알려주고 싶다.

행렬 계산이 지겨워서 읽는 속도도 느렸지만, 복소수에 들어가자 술술 이해되어 쾌감을 느꼈다. 처음에 대수적 정수라는 미지의 정수가 나왔을 때는 이런 건 절대로 정수라고 인정할 수 없다는 심정이었지만, 실제로 복소수의 세계로 입문하는 것은 그리 어렵지 않았다. 미지의 세계를 한 걸음씩 나아가는 기분이 들어서 마치 모험을 하는 것 같았다. 그래서 읽다 보면 신기하게도 $4n+1$형 소수를 제곱수의 합으로 나타낼 수 있다는 것이 극히 당연하게 느껴졌다. 더구나 처음에 느꼈던, 그래서 뭔데요? 하는 상태가 아니라, 정말 당연해진 것이 놀라웠다. 아버지에게 무심코 '$4n+1$형 소수를 제곱수의 합으로 나타낼 수 있다는 게 왠지 멋져요.'라는 말이 튀어나왔다.

이제부터 이것을 증명해야겠다, 하는 마음의 준비를 할 틈도 없이 읽다 보니 그렇게 됐다. 천지 구분도 안 가는 캄캄한 동굴 속을 손으로 더듬으며 나아가다 횃불을 손에 넣었더니, '아 땅이 있었구나'라는 사실을 당연히 알게 되는 것처럼. 땅을 알게 됨과 동시에 지금까지 걸어온 여정도 인식할 수 있었다. 아! 이것을 느끼기 위해서 지금까지 걸어온 것이구나. 페르마도 오일러도 그리고 다른 수많은 수학자들도 뭔가를 위해서가 아니라 뭔가를 알았을 때의 형언할 수 없는 이 느낌이 좋아서, 수학의 세계를 더 알고 싶어서 필사적으로 연구했구나. 수학을 위해 수학을 한다는 기분? 안타깝게도 나는 평범한 사람이라 아빠가 가르쳐주는 것밖에 알 수 없지만, 이것을 읽고 조금이라도 그 수많은 천재들의 기쁨을 함께 실감한 것 같아서 조금 흐뭇하다.

이런 느낌으로 골드바흐의 가설이라든지 어떤 수든 '홀수는 3배 해서 1을 더하고 짝수는 2로 나눈다'를 반복하다 보면 1이 된다는 가설도, 그 배후에 뭐가 숨어 있을지 상상하면 가슴이 두근거린다.

아버지의 서재에 있는 수학책을 펼치면 의미를 알 수 없는 기호들이 지겨울 정도로 나열되어 있는데, 정수론의 세계에서는 세계 최고의 수학자들도 모르는 문제를, 문제의 의미만은 누구나 이해할 수 있으니 정말 신기한 분야 같다.

$4n+1$형 소수를 제곱수의 합으로 나타낼 수 있다는 것은 디오판토스나 히파티아 같은 고대인들도 주목했던 거니까 왠지 그 사람들과 대화라도 하고 있는 기분이다. 시대도 장소도 초월해서 모두 같은 곳을 바라보고 있다는 것은 매우 로맨틱한 기분이다.

오늘밤에는 고대에서 현대까지의 수학자들이 모두 한자리에 모여서 왁자지껄 수다를 떠는 장면이 보고 싶으니 열심히 망상을 하면서 잠들어야겠다. '뭐지!? 이런 정리는……!' '아, 이건 이렇게 증명할 수 있었어?' 하며 깜짝 놀랄 옛사람들. 그 모습을 경외의 눈빛으로 바라보거나 어깨를 으쓱하는 후대인. 정말로 그런 자리가 있다면 재능을 이해받지 못한 채 죽는 사람들이 생기지도 않을 테고 수학의 세계도 믿을 수 없을 만큼 넓어질 텐데. 아, 왠지 삐죽삐죽 웃음이 나온다.

찾아보기